De schoonheid en de hel

Roberto Saviano

De schoonheid en de hel

Vertaald uit het Italiaans door
Dorette Kromodikoro-Zwaans, Etta Maris,
Karoline Sabbatino-Heybroek en Patrizia Zanin

Lebowski, Amsterdam 2009

Oorspronkelijke titel: *La bellezza e l'inferno*

Oorspronkelijk uitgegeven door: Mondadori, 2009

© Roberto Saviano, 2004-2009

Published by arrangement with Roberto Santachiara Agenzia Letteraria

© Vertaald uit het Italiaans door: Dorette Kromodikoro-Zwaans, Etta Maris, Karoline Sabbatino-Heybroek en Patrizia Zanin, 2009

© Nederlandse uitgave: Lebowski, Amsterdam 2009

Omslagfoto: Alberto Burri, Rosso Plastica, 1962

Omslagontwerp: Dog and Pony, Amsterdam

Typografie: Michiel Niesen ZetProducties, Amsterdam

Foto auteur: Bruneau Gerald/Grazia Neri

ISBN 978 90 488 0300 2

NUR 302

www.robertosaviano.com

www.lebowskipublishers.nl

Lebowski is een imprint van Dutch Media Uitgevers bv

Inhoud

Het gevaar als je leest

Schrijven was de laatste jaren voor mij de enige manier om te kunnen bestaan. Verslagen en reportages. Verhalen en hoofdartikelen. Werk dat voor mij niet alleen werk betekende. Het was mijn leven. Maar als iemand hoopte dat de hachelijke situatie waarin ik noodgedwongen leef me ertoe zou kunnen verleiden mijn woorden weg te stoppen, dan had hij het mis. Ik heb ze niet weggestopt, ik heb ze niet verloren. Al heb ik daarvoor moeten strijden, dagelijks, in stilte, hard tegen hard, een schaduwstrijd. Schrijven, mijn woorden niet verbergen, betekende dat ik mezelf niet verloor. Me niet gewonnen gaf. Niet wanhopig werd.

Ik schreef vanuit misschien wel tien verschillende huizen, nergens woonde ik langer dan een paar maanden. Huizen, klein of piepklein, en allemaal, echt stuk voor stuk, verdomd donker. Ik had liever in een wat ruimer huis gezeten, een wat lichter huis, ik wilde op zijn minst een balkon, een terras. Daar verlangde ik naar, zoals ik er ooit naar verlangde te reizen, naar verre horizonten. Naar buiten kunnen, ademen, rondkijken. Maar niemand wilde iets aan mij verhuren. Ik had geen keus, ik kon geen rondje rijden om iets te zoeken, ik kon niet eens zelf beslissen *waar ik wilde wonen. En als uitlekte in welke straat ik verbleef, in welk huis, dan moest ik er op staande voet uit. Dat is de realiteit voor heel veel mensen die in hetzelfde schuitje zitten als ik. Je gaat het appartement bezichtigen dat de agenten van de carabinieri met veel moeite hebben gevonden, ze hebben zelfs al met de eigenaar onderhandeld. Maar zodra die je herkent, is het steeds hetzelfde liedje: 'Ik heb veel respect voor u, dottore, maar ik kan me echt niet in zo'n wespennest steken, ik heb al problemen genoeg', of: 'Voor mijzelf maakt het niets uit, maar ik heb kinderen, een gezin, begrijpt u, ik moet aan hun veiligheid denken', en als derde en laatste: 'Van mij mag u er direct in, gratis, maar de bewoners zouden me lynchen. Die mensen zijn bang, begrijpt u wel.' Dan is er nog de categorie aasgieren. Ze beginnen met begrip – 'Ik heb wel een huis voor u' – om vervolgens een huurprijs te noemen die vier keer zo hoog is als ze aan een ander zouden vragen: 'Ik neem dat risico, natuurlijk doe ik dat, maar alles heeft helaas zijn prijs, weet u.' Ondanks de angst, wat overigens vaak alleen een laffe manier is om geen kant te hoeven kiezen – in dit geval mijn kant –, waren er ook mensen, allemaal volstrekt onbekenden, die met me meeleefden, me een schuilplaats boden, een kamer, vriendschap, warmte. En ook al kon ik vanwege mijn veiligheid meestal niet op het aanbod ingaan, ik heb me ook op die gastvrije, o zo hartelijke plaatsen aan het schrijven gewijd.*

Bij een groot aantal pagina's verzameld in dit boek zat ik niet eens in een huis, maar op een hotelkamer. Allemaal hetzelfde, die hotels waarin ik de afgelopen jaren verbleef en die ik tot op de dag van vandaag verfoei. Ook die hotelkamers waren donker, nergens een raampje om open te zetten. Geen ramen, geen lucht. 's Nachts lig je te zweten, maar als je de airco aanzet, omdat je zowat stikt, droogt het zweet en heb je de volgende dag keelpijn.

Soms was ik in het buitenland – misschien was ik zelfs wel op zo'n plek waar ik vroeger van droomde – en zag er niets dan zo'n hotelkamer en het silhouet van de stad vanachter de geblindeerde ruiten van een gepantserde auto. Ik mocht nog geen stukje gaan wandelen, niet veilig, zelfs met de bodyguards die ik had gekregen. Vaak mocht ik zelfs niet meer dan één nacht in een en hetzelfde hotel blijven. En hoe beschaafder en rustiger de plaats, als criminaliteit en maffia mijlenver weg lijken en ik me absoluut veilig voel, hoe meer ik word behandeld als iets, of iemand, dat ieder moment kan ontploffen. Ze zijn ontzettend aardig, zorgen overal voor. Maar ze pakken je aan met zijden handschoenen, en het is niet helemaal duidelijk of dat uit respect of uit angst is. En zelf ben je er uiteindelijk ook niet meer zeker van of je nu een cadeaupakketje of een bombrief bent.

Nog vaker woonde ik op een kamer in een kazerne van de carabinieri. In mijn neus de geur van het vet van de legervoertuigen die de agenten in de kamers naast me vergezelde, in mijn oren het geluid van hun voetbalwedstrijden op televisie en hun gevloek als ze dan net voor hun dienst werden opgeroepen of als er een tegendoelpunt viel. De zaterdag en de zondag waren niet om door te komen. Het gevoel dat ik in de praktisch lege, roerloze buik van een grote oude walvis zat, die klaarlag om geopereerd te worden. En dan hoor je buiten mensen in de weer, gejoel, je weet dat de zon schijnt, dat het al zomer is.

Soms weet je zelfs waar je bent, dat je als je naar buiten kon, in twee minuten voor je oude huis zou staan, waar je ooit te horen kreeg: 'Het werd weleens tijd dat je het huis uitging,' en nog vijf minuten verder, dan was je bij zee. Maar je kunt niet weg.

Schrijven kun je wel. Schrijven moet je. Je moet en je wilt door. Mensen in loondienst hebben vaak een cynisme over zich als een soort wantrouwen tegenover alles wat niet een strak omlijnd, helder doel dient. Net als de afstandelijkheid van iemand die niet meer wil dan een mooi boek maken, een verhaal in elkaar knutselen, aan de woorden schaven totdat er een mooie herkenbare stijl ontstaat. Is dat de taak van een schrijver? Is alleen dat literatuur? Dan hoeft het schrijven van mij niet, ik hoef niet op die mensen te lijken.

Alle verlangens en wensen willen uitvlakken, dat is cynisme. Cynisme is het wapen van de hopelozen, die niet weten dat ze zonder hoop zijn. Zij zien in alles een slimme manier om rijk te worden, maar wie strijdt om zaken te veranderen beschouwen ze als een naïeve leerling-tovenaar en het schrijven voor een groot publiek beschouwen ze als niet meer dan een verkooptruc. Deze wantrouwige heren, gewapend met hun eeuwige glimlach die lijkt te willen zeggen dat alles toch wel weer verkeerd zal aflopen, kun je niets ontnemen, want ze hebben niets wat nog het verdedigen waard is. Maar je kunt hen niet uit hun meestal met smaak ingerichte en verzorgde woningen jagen. Hun kunst, hun idee over het woord, heeft veel weg van dat soort mooie woningen en wil niet wijken uit de comfortabel ingerichte woonoorden. Maar bevoorrecht als ze zijn met hun droevige beschermde leventjes, hebben ze er geen idee van wat schrijven echt inhoudt.

Schrijven is voor mij ook een manier geworden om een stem te geven aan het verdriet dat ik de eerste maanden had, toen de storm van beschuldigingen en laster aanwakkerde met dezelfde hevigheid als waarmee de verkoop van mijn boek toenam. In het begin keerde mijn maag zich om van woede als de altijd overijverige mensen me de aantijgingen kwamen opsommen.

'Het is door een ander in zijn naam geschreven.' 'Ik redigeer al zijn artikelen voor hij ze naar de krant stuurt.' 'Ik heb bewijs, het is een oplichter.' 'Op je zesentwintigste speel je voetbal, dan kun *je echt nog niet zó schrijven.' 'Hij is de slechte versie van een latin lover.' 'Hij is aan de drugs en kleedt zich als een zigeuner.' 'Hij staat onder druk van een of andere politicus.' 'Ik heb hem gemaakt. Geloof me, ik ken al zijn zwakheden.' 'Die vent wil alleen beroemd worden en geld verdienen.' Maar tegenwoordig moet ik bijna lachen om al die idiote opmerkingen van mensen die jaloers zijn of gewoon zelf ontzettend graag een beetje bekendheid hadden gehad. Ik schrijf alles op in een boekje voor 'stomme opmerkingen' en ik raad iedereen die in een soortgelijke situatie terechtkomt aan om zo'n boekje bij te houden. Dat wil zeggen, de situatie dat je naam maakt in een omgeving, met name als dat Zuid-Italië is, waar je nog moet onderhandelen en je ziel in de waagschaal moet leggen om te mogen ademen en waar elke droom je bruut ontnomen wordt.*

In dit boekje bewaar ik bijvoorbeeld de ontelbare brieven van de advocaten van zogezegde vrienden of familieleden van mensen over wie ik ongezouten mijn mening heb opgeschreven. Eufemistisch gezegd, brieven met de strekking: 'Je betaalt of we zeggen dat je liegt, dat je plagiaat pleegt, of we bellen de krant om roddels te verspreiden, we starten een mediabombardement tegen je.' Dit soort zinnen hebben me duidelijk laten inzien dat ik voor die mensen een nachtmerrie ben: mijn woorden, in handen van zoveel lezers, hebben het bewijs geleverd dat verhalen waarvan zij dachten dat slechts een handjevol mensen ze kon controleren of horen, daarentegen een verandering teweeg kunnen brengen. De verhalen zijn van iedereen geworden.

Ik kon haast niet geloven wat me overkwam, toen op een dag, op de Universiteit van Stockholm, Salman Rushdie tegen me zei: 'De doden houden niet van het leven, evenmin als degenen die zichzelf moeten verkopen om te kunnen werken, die compromissen moeten sluiten om te schrijven. Degenen voor wie jouw bestaan inhoudt dat het mogelijk is dat mensen afwijken van hún manier. Besef je wel hoe irritant je voor hen bent?' Intussen ben ik er inderdaad achter hoe irritant en vervelend ik kan zijn voor wie een hekel heeft aan mijn manier van schrijven, aan hoe ik ben en hoe ik me gedraag. Voor wie zou willen dat ik me verborgen hield, dat ik discreter was, dat ik niet op universiteiten sprak of tijdens primetime op tv. Voor wie liever wil dat alles amusement en show is, omdat zíj zo een soort alleenrecht krijgen op de serieuzere zaken. En intussen heb ik ook geleerd dat het afhangt van de vijand die ik, steeds weer, voor me heb hoeveel waarde ik aan diens woorden moet hechten.

Als me ter ore komt dat bepaalde kranten, bepaalde personen of televisieprogramma's zich tegen mij hebben uitgesproken, dan weet ik dat ik het goed heb gedaan. Want ik weet dat hoe meer ze mij in diskrediet proberen te brengen, hoe meer impact mijn woorden hebben gehad. Hoe harder het gelach van geërgerde intellectuelen, hoe oorverdovender mijn woorden hebben geklonken.

Daarom heb ik zoveel respect gekregen voor degenen die mij bekritiseren zonder me zwart te maken of uit te schelden, zonder spot of leugens. Alleen met eerlijke, opbouwende kritiek kun je groeien en jezelf verbeteren, terwijl het totalitaire gedachtegoed dat achter het cynisme van sommige mediamensen schuilgaat mijn grootste vijand is. Voor mij zijn ze bondgenoten, ook al zijn ze er zich niet altijd van bewust, van de criminele macht. Als je de behoefte voelt om aan te tonen dat iedereen vuile handen heeft, dat alles rot is, dat achter elke poging tot verandering een vals doel of een leugen zit, dan maakt niets meer verschil, dan kan en mag alles. Zo'n houding stompt af en dwingt je ertoe je 'eerlijk' om te laten kopen, compromissen te accepteren, alleen voor plunderen te kiezen, voor overleven, voor de porno van

genietend toekijken hoe het slechtste elke dag je huis binnen-
komt. Alles is gerechtvaardigd, omdat het altijd zo gegaan is,
omdat iedereen het doet, of, erger nog, omdat ze niet anders
kunnen.

Schrijven is voor mij altijd precies het tegenovergestelde ge-
weest. Naar buiten gaan. Een nieuw woord kunnen bijschrijven
in de wereld, het aan iemand doorgeven als een briefje met een
geheime boodschap, zo'n briefje dat je leest, opslaat in je geheu-
gen en dan verscheurt, verfrommelt en in je maag laat verteren.
Schrijven is weerstaan, weerstand bieden. Dat was ook de titel
van de aflevering van Enzo Biagi's talkshow toen hij mij inter-
viewde: 'Resistenza e resistenze' (Weerstand en verzet). Door wat
mij in de afgelopen jaren is overkomen, heb ik ook veel mensen
ontmoet die ik nooit zal vergeten. Ik heb er Enzo Biagi zelfs door
ontmoet, aandacht van hem gekregen, kunnen meemaken dat
hij op zijn leeftijd nog steeds een enorme drive heeft om zichzelf
te ondervragen door middel van de vragen die hij aan anderen
stelt, om de tijdgeest en dit land te doorgronden. Dat ik hem bij
zijn uitvaart de laatste eer kon bewijzen en na zijn dood een of
twee pagina's aan hem heb gewijd, is niet voldoende. Hij ver-
dient het de aandacht die hij gaf terug te blijven krijgen, hij moet
bij ons blijven, nog even. Daar zijn de woorden in een boek voor
bedoeld, om blijvend te zijn.

En ook Miriam Makeba, de grote 'Mama Afrika', de stem die
de vrijheid van een continent bezong, maar die stierf in Castel
Volturno, na een concert waarin zij zes door de camorra ver-
moorde broeders herdacht en haar medeleven kwam betuigen
aan mij, die ze nog nooit had ontmoet, doelwit van een vijand
wiens naam ze niet eens wist. En toch stond ze er. Ze voelde zich
niet goed, en ze kwam toch. Ze zong voor een handjevol mensen,
zij die anders hele stadions vol kreeg. Gestorven in mijn land, dat

ook het hare werd. *De strijdvlag van het gevecht om dat land,*
mijn gevecht en dat van iedereen die het gevecht mee wil voeren,
draagt vanaf nu onzichtbaar ook de naam van Miriam Makeba.

In het stadion van Barcelona werd ik beveiligd door de Mossos,
de Catalaanse politie. Ze hadden mij naar de wedstrijd willen
begeleiden in een kubus van kogelwerend glas, maar uiteindelijk
kregen ze toch medelijden met me en hebben ze me die groteske
gevangenis bespaard. Ik ontmoette er Lionel Messi, de Argen-
tijnse aanvaller van Barcelona. De jongen die de mooiste goal
van Diego Maradona op precies dezelfde manier wist na te doen.
Hij heeft een kinderlijk gezicht dat niets laat zien van de kwel-
lingen die hij jarenlang heeft moeten doorstaan, de hormoonpre-
paraten die hij kreeg ingespoten zodat hij zou groeien en kampi-
oen kon worden, de grootste speler van deze tijd. Nog steeds
wordt hij 'De Vlo' genoemd. Hoe getalenteerd hij ook is, het leek
uitgesloten dat hij mee zou kunnen komen in wedstrijden waar-
in de bal alleen maar hoog gespeeld wordt, fysieke titanenstrij-
den. Maar ook voetbal kan verzet worden, kunst die met elke
centimeter bot die erbij kwam ook verder in zijn spieren, die het
bot bedekken, doordrong. En als ik een wens mocht doen, zo'n
wens die niet kan, dan wens ik dat deze pagina's zullen zijn als
een sprint van Lionel Messi richting de goal van de tegenstander,
razendsnel, bal aan de voet geplakt, het maakt niet uit of hij hem
in het net schiet of naar een medespeler die vrijloopt. Scoren is
niet het belangrijkste, maar het lopen, het dribbelen, de schijn-
bewegingen, het balbehoud.

Soms betrap ik mezelf erop dat ik achteromkijk. En dan weet
ik voor wie dit boek niet bestemd is. Het is in elk geval niet voor
al die mensen met wie ik ben opgegroeid en die het wel best vin-
den als ze het hoofd maar boven water houden, die vloekend aan
tafel zitten en zichzelf van dag tot dag voortslepen door allemaal

eendere dagen. Het is niet bestemd voor wie in zijn lot berust, te lui om ergens vertrouwen in te hebben. Voor wie naar niets méér verlangt dan een dorpsfeestje of een avondje in de pizzeria. Voor wie is blijven hangen in het aan elkaar uitlenen van vriendinnetjes, als eerste aan degene die, als een verloren schoen die vergeten in een stoffige doos onder in de kast ligt, weer single is. Voor wie denkt dat het nodig is om andermans tegenslagen uit te buiten om volwassen te worden, in plaats van samen de uitdaging aan te gaan. Voor die mensen is het niet bedoeld. Natuurlijk weet een schrijver voor wie hij schrijft, maar hij weet ook voor wie hij niét schrijft. En ik schrijf niet voor hén. Ik schrijf niet voor mensen met wie ik niets gemeen heb, ik schrijf geen brieven aan een verleden waarnaar ik niet terug kan of wil. Want als ik achteromkijk, weet ik dat mij hetzelfde kan overkomen als de vrouw van Lot, die in een zoutpilaar veranderde toen zij omkeek om te zien hoe Sodom en Gomorra werden verwoest. Want dat is het lot dat je treft, wanneer je verdriet geen uitweg vindt en geen doel dient: je raakt versteend. Alsof je tranen, of tranen die je niet plengen kunt, zodra ze in contact komen met je wrok en je haat duizenden kristallen vormen en veranderen in een dodelijke val. Al wat mij dus rest als ik omkijk, het enige waarin ik mij herken, het enige wat de contouren kan schetsen van een lichaam dat leeft en ademt, zijn mijn woorden. Dat is de reden dat ik een aantal verhalen aan dit boek toevoeg die ik al had geschreven voordat Gomorra uitkwam, speciaal voor de mensen voor wie dit boek is bedoeld.

Dit boek is voor mijn lezers. Die ervoor gezorgd hebben dat Gomorra een tekst kon worden die een gevaar vormt voor machten die stilte en schaduw nodig hebben. Die de woorden uit mijn boek in zich hebben opgenomen. Die mijn boek aan vrienden en familie hebben doorgegeven, het op scholen hebben geïntrodu-

ceerd. Die de straat op zijn gegaan om eruit voor te lezen en te verkondigen dat mijn zaak een zaak van iedereen is, omdat mijn woorden inmiddels iedereen aangingen. Voor al diegenen schrijf ik dit boek. Want zonder hen had ik het misschien niet volgehouden. Had ik het misschien niet vol kunnen houden te blijven schrijven en me dus te verzetten en de toekomst voor ogen te houden. Want ik realiseerde me dat ook mijn 'geblindeerde' leven een leven is. En ik realiseerde me heel goed dat ik zonder mijn lezers nooit de ruimte had gekregen die ik gekregen heb, op de voorpagina's, voor de camera's op primetime. Als niet zoveel mensen mij gelezen hadden, en met mijn boek niet méér hadden gedaan dan het te lezen en als het uit was het tussen alle andere boeken in de boekenkast op zijn plek hadden geschoven, dan zou ik niets hiervan bereikt hebben. Het feit dat ik geworden ben tot een 'mediafenomeen' heb ik uiteindelijk te danken aan mijn lezers.

Dat contact met de media belangrijk is, dat is me in de afgelopen jaren wel duidelijk geworden. Als het geen leeg verhaal is, geen roddels, geen breisel van verzinsels met als enige doel pappen en nathouden, maar de wens en het verlangen naar kennis en verandering, waarom zou je dan niet alle middelen, de media, inzetten om de krachten te bundelen? Waarom dan zoveel argwaan en angst jegens de media hebben?

Ergens begrijp ik die angst wel. En er schiet me iets vreemds te binnen, ik kan het niet goed uitleggen. In alle interviews, in alle landen waar mijn boek is uitgegeven, krijg ik steeds dezelfde vraag: 'Bent u niet bang?' Waarmee ze dan natuurlijk bedoelen of ik niet bang ben om vermoord te worden. 'Nee,' antwoord ik direct, en ben dan stil. Ik denk weleens dat er misschien een heleboel mensen zijn die dat niet geloven. Maar het is echt zo. Echt. Ik ben vaak bang geweest, en nog, maar eigenlijk nooit voor de dood. *Mijn grootste angst, die me constant in zijn greep houdt, is dat ik onderuitgehaald word, dat mijn geloofwaardigheid eraan gaat, dat hetgeen waar ik voor sta en waarvoor ik duur betaald heb bezoedeld wordt. Dat hebben ze gedaan bij iedereen die naar buiten durfde te treden en aangifte deed. Ze hebben het gedaan bij don Peppino Diana, een priester, vermoord en vanaf de dag na zijn dood zwartgemaakt; bij Federico Del Prete, vakbondsleider en gedood in Casal di Principe in 2002 en zwaar belasterd op de dag van zijn uitvaart; bij Salvatore Nuvoletta, een carabiniere van krap twintig jaar oud, omgebracht in 1982 in Marano en vanaf die dag bedolven onder de roddels dat hij aangetrouwd zou zijn in de gelijknamige uiterst machtige camorrafamilie.*

Ik had nog een andere angst, die wat lastiger ligt. Namelijk de angst voor het imago dat ik krijg. Angst dat als ik te veel onder de aandacht kom, ik een 'personage' word, en niet meer ben wie ik wil zijn. Truman Capote heeft zo'n uitspraak die ik de laatste jaren vaak naar het hoofd geslingerd krijg, vreselijk maar waar: 'Er worden meer tranen vergoten over verhoorde gebeden dan over niet-verhoorde gebeden.' Als er iets is wat ik altijd graag heb gewild, dan is het wel dat mijn woorden impact zouden hebben, ik wil laten zien hoe krachtig het literaire woord kan zijn, krachtig genoeg om de werkelijkheid te veranderen. Ondanks alle gevolgen die het voor mij heeft, is mijn 'gebed' dankzij mijn lezers verhoord. Maar ik ben daardoor ook anders geworden dan ik me altijd had voorgesteld. En dat deed pijn en het was moeilijk te accepteren, totdat ik inzag dat niemand zijn eigen lot kiest. Maar je kunt wel zelf kiezen hoe je ermee omgaat. Voor zover ik dat kan, probeer ik het mijne zo goed mogelijk te dragen, omdat ik me daartoe verplicht voel aan iedereen die mij gesteund heeft.

En dus probeer ik, als ik voor tv word gevraagd en ik weet dat er veel mensen zullen kijken, gewoon mijn best te doen, zonder

afbreuk te doen aan de waarheid, haar te verachten, te vereen-
voudigen. En dus vormen de teksten die ik voor dit boek heb uit-
gekozen geen homogeen geheel. Ik heb de afgelopen jaren met
uiteenlopende bedoelingen geschreven, variërend van het vrijelijk volgen van mijn passies tot het gehoor geven aan een plichts-
gevoel. Zo ben ik bijvoorbeeld gaan kijken wat er zich in de
Abruzzen afspeelde na de aardbeving. Of ik volgde wat er zich in
de criminele zakenwereld afspeelde, vooral als iets enorme rijkdom voor een paar mensen oplevert en de dood tot gevolg heeft
voor velen, voor hele generaties, zoals in de affaire met de vergif-
tigde vuilstort in mijn hele geboortestreek. Ik deins er niet meer
voor terug om alle middelen in te zetten – tv, internet, radio,
muziek, film, theater –, omdat ik van mening ben dat wanneer
je de media op een eerlijke manier en zonder er misbruik van te
maken inzet, zij hun naam alleen maar eer aan zullen doen.
Dan zijn het middelen die een gat kunnen slaan in het hulsel
van onverschilligheid en die woorden die uitgeschreeuwd zouden
moeten worden kracht bij te kunnen zetten.

De titel van dit boek betekent iets heel eenvoudigs. Ik wil ermee
zeggen dat aan de ene kant de nodige vrijheid en schoonheid voor
wie schrijft en leeft echt bestaan; aan de andere kant bestaat het
tegenovergestelde, de ontkenning ervan ook: de hel die alsmaar de
boventoon lijkt te voeren. In een van zijn belangrijkste werken,
l'Homme révolté, vertelt Albert Camus, een van mijn favoriete
schrijvers, het volgende verhaal. Hij heeft het over een Duitse
onderluitenant die in Siberië is beland, in een kamp waar 'kou en
honger heersten', en die, 'met houten toetsen zelf een stille piano
had gebouwd. Daar, in de steeds ellendiger misère, te midden van
haveloze troep, componeerde hij een vreemd muziekstuk dat alleen hijzelf horen kon.' 'Zo zullen,' gaat Camus verder, 'mysterieuze melodieën en wrede beelden van vervlogen schoonheid,

vanuit de hel waar ze in gesmeten zijn, ons voor altijd de echo brengen van die harmonieuze opstand die door de eeuwen heen getuigt van de menselijke grootsheid.'

En direct aansluitend voegt hij een kort zinnetje toe dat hij zelf schijnbaar niet zo belangrijk vindt, maar dat dat voor mij wel geworden is. Ook omdat het me doet denken aan de onvergetelijke woorden van Giovanni Falcone, die ooit zei dat de maffia een menselijk fenomeen is en dat het zoals alle menselijke fenomenen een begin kent en dus ook een einde. En om Camus nog eens aan te halen: *'Maar de hel kent slechts één tijd, op een dag zal het leven opnieuw beginnen.'*

Dat is wat ook ik geloof, hoop, wil en wens.

Het Zuiden

Brief aan mijn geboortestreek

De verantwoordelijken hebben namen. Hebben gezichten. Hebben zelfs een ziel. Of misschien niet. Giuseppe Setola, Alessandro Cirillo, Oreste Spagnuolo, Giovanni Letizia, Emilio Di Caterino en Pietro Vargas voeren een zeer gewelddadige militaire strategie uit. Ze hebben daarvoor toestemming gekregen van de voortvluchtige bosses Michele Zagaria en Antonio Iovine en verschuilen zich in Lago Patria. Als ze samen zijn zullen ze zich eenzame strijders voelen, krijgers die proberen het iedereen betaald te zetten, de laatste wrekers van een van de meest beklagenswaardige en meedogenloze gebieden van Europa. Zo zullen ze er met elkaar over praten.

Maar in werkelijkheid zijn Giuseppe Setola, Alessandro Cirillo, Oreste Spagnuolo, Giovanni Letizia, Emilio Di Caterino en Pietro Vargas lafaards: moordenaars zonder enige militaire vaardigheid. Om te doden schieten ze als gekken hun magazijnen leeg, om zich op te laden stoppen ze zich vol met cocaïne en Fernet Branca en wodka. Ze schieten op ongewapende mensen, die onverwacht of in de rug getroffen worden. Ze hebben zich nog nooit gemeten met andere gewapende mannen. Daar zouden ze bang voor zijn, maar als ze weerloze mensen kunnen doden, vaak ouderen of jonge kinderen, voelen ze zich sterk. Door ze te misleiden en in de rug aan te vallen.

En ik vraag me iets af. In jullie geboortestreek, in onze geboortestreek, waart nu inmiddels al maandenlang een handjevol killers ongestoord rond dat onschuldige mensen afslacht. Het zijn vijf, zes killers en het zijn steeds dezelfden. Hoe is dat mogelijk? Ik vraag me af: hoe ziet dit gebied zichzelf, welk beeld heeft het van zichzelf? Hoe zien jullie je eigen geboortestreek, jullie eigen dorp? Hoe voelen jullie je wanneer je naar je werk gaat, wanneer je wandelt, wanneer je vrijt? Vragen jullie je dat weleens af, of laten jullie het bij: zo is het altijd geweest en zo zal het altijd blijven?

Nemen jullie er genoegen mee te geloven dat jullie verontwaardiging en verzet geen enkele invloed hebben op wat er gebeurt? Dat iedereen in wezen zijn eigen zorgen heeft en dat dus alleen je eigen dagelijkse beslommeringen belangrijk zijn en verder niets? Denken jullie dat jullie hiermee verder kunnen komen? Nemen jullie genoegen met: 'Ik doe niets verkeerd, ik ben een eerlijk mens' om je niet schuldig te hoeven voelen? Nemen jullie er genoegen mee de berichten langs je huid en langs je ziel te laten afglijden? Omdat het nou eenmaal altijd zo geweest is? Of stelt het jullie gerust dat het aanklagen de taak wordt van verenigingen, de kerk, activisten, journalisten en anderen? Zo gerust dat jullie misschien niet gelukkig maar dan in elk geval wel rustig kunnen gaan slapen? Nemen jullie daar werkelijk genoegen mee?

Deze vuurgroep heeft vooral onschuldige mensen gedood. In elk ander land zou de bewegingsvrijheid van zo'n bende moordenaars hebben geleid tot discussies, politieke conflicten, beschouwingen. Maar hier zijn het slechts criminelen die zijn geworteld in een territorium dat beschouwd wordt als een van de achterlijkste gebieden van Italië. En dus blijven de onderzoekers, de carabinieri en politieagenten, het handjevol journalisten dat de zaak volgt, alleen. Wie elders in het land een krant leest, weet niet eens dat deze killers altijd dezelfde strategie toepassen: ze doen alsof ze politieagenten zijn. Ze hebben zwaailichten en signaalborden, ze zeggen dat ze van de DIA – de antimaffiadienst – zijn en dat ze de autopapieren moeten controleren. Ze maken gebruik van een goedkoop trucje om makkelijker te kunnen moorden. En ze leven als beesten: in buffelhouderijen, in huizen buiten de dorpen, in garages.

Ze hebben zeventien mensen omgebracht. De slachting begint op 2 mei 2008 rond zes uur 's ochtends op een buffel-houderij in Cancello Arnone. Ze vermoorden de vader van spijtoptant Domenico Bidognetti, neef en voormalig vertrou-weling van Francesco Bidognetti. Umberto Bidognetti was negenenzeventig jaar en werd meestal vergezeld door de zoon van Mimì, die toevallig die ochtend geen zin had om zijn bed uit te komen en zijn grootvader te helpen.

Op 15 mei wordt in Baia Verde, deelgemeente van Castel Volturno, de vijfenzestigjarige rijschoolhouder Domenico Noviello vermoord. Domenico Noviello had zich acht jaar daarvoor verzet tegen de racket, de afpersing door de camor-ra. Hij had weliswaar bewaking gehad, maar de wettelijke periode waarin hij beschermd werd was verstreken. Hij wist niet dat hij een doelwit was, hij had het niet verwacht. Ze los-sen twintig schoten op hem terwijl hij in zijn Fiat Panda onderweg is naar een koffiebar alvorens zijn rijschool te ope-nen. Zijn executie is tevens een boodschap aan de politie, die drie dagen later in Casal di Principe haar jubileum zou vieren, en vooral een duidelijke verklaring: er kan bijna een decennium voorbijgaan maar de Casalesi's vergeten niet.

Twee dagen eerder, op 13 mei, steken ze de matrassenfabriek van Pietro Russo in Santa Maria Capua Vetere in brand, waardoor alles verwoest wordt. Hij is de enige van hun schietschijven die een lijfwacht heeft. Omdat hij de enige was, samen met Tano Grasso, die had geprobeerd een front te vormen tegen het betalen van beschermingsgeld in het territorium van de Casalesi's. Vervolgens schieten ze op 30 mei in Villaricca een vijfentwintigjarig meisje in haar buik. Het gaat om Francesca Carrino, nichtje van Anna Carrino, de ex-vriendin van Francesco Bidognetti, die spijtoptante is geworden. Francesca was thuis met haar moeder en grootmoeder, maar zij was toevallig degene die de deur opendeed voor de killers, die zich voordeden als agenten van de DIA.

Nog geen dag later wordt Michele Orsi vermoord in Casal di Principe als hij na zijn lunch naar de Roxy Bar wil gaan. Orsi deed zaken in de afvalverwerking en stond dicht bij de clan. Hij was een jaar daarvoor gearresteerd en had meegewerkt met justitie, waarbij hij de verstrengelingen tussen afval, politiek en camorra had onthuld. Het is een moord op een vooraanstaand iemand, er is veel over te doen, er ontstaan discussies en politici verheffen hun stem. Maar het stopt de killers niet.

Op 11 juli vermoorden ze op het strand La Fiorente in Varcaturo de zeventigjarige Raffaele Granata, eigenaar van een strandtent en de vader van de burgemeester van Calvizzano. Ook hij moet boeten omdat hij jaren daarvoor niet had willen buigen voor de wil van de clan. Op 4 augustus worden in Castel Volturno bij bar Kubana aan een terrastafeltje Ziber

Dani en Arthur Kazani afgeslacht en op 21 augustus wordt de vijfentwintigjarige Ramis Doda vermoord voor bar Freedom in San Marcellino. De slachtoffers zijn Albanezen die bijverdienden met dealen, maar ook een verblijfsvergunning hadden en als metselaars en huisschilders in de bouw werkten.

Op 18 augustus wordt het vuur geopend op de kleine villa van Teddy Egonwman, baas van de Nigerianen in Campania, waarbij hijzelf, zijn vrouw Alice en drie gasten ernstig gewond raken.

Op 12 september gaan ze terug naar San Marcellino om Antonio Ciardullo en Ernesto Fabozzi om te brengen. Ze worden afgeslacht terwijl ze bezig zijn de vrachtwagen te repareren van het transportbedrijf waarvan Ciardullo eigenaar was. Ook hij had niet gehoorzaamd en de man die naast hem stond werd gedood, omdat hij er getuige van was.

Ten slotte doorzeven ze op 18 september eerst Antonio Celiento, eigenaar van een gokhal in Baia Verde, en openen ze een kwartier later met honderddertig pistool- en kalasjnikov-kogels het vuur op de Afrikanen in en om het naaiatelier Ob Ob Exotic Fashion in Castel Volturno. Slachtoffers zijn de zevenentwintigjarige Samuel Kwaku en Alaj Ababa uit Togo; de Liberianen Cristopher Adams en Alex Geemes, achtentwintig jaar; de eenendertigjarige Kwame Ylius Francis en de vijfentwintigjarige Eric Yeboah uit Ghana. De vierendertigjarige Joseph Ayimbora, ook afkomstig uit Ghana, wordt zwaargewond naar het ziekenhuis overgebracht. Slechts een of twee van hen waren misschien betrokken geweest bij drugs, de anderen waren daar toevallig, werkten hard in de bouw, of waar ze maar werk konden vinden, ook in het naaiatelier.

Zestien slachtoffers in nog geen zes maanden tijd. Elk ander democratisch land zou in zo'n situatie op zijn grondvesten schudden. Hier bij ons is er, ondanks alles, niet eens over gepraat. Ten noorden van Rome was er zelfs niemand op de hoogte van dit spoor van bloed en dit terrorisme, dat geen Arabisch spreekt en niet zwaait met een vlag met vijfpuntige sterren, maar dat beveelt en domineert zonder weerga.

Ze maken iedereen af die zich verzet. Ze maken iedereen af die in hun schootsveld komt, zonder met iets of iemand rekening te houden. De dodenlijst zou nog langer kunnen zijn, veel langer. En in al deze maanden heeft niemand de publieke opinie gewaarschuwd dat dit 'spookschip' rondwaarde. Zo'n zeilboot met razeil, waarmee in groepen op zee gevist wordt. Maar dit schip laat in haar bedrieglijke netten mensen terechtkomen, geen zeebaarzen. Niemand heeft hun namen onthuld, tot het bloedbad in Castel Volturno.

Maar het zijn steeds dezelfde personen, ze gebruiken altijd dezelfde wapens, ook al proberen ze die telkens weer aan te passen om de technische recherche om de tuin te leiden – een teken dat ze maar weinig wapens tot hun beschikking hebben. Ze hebben geen contact met hun familie, ze blijven strikt onder elkaar. Nu en dan worden ze gesignaleerd in een bar in een willekeurig dorp, waar ze zich volgieten met alcohol. En al zes maanden lang slaagt niemand erin om ze in de kraag te vatten.

Castel Volturno, het territorium waarin het merendeel van de moorden heeft plaatsgevonden, is niet zomaar een plek. Het is een in verval geraakt gehucht, een getto voor uitschot en misdeelden zoals je die overal kunt vinden, ook al lijken sommige streken in het zuiden meer op een Zuid-Afrikaanse township dan op de toeristische badplaats waarvoor de vakantiehuizen waren gebouwd. Castel Volturno is de plek waar de Coppola's het grootste illegale bastion van de wereld bouwden: het beroemde Villaggio Coppola.

Achthonderddrieënzestigduizend vierkante meter bedekt met beton heeft illegaal de plaats ingenomen van een van de grootste pijnboombossen langs de Middellandse Zee. Illegaal is het ziekenhuis, illegaal is de kazerne van de carabinieri, illegaal is het postkantoor. Alles is illegaal. Eerst gingen de gezinnen van de NAVO-soldaten die daar gelegerd waren er wonen. En toen zij vertrokken, na de Koude Oorlog, raakte het in verval en werd het het domein van Francesco Digonetti en tegelijkertijd het territorium van de Nigeriaanse maffia.

De Nigerianen hebben een machtige maffia waarmee de Casalesi's wel een bondgenootschap wilden sluiten. Nigeria is een knooppunt in de internationale cocaïnehandel geworden en de Nigeriaanse organisaties zijn inmiddels heel machtig en investeren met name in de money transferpunten, kantoren vanwaaruit alle geëmigreerde Nigerianen in de hele wereld geld naar huis kunnen sturen. Via die kantoren hebben de Nigerianen controle over geld en mensen. Vanuit Castel Volturno wordt de coke rechtstreeks doorgevoerd, voornamelijk naar Engeland. De heffingen die de clan vervolgens op de handel oplegt behelzen niet alleen de *pizzo*, het protectiegeld, op de straatverkoop, maar ook een soort joint venture-overeenkomsten. En de Nigerianen zijn nu machtig, heel machtig. Evenals de Albanese maffia, waarmee de Casalesi's ook zaken doen.

De clan is aan het rafelen, is bang niet meer te worden erkend als degene die de alleenheerschappij heeft over het territorium. En op de lege plekken nestelen zich de mannen van het spookschip. Zij doden kleine Albanese visjes om voorbeelden te stellen, ze slachten Afrikanen af – waar overigens niet één Nigeriaan bij is, ze treffen de zwakste schakels in de keten van etnische en criminele hiërarchieën. Eerlijke jongens sterven, maar zoals altijd in deze streek hoeft daar geen reden voor te zijn.

En er is weinig voor nodig om een slechte naam te krijgen. De vermoorde Afrikaanse jongens zijn meteen allemaal 'dealers'. Net zoals Giuseppe Rovescio en Vincenzo Natale, die op 23 september 2003 werden vermoord in Villa Literno omdat ze een biertje stonden te drinken naast Francesco Galoppo, lid van de Bidognetti-clan, en daarom dus 'camorristen' waren. Ook zij werden meteen bestempeld als criminelen.

Het is niet de eerste keer dat er in die omgeving een slachting onder immigranten wordt aangericht. In 1990 was Augusto La Torre, de boss van Mondragone, met zijn vertrouwelingen op weg naar een bar die weliswaar gerund werd door Italianen, maar een trefpunt van Afrikanen was geworden om drugs te kopen. Het gebeurde allemaal langs de rijksweg Domitiana, bij Pescopagano, een paar kilometer ten noorden van Castel Volturno maar nog net in het territorium van Mondragone. Zes personen kwamen om het leven, onder wie de eigenaar van de bar en zijn veertienjarige zoon, wiens wervelkolom gebroken werd door een kogel. Ook dat was een hoogtepunt in een reeks aanslagen tegen buitenlanders. De Casalesi's hadden weliswaar toestemming gegeven voor de intimidaties, maar ze waren niet blij met het bloedbad. La Torre kreeg zware kritiek te verduren van Francesco 'Sandokan' Schiavone. De tijden zijn echter veranderd en nu staan ze toe dat een stelletje gewapende cokeverslaafden willekeurig geweld uitoefent.

Ik vraag opnieuw aan mijn geboortestreek welk beeld hij van zichzelf heeft. Ik vraag het ook aan alle verenigingen van vrouwen en mannen die hier in stilte hun werk doen en zich inzetten. Aan die paar politici die erin slagen geloofwaardig te blijven, die weerstand bieden aan de verleiding om samen te spannen met de maffia en sterk genoeg zijn om de macht van de clans te blijven bestrijden. Aan iedereen die zijn werk goed doet, aan iedereen die eerlijk probeert te leven, net als in elk ander deel van de wereld. Aan al die mensen, van wie er steeds meer zijn. Maar ze zijn steeds meer alleen.

Wat is jullie beeld van deze streek? Als het waar is wat Danilo Dolci zei, dat je alleen kunt groeien als er iemand van je droomt, hoe dromen jullie dan van deze plaatsen? Nooit eerder is er zoveel aandacht geweest voor jullie streek en wat ermee is gebeurd en nog steeds gebeurt. En toch lijkt er niet veel te zijn veranderd. De twee bosses die het voor het zeggen hadden, hebben het nog steeds voor het zeggen en zijn nog steeds op vrije voeten. Antonio Iovine en Michele Zagaria. Al twaalf jaar voortvluchtig. Het is bekend waar ze zijn. De eerste is in San Cipriano d'Aversa, de tweede in Casapesenna. Hoe is het mogelijk dat men niet in staat is ze op te sporen in een gebied dat zo groot is als een postzegel?

Het is een oud verhaal, dat van voortvluchtige criminelen naar wie overal ter wereld wordt gezocht en die dan gewoon in hun eigen huis worden gevonden. Maar het nieuwe verhaal is dat er steeds meer over ze gepraat wordt in de kranten en op de televisie, dat politici van allerlei gezindten hebben beloofd dat ze zullen worden gearresteerd. En intussen verstrijkt de tijd en gebeurt er niets. En gaan zij hun gang. Ze lopen, ze praten, ze ontmoeten mensen.

Ik heb gezien dat er in mijn geboortestreek leuzen tegen mij op de muren staan geschreven. 'Saviano is stront'. 'Saviano je bent een worm'. En een enorme doodskist met mijn naam erop. En verder beledigingen, voortdurende lasterpraatjes, om te beginnen met de meest voorkomende en banale: 'Die is er mooi rijk van geworden.' Ik kan nu leven van mijn werk als schrijver en gelukkig mijn advocaten betalen.

En zij? Zij die aan het hoofd staan van economische imperiums en gigantische villa's laten bouwen in dorpen waar nog niet eens geasfalteerde straten zijn? Zij die er voor de verwerking van giftig afval met een enkele transactie in geslaagd zijn wel vijfhonderd miljoen euro te incasseren en onze grond hebben volgestouwd met giftige stoffen, waardoor bepaalde vormen van kanker met vierentwintig procent en aangeboren afwijkingen met vierentachtig procent zijn toegenomen? Veel geld, dat volgens het epidemiologisch instituut van Campania gemiddeld 7172,5 doden als gevolg van kanker in Campania genereert. En dan zou ik mij verrijken aan de ellende van dit gebied? Ik met mijn woorden? Of de carabinieri en de magistraten, de journalisten en al die anderen die met boeken of films of op andere manieren blijven spreken? Hoe is het mogelijk dat de feiten zo worden omgedraaid? Hoe is het mogelijk dat zelfs eerlijke mensen zich mengen in dit koor? Hoewel ik mijn geboortestreek ken, kijk ik vol ongeloof en met verbijstering naar wat er gebeurt, maar ook zo gekwetst dat ik met moeite mijn stem kan vinden.

Want verdriet leidt tot verstomming, vijandigheid leidt tot niet weten met wie je moet praten. Dus tot wie moet ik mij wenden? Wat moet ik zeggen? Hoe kan ik tegen mijn geboortestreek zeggen dat hij zich niet langer moet laten pletten tussen de arrogantie van de sterken en de lafheid van de zwakken?

Vandaag, hier, in deze kamer waar ik nu ben, gevangene van degenen die mij beschermen, ben ik jarig. Ik denk aan alle verjaardagen die ik zo heb doorgebracht sinds ik onder bescherming sta: een beetje nerveus, een beetje verdrietig en vooral alleen.

Ik denk dat ik nooit meer een normale verjaardag in mijn eigen geboortestreek zal vieren, dat ik er nooit meer een stap zal zetten. Ik treur als een zieke om alle verjaardagen die ik verwaarloosd heb, waarvoor ik mijn neus ophaalde omdat het gewoon een datum was en het de volgende jaren weer diezelfde datum zou zijn. Vóór mij heeft zich een draaikolk in de tijd en de ruimte geopend, een wond die nooit meer zal dichtgaan. En ik denk ook en vooral aan degenen die in dezelfde omstandigheden leven als ik en die niet zoals ik het voorrecht hebben dat ze erover kunnen schrijven of praten.

Ik denk aan vrienden die ook onder bescherming staan: Raffaele, Rosario, Lirio, Tano. Ik denk aan Carmelina, de basisschooljuf uit Mondragone die de moordenaar van een camorrist had aangegeven en die sindsdien onder bescherming leeft, ver weg, eenzaam. Verlaten door haar vriend met wie ze zou gaan trouwen, veroordeeld door haar vrienden die zich verpletterd voelen door haar moed en hun eigen middelmatigheid. Want haar daad heeft niet tot solidariteit geleid, integendeel, ze heeft kritiek gekregen, ze is in de steek gelaten. Zij heeft slechts de stem van haar geweten gevolgd en moet nu rond zien te komen van de schamele uitkering die ze van de staat ontvangt.

Wat heeft Carmelina gedaan, wat hebben anderen zoals zij gedaan waardoor hun leven is verwoest en ontworteld, terwijl de voortvluchtige bosses gewoon veilig en gerespecteerd in hun eigen gebied kunnen blijven leven? En ik vraag aan mijn land: wat rest ons? Zeg het me. De andere kant opkijken? Doen alsof er niets aan de hand is? Over ziekenhuistrappen lopen die gedweild zijn door hún schoonmaakbedrijven, de tanks van onze auto's volgooien met benzine die uit hún pompen komt? Wonen in huizen die door hén gebouwd zijn, koffiedrinken van het merk dat zíj hebben opgelegd (voor elk koffiemerk dat in bars wordt geschonken is toestemming nodig van de clans), koken in hún pannen (de Tavoletta-clan had de productie en verkoop van de meest prestigieuze pannenmerken in handen)?

Hun brood, hun mozzarella, hun groenten eten? Stemmen op hun politici die, als je de verklaringen van spijtoptanten moet geloven, de hoogste landelijke posities bekleden? Werken in hun winkelcentra, die gebouwd zijn om banen te creëren en de mensen vervolgens afhankelijk te maken dankzij die banen, maar dat alles zonder verlies omdat het merendeel van de winkels van hen is? Zijn jullie er trots op dat jullie wonen in een gebied met de grootste winkelcentra en tegelijkertijd met een van de hoogste armoedecijfers ter wereld? Dat jullie in je vrije tijd naar bars en restaurants gaan die door hen worden gerund of waarvoor zij een vergunning hebben afgegeven? Dat jullie in de bar zitten naast hun kinderen, de kinderen van hun advocaten, van hun 'witte boorden'? En dat jullie ze misschien zelfs wel aardig en onschuldig vinden, gewoon prettige mensen, want eigenlijk zijn het ook maar gewoon kinderen, die hoeven toch niet de schuld van hun vaders te dragen?

Het gaat er niet om wie de schuld heeft. Het gaat erom dat jullie stoppen met altijd maar accepteren en ondergaan, stoppen met denken dat er tenminste orde is, dat er tenminste werk is, en dat het voldoende is om niet te stelen, niet de dekmantels op te tillen, je eigen gang te gaan. Dat dat het enige is wat je hoeft te doen om van deze streek al de best denkbare wereld te maken, of misschien niet de best denkbare, maar dan in elk geval de enige mogelijke wereld.

Hoelang moeten we nog wachten? Hoelang moeten we nog toezien dat onze beste mensen emigreren en degenen die lijdzaam toekijken blijven? Weten jullie echt zeker dat het zo goed gaat? Dat de avondjes die jullie doorbrengen met flirten, lachen, ruziën, schelden op de stank van het verbrande afval en hier en daar wat babbelen, voldoende zijn? Jullie willen een simpel, normaal leven, een leven dat is opgebouwd uit kleine dingen, terwijl er om jullie heen een ware oorlog woedt, terwijl degenen die de dingen niet lijdzaam ondergaan maar die aanklagen en spreken, alles verliezen. Hoe komt het dat wij zo blind zijn geworden? Zo onderworpen en berustend, zo geknakt? Hoe is het mogelijk dat alleen de laagsten van de laagsten, de Afrikanen van Castel Volturno, die de uitbuiting en het geweld van de Italiaanse clans en van andere Afrikaanse clans moeten ondergaan, er voor een keer in geslaagd zijn meer woede te voelen dan angst en berusting? Ik kan niet geloven dat dit zuiden, dat zo rijk is aan talent en krachten, met zo weinig genoegen neemt.

Calabrië heeft het laagste bruto nationaal product van Italië, maar *cosa nuova*, oftewel de 'ndrangheta, heeft een grotere jaaromzet dan de Italiaanse staatsbegroting. Alitalia mag dan in een crisis verkeren, in Grazzanise, in een territorium dat door de camorra gecorrumpeerd is, wordt binnenkort het grootste vliegveld van Italië gebouwd, het grootste van heel het Middellandse Zeegebied. Een territorium dat ertoe veroordeeld is enorme kapitalen te laten circuleren zonder dat het zelf echt ontwikkeld wordt, maar dat gevuld is met veel geld, winst en beton die smaken naar plundering, niet naar groei.

Ik kan niet geloven dat slechts een paar individuen bij uitzondering in staat zijn weerstand te bieden. Dat het aanklagen inmiddels alleen nog de taak is van die paar individuele geestelijken, leraren, artsen, een handjevol eerlijke politici en groepen die de rol vervullen van de beschaafde maatschappij. En de rest? Houden alle anderen zich braaf koest, verdoofd door angst? Angst. Het beste alibi. Angst geeft het gevoel dat alles in orde is, want in naam van de angst worden het gezin, de liefde, het eigen onschuldige leven, het onaantastbare recht om dat leven te leiden en op te bouwen, beschermd.

En toch zou het niet moeilijk zijn om ervoor te zorgen dat je geen angst meer hebt. Je zou alleen maar hoeven te handelen, maar niet in je eentje. Angst gaat hand in hand met isolement. Telkens wanneer iemand zich terugtrekt wordt er meer angst gecreëerd, wat nog meer angst creëert, in een exponentiële groei die verlamt, erodeert, langzaam ruïneert.

'Kan het geluk van de wereld gebouwd worden op de schouders van een enkel mishandeld kind?' vraagt Ivan Karamazov aan zijn broer Aljosja. Maar jullie willen geen volmaakte wereld, jullie willen slechts een kalm, simpel leventje, een aanvaardbare alledaagsheid, de warmte van het gezin. Jullie denken dat je, als je daar genoegen mee neemt, jezelf beschermt tegen angst en verdriet. En misschien slagen jullie daarin, slagen jullie erin een vorm van sereniteit te vinden. Maar tegen welke prijs?

Als jullie kinderen ziek geboren werden, of ziek werden, als jullie je weer moesten wenden tot een politicus die jullie in ruil voor een stem een baan geeft die jullie nodig hebben, omdat anders jullie kleine droompjes en plannetjes niet zouden uitkomen, wanneer jullie je in duizend bochten moeten wringen om een lening te krijgen voor jullie huis, terwijl de directeuren van diezelfde banken altijd zullen klaarstaan voor degenen aan de top, als jullie dat allemaal onder ogen zouden zien, dan realiseren jullie je misschien dat er helemaal geen beschutting is, dat er geen beschermde omgeving bestaat en dat de houding die jullie realistisch en wijselijk gedesillusioneerd noemen, jullie ziel heeft vervuild met een wrok en een rancune die jullie leven elke smaak ontneemt. Want als alles triest is, is eraan gewend zijn nog veel triester. Eraan wennen dat er geen andere optie is dan je erbij neerleggen, het beste ervan maken of weggaan.

Ik vraag aan mijn geboortestreek of hij zich nog kan voorstellen dat hij kan kiezen. Ik vraag hem of hij in staat is tenminste die eerste stap naar de vrijheid te zetten: erin te slagen anders over zichzelf te denken, zichzelf voor te stellen als vrij. Niet klakkeloos als natuurlijk lot te accepteren wat juist het werk van mensen is.

Die mensen kunnen je wegrukken van je geboortegrond en je verleden, ze kunnen beledigende teksten over je schrijven op de muren van je dorp, ze kunnen je omgeving veranderen in een woestijn. Maar ze kunnen niet uitroeien wat vaststaat en juist daarom zelfs hoop geeft: dat het niet juist en helemaal niet natuurlijk is dat een gebied zich onderwerpt aan de overheersing van grenzeloos geweld en uitbuiting. En dat het zo niet hoeft te blijven alleen maar omdat het altijd zo is geweest. Ook omdat het niet waar is dat alles altijd hetzelfde blijft: alles wordt steeds slechter.

Want de verwoesting neemt proportioneel toe naarmate hun zaken toenemen, onherstelbaar als de grond die voorgoed verziekt is, en grenzeloos. Want daarbuiten lopen zes killers rond, afgestompt, bedwelmd door coke en met een vergunning om te doden, die zich door niemand laten tegenhouden. Want wat nu over deze streek heerst en wat hem morgen, overmorgen, in de toekomst wacht, is naar hun beeld en hun gelijkenis. Wij moeten de kracht vinden om te veranderen. Nu of nooit.

Miriam Makeba: in woede verbonden

'Wat is de blues?' vraagt de Afro-Amerikaanse schrijver Ralph Ellison zich af. De blues is wat zwarten hebben in plaats van vrijheid.

Toen ik hoorde dat Miriam Makeba was overleden, kwam deze zin onmiddellijk bij mij op. Mama Afrika is voor de Zuid-Afrikanen jarenlang de stem van de vrijheid geweest. In 1963 heeft zij bij het antiapartheidscomité van de Verenigde Naties gepleit tegen apartheid. Als antwoord verbood de Zuid-Afrikaanse regering haar platen en veroordeelde haar tot ballingschap, een ballingschap van dertig jaar.

Vanaf dat moment getuigt haar biografie van politieke en sociale betrokkenheid, van een leven waarin ze altijd op reis is, net als haar verboden muziek.

Tijdens huiszoekingen bij de militanten van Nelson Mandela's partij werden haar platen in beslag genomen en als bewijs gebruikt voor hun gezagsondermijnende activiteiten. Alleen al het in bezit hebben van haar stem was voldoende om door de blanke Zuid-Afrikaanse politie te worden opgepakt. De kracht van haar muziek maakte haar tot een wereldburger, en Zuid-Afrika tot ieders land, en maakte vooral de hel van de apartheid tot een hel die iedereen aangaat.

In de jaren zestig wordt Miriam Makeba in de Verenigde Staten verliefd op Stokley Carmichael, de leider van de Black Panters. Platenproducers zeggen de contracten met haar op, omdat Mama Afrika niet strijdt op de manier die gebruikelijk is voor politieke militanten maar met haar stem. En dat is beangstigend. Zij komt tot de mensen via haar muziek, via wereldsuccessen zoals *Pata Pata* waarop iedereen danst en waar iedereen van houdt, met zo'n overdonderende en vitale kracht dat de apartheidsregering en racisten over de hele wereld niet weten hoe ze daarmee om of ertegenin moeten gaan.

Op haar zesenzeventigste is ze zelfs komen zingen op een plek die door God vergeten lijkt te zijn, waar kordate mensen een concert hebben georganiseerd om het gevoel van eigenwaarde op te vijzelen in een moegestreden gebied. Gisteravond belden ze me. Checco, een van de organisatoren van het concert, vertelde me dat Miriam Makeba zich niet goed voelde, 'maar mevrouw Makeba wil toch zingen, ze wil de Amerikaanse uitgave van jouw boek in de kleedkamer, Robbè het is een koppige tante'. Toen ik hoorde dat Miriam Makeba erin had toegestemd om naar Castel Volturno te komen om ook voor mij te zingen tijdens haar concert ter afsluiting van het overleg over de scholen in Zuid-Italië, kon ik dat nauwelijks geloven. Maar Miriam, die jarenlang voor heel Afrika en de rest van de wereld had gestreden en rondgereisd om overal te komen zingen, wilde ook naar deze uithoek komen waar ongeveer twee maanden eerder een bloedbad had plaatsgevonden waarbij zes Afrikanen waren vermoord. Voor haar waren het Afrikanen, geen Ghanezen, Ivorianen of Togolesen.

Dit Pan-Afrikaanse idee is afkomstig van Lumumba, maar het lijkt helaas voorgoed van de baan te zijn.

Mama Afrika zong op enkele meters afstand van de plek waar projectontwikkelaar Domenico Noviello was vermoord, een onschuldige dode, die hier vandaan kwam. Hij stierf echter alleen, zonder collectieve deelneming, opstand of broederschap. De dood van Miriam Makeba deed me immens veel verdriet. Ze was gekomen om haar solidariteit met mij te betuigen en om de Afrikaanse en Italiaanse gemeenschap te tonen dat ze de macht van de clan kan weerstaan. Mijn verdriet was even groot als mijn verbazing over de blijk van passie en kracht die ik heb ervaren van het verre Zuid-Afrika, dat mij al in de afgelopen maanden in de persoon van aartsbisschop Desmond Tutu zijn verwantschap had betuigd. Door hun geschiedenis weten mensen zoals Tutu of Makeba als geen ander dat tegenstellingen kunnen worden opgeheven als de wereld meekijkt met aandacht en bijval en betrokken is bij gebeurtenissen elders op de wereld. En dat ze niet kunnen worden opgeheven door isolement, onverschilligheid, wederzijdse onbekendheid.

Zuid-Afrika leeft onder een enorme druk van criminele kartels, maar de intellectuelen en de kunstenaars blijven alert, vitaal en strijdlustig. Desmond Tutu zelf definieert Zuid-Afrika als 'rainbow nation', regenboogland, en heeft het over zijn droom van een veel gevarieerder, rijker en gekleurder land, hij hoopt op veel meer dan een eenvoudige machtswisseling tussen blank en zwart. Miriam Makeba was en blijft de stem van die droom. Als er een troost is bij haar tragische dood, dan is het dat ze niet ver weg is gestorven, maar dichtbij, dicht bij haar mensen, tussen de Afrikanen van de diaspora, die hier met duizenden zijn aangekomen. Ze hebben zich deze plekken eigen gemaakt, door er samen te werken, te leven, te slapen en te overleven in de verlaten huizen van Villaggio Coppola. Ze hebben er hun eigen wereld gecreëerd, die het Soweto van Italië wordt genoemd. Ze stierf toen ze met haar zuivere stemgeluid een andere township probeerde neer te halen. Miriam Makeba is gestorven in Afrika. Niet in het geografische Afrika, maar in het Afrika dat haar mensen hier naartoe hadden gebracht, het Afrika dat zich heeft vermengd met deze streek waaraan ze enkele maanden geleden heeft onderwezen hoe in woede waardig te zijn. En, naar ik hoop, ook in woede verbonden te zijn.

Van Scampia naar Cannes

Totò en Simone, acteurs in de film *Gomorra* en in de beroemdste theaters van Italië, zijn blijven zitten. President Napolitano, die op de eerste plaats was gekomen om hen te zien, begroette ze allebei apart en complimenteerde ze. De president had zelfs zijn gezicht zwart laten verven, als een zenuwachtige Pulcinella die het toneelstuk in was geschoven. Bij het festival van Cannes, het belangrijkste internationale filmfestival, hebben de acteurs één van de drie hoofdprijzen gekregen: de Grote Juryprijs. Toch heeft de Carlo Levi-middenschool in Scampia hen laten zitten.

Ik vertrek met de hele groep, op Matteo Marrone na die vanuit Rome in een bestelbus komt, naar Cannes. Het vliegtuig vult zich met het gegil van Totò, Simone, Marco en Ciro. En verder met de stemmen van iedereen die aan de film heeft meegewerkt: kappers, kostuumontwerpers en editors. Iedereen is een beetje zenuwachtig voor de vlucht en voor de komende dagen. Na de landing scheiden onze wegen zich. Bij de uitgang van het vliegtuig wachten Franse beveiligingsagenten me op met twee geblindeerde auto's en drie motoren: iets wat ik nog niet eerder had gezien. Het zijn speciale korpsen, die me er meteen op wijzen dat ze geen diva's of sterren uit de filmwereld begeleiden. 'Dat doen particuliere agenten, wij niet,' zegt het hoofd van de beveiliging. Het wordt vertaald door een andere politieagent in een vreemd Napolitaans, een Napolitaans met een Frans accent. 'Ik heb het geleerd door naar Pino Daniele te luisteren,' legt hij uit en voegt eraan toe dat zijn Napolitaans beter is geworden toen hij voor Vincenzo Mazzarella tolkte, een camorrist uit San Giovanni a Teduccio, die kortgeleden hier in Cannes is gearresteerd. Ze nemen de gelegenheid te baat om me eraan te herinneren dat de stad bijzonder geliefd is bij maffiosi uit de hele wereld. De agenten maken inderdaad een onrustige indruk.

Ook Luigi Faccineri, een boss van de 'ndrangheta, woonde hier vanaf 1987 tot aan zijn arrestatie in 2002. De maffia investeert hier in hotels, strandpaviljoens, restaurants en proppen coke in de neuzen van de dorpelingen, de toeristen en de mensen van het festival waar La Croisette tegenwoordig mee wordt overstroomd.

Buiten de hotels verdringen honderden mensen zich op de stoep. Fototoestellen, mobieltjes en kleine tv-camera's die in een handpalm passen. De mensen zijn alleen maar geïnteresseerd in de Amerikanen. Catherine Deneuve loopt langs, Kusturica loopt langs, een paar fotootjes. Dat is alles. Maar als achter deze acteurs de stars van Hollywood aan komen lopen, maakt de opeengedromde menigte mensen zelfs een kort gebaar dat onmiskenbaar betekent 'wegwezen hier, laat me een foto van alleen de stars maken zonder jullie erbij'.

Als de festivalauto's aankomen drukt iedereen buiten het hotel zijn neus plat tegen de ruiten om proberen te zien wie zich erin verbergt. Als het niet Johnny Depp, Tom Cruise of

Angelina Jolie is, zijn ze teleurgesteld en beginnen ze zelfs te vloeken. Ze vernederen de Aziatische of Europese acteurs met opmerkingen als 'het is niemand'. Toni Servillo maakt grappen terwijl hij uiterst elegant voor het hotel langsloopt en de jongens de objectieven van hun fototoestel inzoomen om te zien wie hij is. Maar hij geeft zelf het antwoord al: 'Ik ben niemand, waarom maken jullie nou foto's, Indiana Jones komt niet hoor.' Eigenlijk voelden bijna alle niet-Amerikaanse acteurs zich beledigd. Niemand komt op ze af: zij zijn de minderen, bijzaak voor het publiek van Cannes. De Europese acteurs zijn benaderbaar, en bestaan uit vlees en bloed, geurtjes en kleding. Kortom, ze hebben een beroep als ieder ander. Maar filmsterren uit Hollywood zijn de laatste nog niet gevallen goden. Wat zij doen of zeggen, telt voor de pers en voor het publiek. Niemand waagt het na te denken over hoeveel ze verdienen, niemand denkt eraan dat een slechte of juist populaire film een talent kan verpesten, dat ze altijd de mogelijkheid hebben om te herstellen. Ze kunnen doen wat ze willen, ongeacht of het juist of onjuist is. En hun kracht behekst iedereen in Cannes. Van de meest onverbiddelijke critici tot de toeristen met hun digitale fototoestellen die honderd foto's maken in een paar seconden.

Op de ochtend van onze aankomst bestaat alleen Indiana Jones. Ik zie hem van dichtbij. Harrison Ford is veel kleiner dan ik me had voorgesteld en ik vind hem maar een oude vadsige man. Een vage afspiegeling van de eerste Indiana Jones van wie ik als kind hield, die op de zijspan zat met Sean Connery. Hij heeft inmiddels een aardig buikje, de tegenstelling tussen het eeuwige personage en de sterfelijke acteur heeft een nasmaak die iedere fan opmerkt als hij de filmheld heeft gecomplimenteerd. Ze lopen in groten getale op Harrison Ford

af en hij stelt zich aan iedereen voor als Indy. Het is bijna ver-
tederend, net zoals de kerstmannetjes die tegen betaling huizen
binnengaan en uitroepen: 'Zalig kerstfeest, lieve kinderen.'

Ik weet niet of ik het erg moet vinden dat Totò, Simone en
de anderen hem niet hebben gezien of dat het eigenlijk maar
beter is. Maar ook al kruist Indiana Jones niet hun pad en ook
al geloven ze al eeuwen niet meer in de Kerstman, de jongens
van *Gomorra* gaan in Cannes misschien wel meer uit hun dak
dan op kerstavond toen ze nog klein waren.

Bij de vertoning van de film aan de journalisten barst het
eerste grote applaus los en de persconferentie is stampvol. Ik
draag het succes op aan Domenico Noviello, de ondernemer
die op het moment dat we vertrokken, werd vermoord.

Aangezien de film goed wordt ontvangen, moet ik het
gevoel van me afschudden dat alles hier een slecht gespeelde
absurdistische poppenkast is.

Buiten staan de motoren van de Franse speciale beveiligingsagenten, die altijd gespannen zijn maar tegelijkertijd te
allen tijde bereid zijn om me te vertellen over en op de hoogte te houden van de ergste mensen die bij de ergste criminele
organisaties van de wereld horen en die investeren en rondlopen op de Côte d'Azur. En daar zat ik dan voor de crème de
la crème van de internationale filmindustrie, naast iedereen
die aan deze film hadden meegedaan, ook de jongens uit
Montesanto en Scampia. Van iedereen is Ciro het meest aan
het woord. De jongen die door zijn oom is omgedoopt tot
'Erwtje' omdat hij leek op het kindje dat Popeye en Olijfje in
een postpakketje ontvingen. Hij heeft een klassieke kop, met
een bleek gezicht en een lange neus. Met zijn zeventiende-
eeuwse magerte lijkt hij op een Pulcinella of op een heilige die
door een Spaanse schilder is geschilderd. Ciro is groenteboer

op Pignassecca, een markt in het oude centrum van Napels. Een zwaar beroep – je moet bij zonsopgang opstaan –, maar hij is vrolijk, verdient goed in vergelijking met zijn leeftijdsgenoten en houdt zich verre van rotzooi.

De journalisten stellen hem strikvragen. 'Wat als je geen groenteboer was geworden?' Hij antwoordt droogjes: 'Dan was ik barman geworden.' 'Oké, en als je ook geen barman was geworden?' Dan begrijpt hij waar ze heen willen. 'Nee, jullie vergissen je: ik camorrist, nooit! Afgezien van het geld leid je een afgrijselijk leven. Bovendien huilt mijn moeder er nog steeds om dat ze me vermoord heeft zien worden in de film, kan je je voorstellen als het echt zou gebeuren.'

Applaus.

Ciro en Marco – die ouder zijn – komen uit de oude volksbuurten van het centrum, niet uit Scampia zoals Totò en Simone. Voor hen is het leven makkelijker: de familieomstandigheden zijn, ook al zijn die heus niet idyllisch, zeker wat minder zwaar. Voor de twaalf- of dertienjarige jongens uit Scampia echter moest het toneelstuk, gebaseerd op Aristophanes en Alfred Jarry, vervolgens de film en daarna het Festival van Cannes niet alleen een vakantie zijn in een leven dat al op die leeftijd vast leek te staan. Nee, het was een kans om te zien of er ook een ander leven mogelijk is of althans dat ze zagen dat het mogelijk is. Zoals Danilo Dolci in zijn mooiste gedicht zei:

De ene onderwijzer
leidt zijn leerlingen als paarden
stap voor stap:
misschien vinden sommigen het fijn
zo te worden geleid.

De andere onderwijzer prijst
als hij iets mooi en vermakelijk vindt:
anderen vinden het juist fijn
te worden aangemoedigd.
Dan is er degene die onderricht geeft, zonder
het absurde in de wereld te verbergen, open voor elke
ontwikkeling, maar in een poging
eerlijk te zijn tegen de ander als tegen zichzelf,
dromend over de anderen anders dan zij:
iedereen groeit slechts door andermans droom.

Deze jongens komen in niemands droom voor. En toch hebben ze veel gedaan om hun talent en capaciteiten te laten zien om ervoor te zorgen dat er anders over ze wordt gedroomd dan dat het leven in deze streek voor ze in petto heeft. We hebben het niet over modelstudenten. We hebben het ook niet over scholiertjes die stil op hun stoelen blijven zitten, die hun best doen en het toch niet halen. We hebben het over jongens die altijd opgewonden zijn, die antwoorden met een grijns, die als het maar even kan niet in de klas verschijnen, die hun vriendjes ophitsen tot het slechtste van het slechtste. Maar dat is slechts één aspect. De leraren die Totò, Simone en de anderen hebben laten zitten, houden er misschien geen rekening mee dat ze het beste buiten hebben geleerd, ver weg van de school. Waar dient het toe dat moeilijke jongens uit een vervallen achterbuurt in de periferie twee dagen lang naast sterren staan, zodat ze zich met recht ook een ster kunnen voelen?

Ciro beweerde onder het eten dat Monica Bellucci hem nu niet meer kon negeren als hij haar aansprak. Hij is een acteur en niet zomaar een of andere fan. Nu zijn ze collega's. En in Montesanto en op de markt van Pignasecca hebben ze alle-

maal altijd gezegd dat hij op Vincent Cassel lijkt. De dag daarop komt hij Monica Bellucci echt tegen. 'Weet je,' zegt hij
tegen haar, 'iedereen zegt dat ik sprekend op je echtgenoot
lijk.' En Monica geeft hem een kus. Ze prijst zijn bravoure als
acteur en misschien ook zijn gelijkenis met haar man.

Op mij heeft het een vreemd effect om hier met hen te zijn,
ik ben teleurgesteld omdat het hier alleen maar op een duurder soort Riccione lijkt, verrot en met veel pretenties, maar ik
ben blij om samen te zijn met zoveel jongens uit Napels, iets
wat me lange tijd niet meer is overkomen. Cannes is één groot
circus. De magie van deze plek is dat de meest exclusieve film,
de moeilijkste regisseur, de meest gesofisticeerde acteurs hier
zichtbaar en hoorbaar zijn en kritiek krijgen. De meest ver-
fijnde naast de meest populaire film, de meest geëngageerde
naast de meest conservatieve en koelbloedige regisseur,
maestro's en documentaristen, middelmatige regisseurs en
mega-scenarioschrijvers. Kleine producenten en toppers.
Indiana Jones en Manoel de Oliveira, Marjane Satrapi en Nick
Nolte. Alles in een wonderbaarlijk evenwicht. Het is een dialectiek die iedereen voordeel oplevert en niemand schade toebrengt. Het is ongelooflijk. Ieder doet zijn werk, en de meest
spectaculaire film trekt ook publiek en middelen voor de
langzaamste en meest ingewikkelde documentaire.

Deze vreemde alchemie wordt toegediend in exacte doses,
want op het Festival van Cannes wordt alles perfect afge-
wisseld. De organisatie zorgt voor gelijke zichtbaarheid,
waardoor de videofilms de moeilijkere films met zich meetrekken. Het zorgt ervoor dat de eerste soort praktisch genegeerd wordt door de jury en dat de laatste gewaardeerd worden door de kritiek en bekend worden bij het publiek via het
oordeel van de jury, dat verspreid wordt door de wereldmedia.

Het is een vreemd maar werkzaam mechanisme, dat de markt gebruikt waardoor het Festival meedoet en tegelijkertijd alle mogelijkheden uitbuit om producten aan te prijzen die niet alleen voortkomen uit de publiciteitcampagnes van de groten.

's Morgens ga ik voor het ontbijt in de lobby zitten van het historische, luxueuze hotel Majestic, maar de Franse beveiligingsagenten dwingen me om alles snel op te eten. Ik neem een glas uitgeperst sinaasappelsap dat twintig euro kost. Ongelooflijk. Een meisje vraagt me of ze bij me mag komen zitten. De agenten fouilleren haar en ik voel me opgelaten, maar aangezien ik geen woord Frans spreek, weet ik niet wat ik er aan kan doen. Ze begint over mijn boek te praten en stelt me verschillende vragen. Op het laatst zegt ze: 'Als je morgen niet veel omhanden hebt, kunnen we misschien samen iets gaan doen. Je moet alleen wel mijn retour betalen met de taxi naar Nice, achthonderd euro.' Dan begrijp ik het. 'Hebben ze Nice misschien naar Corsica verplaatst?' vraag ik, 'aangezien je ritje zo duur is.' Later vraag ik het na bij een barman van wie ik heb ontdekt dat hij een landgenoot is en zijn antwoord is overduidelijk: 'De meisjes die hier rondlopen zijn allemaal hoertjes.' Ze komen overal vandaan, uit de hele wereld, en je wordt er triest van om te zien hoe ze uit zijn op de eigenaren van de jachten die aan de steigers liggen. Het lijken net dochters met hun luie en dikke vaders, die constant een beetje aangeschoten zijn.

Dit alleen al is een overduidelijk voorbeeld waarom het je in Cannes echt niet lukt om iets te vinden dat elegant of chic is. Je vindt er hetzelfde lompe gedrag als overal, maar dan geconcentreerd en opgeschroefd tot ongekende hoogte. Cannes lijkt de meest snobistische plek van de wereld te zijn, maar eigenlijk is het een groot dorp. De langslopende gezichten, de laarzen van slangenhuid en de bruingebakken dames zijn dezelfde als die je overal in iedere kroeg van iedere willekeurige Europese stad tegenkomt. Het is allemaal een beetje schizofreen.

Marco zegt steeds dat hij Napels mist. Er zijn nog niet eens twee dagen voorbij, maar heimwee kent geen grenzen of tijd en voor het avondeten brengen ze ons naar een pizzeria die de Vesuvius heet. Matteo Garrone, de regisseur, is moe en kan alleen nog maar zeggen: 'We hebben alles gedaan om de folklore te vermijden en kijk ons nu eens hier, van heel Cannes moesten we hier terechtkomen?' De hele avond gaat er voortdurend door mijn hoofd: Wat doe ik hier? of Wat heb ik eigenlijk met dit hele gedoe te maken?

De beveiliging brengt me naar een gereserveerde zaal. Er wordt op de film geproost en ik merk dat het twee jaar geleden is dat ik me in een dergelijke situatie bevond, ik verstijf. Ik ben er niet meer aan gewend. Zoveel mensen om me heen, lachjes, toasten. Ik verstijf en lijk een wassen beeld, ik ben het niet meer gewend om samen te eten met andere mensen dan mijn beveiligers. De jongens van de film zijn fantastisch, maar ze behandelen me alsof ik hun werkgever ben. Ik heb weinig te maken met de film, maar Marco laat zich niet overtuigen en vat het samen als: 'Wie me mijn brood geeft, wordt mijn vader.' Ik ervaar een snijdend gevoel van eenzaamheid bij de vreugde van de anderen, vooral bij de jongens die het niets kan schelen dat ze in pizzeria Vesuvius terecht zijn gekomen. Zij hebben na het applaus van die morgen en vooral na het applaus van daarnet, de bevestiging gekregen dat ze iets groots hebben gedaan en behalve dat ze blij zijn, zijn ze, terecht, trots.

Tijdens de terugreis samen met de jongens is het een nog

grotere bende dan op de heenreis. Als Simone een sigaret opsteekt, breekt er in het hele vliegtuig paniek uit, rook, brand, o god er brandt iets. 'Mannammell' a casa' oftewel, stuur de boete maar naar mijn huis, antwoordt hij nonchalant aan de stewardessen die hem steeds zeggen dat het absoluut verboden is en die zijn Napolitaans niet begrijpen. Niemand probeert nog een sigaret op te steken, maar er zijn veel andere manieren om niet rustig te blijven zitten op een vlucht van anderhalf uur. Uiteindelijk is er een steward die weet hoe hij ze aan moet pakken: 'Maar hoe is het mogelijk dat sterren zoals jullie zich zo gedragen?' en voor zolang het nog duurt, werkt het, in weerwil van het docententeam van Scampia.

Daags erna zit ik in de kamer van de residentie waar ze me voorlopig hebben geparkeerd. Het is heet, ik zit met ontbloot bovenlijf, draag een voetbalbroek van Napoli en ik mag niet naar buiten. Voor me staat een flesje Peroni. Ik krijg een telefoontje van Tiziana van Fandango, de filmmaatschappij, ze huilt, er is veel kabaal op de achtergrond, haar stem is slecht hoorbaar, ze hangt bijna meteen op. Het blijkt dat we in Cannes een prijs, ik heb niet eens begrepen welke, hebben gewonnen. Later zal ik het op internet nakijken. Is het de moeite waard? vraag ik me af. En dan zeg ik tegen mezelf: Misschien, ook al ben ik er voor mezelf niet zeker van, voor iemand anders in elk geval wel. Dan breng ik de laatste slok bier naar mijn lippen.

Het enige moment dat het Festival van Cannes niet teleurstellend is – wat de verwachtingen over glamour en grootsheid betreft – is de filmvertoning die avond. Ik moet een stropdas om, iets wat ik nooit heb gedaan, zelfs niet bij mijn afstuderen, zelfs niet bij de *lectio magistralis* in Oxford. Ik kan geen das strikken. Xavier, het hoofd van de beveiligers, helpt me met een soort van gêne, want mannen knopen niet elkaars stropdas. Aangezien ik heb besloten niet over de rode loper te lopen, omdat dat niet bij me past – ik ben iemand die schrijft, niet iemand die in een film speelt of hem regisseert –, laten ze me via een zijdeur binnen. Ik had een andere filmzaal verwacht, misschien wel een veel grotere, maar wel een gewone. Dit is echter de ultramoderne versie van een amfitheater. Honderden mensen voor het grootste scherm ter wereld.

Aan het eind van de film beginnen de klanken van *Massive Attack* een stuk waarvan ik veel houd omdat het ontsproten is aan het brein van iemand van de groep Roberto Del Naja, die van Napolitaanse afkomst is en die nadat hij *Gomorra* had gelezen, me deze muziek wilde schenken.

Dan is er het applaus. Het begint met een vlaag, een hik her en der in de immense zaal. Dan langzaam, zoals dominostenen die een voor een omvallen, beginnen alle rijen te klappen. En het houdt niet op. Zodra het ergens ophoudt, beginnen ze ergens anders nog harder in hun handen te klappen, zodat het hele theater weer wordt aangestoken, zoals een golf die op- en neergaat.

Na vijftien minuten applaus beginnen alle jongens te huilen. De enige die niet huilt is Totò. Je ziet dat hij zich inhoudt, hij heeft glimmende ogen, maar hij huilt niet. Ik vraag hem expres: 'Hé, zit je te huilen?' En hij zoals altijd in zijn rol: 'Ik? Hoezo! Het doet me helemaal niks, zo'n applaus.'

Misschien heeft Totò alles al begrepen. Dat er geen droom bestaat, niet in Cannes, niet in Hollywood, niet in een film of een theater en op geen andere plek in de wereld wat dat aangaat. Voor hem bestaat alleen Scampia. En de rest is fictie.

Het kwaad bestrijden met kunst

De beelden uit de documentaires en films van Vittorio De Seta* pakken je, ze pakken je ogen. Het is een gevoel dat je nooit eerder hebt meegemaakt. Als een steek in je ogen, niet in je maag, tenminste, niet meteen. De rest van je zintuigen lijkt onaangedaan, er komen geen andere emoties naar boven. De eerste minuten zijn alleen voor je ogen. Ze moeten wennen: eerst zie je enkel een handvol zand die in je gezicht wordt gegooid.

De beelden zijn anders, anders dan in andere documentaires, dan in andere films, anders dan actiebeelden, reportagebeelden, fictiebeelden, anders dan het anonieme onbeweeglijke van televisiereportages die slechts een afdruk maken van de dingen. De beelden van De Seta hebben iets dat anders is.

Vittorio De Seta is dé erkende grootmeester van de documentaire. Eigenlijk vind ik de term 'documentaire' te min,

---

* Vittorio De Seta: Italiaanse film- en documentairemaker over Sardinië en Sicilië in de jaren vijftig. Zijn films en documentaires laten op indringende wijze het gewone leven van dichtbij zien.

want De Seta dingt nooit af op schoonheid. Het goud van De Seta zit hem in zijn gave om tegelijkertijd de hel te zien waarin mensen leven én de wonderlijke schoonheid die van de levensdrift uitgaat. Hij belicht nooit maar één kant van de medaille. Laat zich nooit verleiden tot sec informatie, nooit tot alleen het maken van iets moois. Ook het succes van De Seta in Amerika, het grote enthousiasme van Martin Scorsese over zijn beelden, komt denk ik juist door deze tweezijdige blik: geobsedeerd door feiten en verleid door schoonheid. De verleiding die noodzakelijk is om de relatie tussen kijker en film in stand te houden.

Je vraagt je af waarom de tranen niet over je wangen lopen bij het kijken naar De Seta's films. Waarom je mond niet openvalt van verbazing en waarom je niet zit te snotteren om dat vervolgens met een nies- of hoestbui te camoufleren. Je snapt niet dat je je kunt inhouden. Maar dan wordt het duidelijk. De hele film zit je er middenin; er is helemaal geen ruimte voor emotie. Je bent aanwezig en je schrokt de waarheid naar binnen: je snapt hoe het is om te moeten overleven of om met geweld je waardigheid te zien te krijgen, als een hond die het vlees van zijn bot scheurt. Je zit erín, in *Contadini del mare* (1955), je bent een van de vergetenen uit *I dimenticati* (1959). Zolang je kijkt, is eruit stappen onmogelijk.

Ik weet en geloof – althans zo heb ik het ervaren – dat Vittorio De Seta een kei is in zijn vak. Hij dringt binnen in de dingen die hij vertelt, niet als een intellectuele toerist die wat wil wandelen in een onbekende streek, maar als iemand die alleen vertelt wat hij écht voelt, wat hij aan den lijve heeft ondervonden, zowel door wat hij aan kennis als door wat hij aan ervaring heeft opgedaan, wat hij zich heeft eigengemaakt door te kijken en door bibliografieën te lezen. Het is geen reis-anekdote of een verhaal voor een reportage. De Seta zit er zelf in, is er zelf onderdeel van. Vittorio De Seta haalt veelvuldig de woorden van Majakovskij aan: 'Filmkunst is atletiek.' Ze klimt, rent, remt. Raakt buiten adem, komt weer op krachten in haar wedloop tegen de werkelijkheid. Niet om haar in te halen, maar om haar na te jagen. Zelf heb ik ook altijd trouw willen blijven aan deze beeldspraak, want ik ben ervan over-tuigd dat die ook voor schrijven geldt. En ik heb geprobeerd me deze vaardigheid eigen te maken: me losmaken, uitstrek-ken, stilstaan en strijden, niet om iemand te verslaan, maar om nieuwe dynamieken in gang te zetten, die de kracht bezit-ten om van de pagina af te springen in plaats van erin opge-sloten te blijven.

De Seta vertelde me dat Indro Montanelli – volgens hem een van de grootste boosdoeners die ervoor zorgen dat Zuid-Italië zo slecht te boek staat – ooit heeft geschreven dat ze de ban-dieten in de Supramontebergen op Sardinië met vlammen-werpers moesten uitroeien. Hij zei het met vertrokken gezicht en vervolgde: 'Voor mijn films heb ik me altijd als een atleet gedragen, ik rende tussen de verhalen en de waarheid door. Ik reageerde op de werkelijkheid; nooit heb ik haar over me heen laten komen of met haar gespeeld, als een of andere intellec-tuele filmmaker die wel een receptje weet, die wil provoceren, die er een verhaaltje van maakt.'

De Seta heeft nooit het doel dat hij met zijn filmwerk had uit het oog verloren. Zijn documentaires en films worden nooit in een adem genoemd, maar ik zie het verschil niet: hij maakt gebruik van verschillende methodieken, maar het materiaal is steeds hetzelfde. Doorleefde verhalen, tegelijker-tijd onderzoek, reportage, vertelling: ze laten zien hoe inventief de werkelijkheid is en wat het oplevert om verschillende genres door elkaar te laten lopen.

Kennis is essentieel, het is de conditio sine qua non om recht te krijgen op het verhaal. Kennis zit hem niet in de nieuwsgierigheid naar hoe iets werkt, maar in het begrijpen hoe het werkt, dus in het weten wat de dringende basis is van het verhaal. Voor de opnames van *Banditi a Orgosolo* (1961), verbleef De Seta negen maanden in de Sardijnse bergen, in Barbagia, om de streek te begrijpen, maar vooral om te weten hoe anderen die konden leren kennen en hoe hij erover moest vertellen. Steeds weer die drang om kennis en verhaal niet uit elkaar te halen. Op dezelfde manier filmde hij *Diario di un maestro* (1973), waarvoor hij in de Romeinse wijk Pietralata ging wonen, een moreel en economisch rampgebied, met zijn agressieve, maar onder de ruwe bolster gevoelige en vertederende jeugd.

Veel beelden uit De Seta's film laten me niet los, en het zijn niet alleen de heel tragische scènes die me aangrijpen, maar ook de details, details die je in geen enkele andere Italiaanse film tegenkomt. In *Lettere dal Sahara* (2006), bijvoorbeeld, is er een scène met een Senegalese jongen, de hoofdpersoon, met een gezicht dat uit ebbenhout gesneden lijkt, die voor de ingang van een Griekse tempel een wilde mandarijnenboom leegrooft, van de honger; hij rukt de mandarijnen van de takken met de geweldloze vraatzuchtigheid van iemand die uitgehongerd is en voedsel ziet en die in dat voedsel leven ziet, niet zomaar eten. Vittorio De Seta is echt een van de weinigen die in zijn verhalen de eerste levensbehoeften zo kan laten uitkomen.

Ik geloof dat het zijn drang om steeds de waarheid te vertellen is, om haar te laten zien en haar een tegengif tegen het kwaad te laten zijn, die hem drijft bij het maken van zijn films. Schoonheid zien, en daarin redding vinden. De Seta bezit een talent dat in Italië langzaamaan aan het verdwijnen is, het talent dat Primo Levi tot de volgende uitspraak bracht: 'Ik beveel u deze woorden. Kerf ze in uw hart.'

De Seta lijkt de kijker zijn beelden te bevelen, waar hij aldoor naar op zoek is.

De waarheid bestaat toch

Het leek voorbestemd dat *Gomorra* in nog een andere vorm zou verschijnen en in een theaterstuk zou veranderen. Het boek was nog niet eens uit toen ik werd benaderd door twee mannen, een regisseur en een jonge acteur, met de vraag of ze al mijn werken mochten gebruiken om er theaterscripts van te maken. Alsof ze dat van plan waren geweest sinds onze allereerste ontmoeting. Alsof ze er niet omheen konden. Alsof ze niet anders konden dan eraan toegeven.

Het idee dat bij de metamorfose van mijn bladzijden tot theaterstuk een jonge acteur betrokken zou zijn, beviel me wel. Mario Gelardi, geobsedeerd door toneel omdat het voor hem de ultieme manier is om alles wat verbeeld kan worden, ook onderwerpen uit documentaires, in theatervorm te gieten. Hij gebruikt bijvoorbeeld documentaires die in Afrika zijn opgenomen, met heel veel inzet en heel weinig geld. Hij is een regisseur die kijkt met het oog van een documentairemaker; hij voelt het nog eerder in zijn maag dan dat hij het met zijn ogen ziet of ergens een goed verhaal inzit, en hij verdoet dus geen tijd met het zoeken naar de juiste poses.

Ik zag het als een garantie. Toen Ivan Castiglione en ik samen besloten om van *Gomorra* een theaterstuk te maken, was zo'n groep jonge mensen precies wat ik in gedachte had. Acteurs die op deze manier iets nieuws konden proberen, nieuwe ervaringen konden opdoen, konden afwijken van de geijkte paden en de heilige huisjes van het toneel.

Theater is een andere dimensie; het is anders dan de media, anders dan papier. Het is geen plein en geen kamer. Ik vind het mooi om naast 'theater' de toevoeging 'gemeentelijk' te zien staan. Regisseurs en acteurs zijn daar doorgaans minder van gecharmeerd, zoals schrijvers niet willen dat er een nadere bepaling naast het onschendbare 'literatuur' figureert. Alsof het woord er vies van wordt. Ik denk dat het juist goed is die twee woorden aan elkaar te binden. Niet dat het van veel toegevoegde waarde is voor een project of voor het artistieke karakter ervan, maar omdat het laat zien hoe ver kunst kan reiken, omdat het hiaten vult. Daar waar, buiten het theater en de kunst, geen onderzoeken zijn, tragedies niet worden verteld, een menukaart van dingen die geluk brengen ontbreekt, niemand een echo is voor wie schreeuwt, er niemand is die verhalen herschrijft, schuldigen vindt, nieuws publiceert, bibliografieën van getuigenissen maakt, worden deze hiaten door toneel en literatuur gevuld en verwijzen ze naar de gehele breedte en lengte van het gevulde hiaat. En daarom vind ik 'gemeentelijk theater' een mooie benaming.

Na de catastrofale operatie 'Schone Handen' ontmoetten mensen elkaar in het theater. Mensen gaan naar het theater om te luisteren naar wie elders geen spreekstoel heeft. Het theater is de aangewezen plek voor mensen om te praten over nieuw te volgen wegen, want we moeten elkaar in de ogen durven kijken, elkanders woorden horen weerklinken en elkaar kunnen ruiken. Toneel en waarheid zullen niet meer botsen, als men het theater – bij uitstek de plek waar de leugen regeert, waar alles verbeelding is en niets echt – tot de plek maakt van de mogelijke waarheid. Een plek van waarheden, dus.

De waarheid, dát is wat mij bezighoudt. Het is een obsessie, de obsessie in mijn boek. Je kunt haar niet meten. Criteria, bewijzen, onderzoeksresultaten, ze vertellen nooit exact de waarheid. Ze komen slechts in de buurt. Ze bakenen het terrein af. Ze leiden misschien tot de inschatting dat je de waarheid kunt categoriseren, naar haar omvang, naar haar grenzen, naar de voorwaarden waaronder ze tot stand komt. Of tot het begrijpen van de ruimte die gegeven wordt aan onderzoek en reflectie, aan de weg naar de waarheid, haar onderbouwing, de manier om haar te verkondigen. En boven alles naar een manier om te kunnen blijven focussen, om een gezichtspunt te vinden van waaruit haar complexiteit niet versimpeld wordt, maar zichtbaar en leesbaar. Want de waarheid, iedere waarheid, moet in de eerste plaats te lezen zijn. Hoeveel ruimte krijgt de waarheid tegenwoordig eigenlijk? De meest voor de hand liggende en de meest verborgen waarheden: kúnnen ze eigenlijk wel aan het licht komen?

Internationale onderzoeksinstituten hebben tot taak om alle aspecten van het sociale, politieke en economische leven van alle verschillende staten te monitoren en te onderzoeken hoe ze zich op wereldniveau bewegen. Er worden continu allerlei data verzameld, die zo snel mogelijk worden geactualiseerd en openbaar gemaakt. Maar wat die data niet vertellen is welke criteria zijn gebruikt voor het eindoordeel, of hoe je al die bij elkaar gezette gegevens moet lezen. Je hebt een sleutel nodig, een rolmaat, een parameter. De criteria die de onderzoeksinstituten met de snelheid van laserlicht loslaten op de dichte brij van onderzoeksdata, blijken verbijsterend simplistisch. Om in één oogopslag te zien hoe de economische groei van een bepaald land verloopt of om de welstandsverschillen op wereldniveau met elkaar te vergelijken, heeft men een meetindex opgesteld, die is gebaseerd op de prijs van een Big Mac. Hoe duurder de hamburger, hoe sterker de economie. Hetzelfde geldt voor de mensenrechten: de mate waarin die worden gerespecteerd wordt afgelezen aan de hand van de prijs van een kalasjnikov. Hoe goedkoper en beschikbaarder dit kleinste, meest dodelijke moordwapen, hoe meer de mensenrechten worden geschonden. In Somalië loopt de prijs van een kalasjnikov op tot vijftig dollar, in Jemen heb je al een tweede- of derdehands AK47 voor zes dollar.

Hoe staat het ervoor met de waarheid in Italië? Kun je hier de waarheid spreken, kun je haar achterhalen? De seismologische waarneming van de waarheid in dit land is als een pols die zwakjes klopt in vele onbekende zaken die maar nauwelijks de lokale pers halen, als eenzame verlaten bergtoppen, te verwaarlozen verhalen voor wie het afgebakende terrein becommentarieert.

Een rechter – wel meer dan één – die met TNT opgeblazen dreigde te worden, een priester die genoodzaakt was zijn parochie in de steek te laten, een andere die zijn woorden op een goudschaaltje weegt, omdat hij anders niet meer preken kan, een vakbondsman die is vermoord omdat hij opkwam voor de rechten van de werknemers, om precies te zijn ging het om de rechten van een kleine zelfstandige die slechts wat marktkraampjes wilde uitbaten. Als ik in een willekeurige Italiaanse stad tijdens het eten dit soort verhalen vertel, dan zullen mijn tafelgenoten me nauwelijks geloven. Ze zullen hooguit opmerken dat het verleden tijd is, iets van decennia geleden, en dan nog alleen in bepaalde landstreken. Sicilië, ver weg, voorbij. Nee, ik heb het over nu, zou ik antwoorden. En over jullie eigen land.

Wanneer ik anderen over Italië en zijn problemen hoor praten – ongeorganiseerd, een bureaucratisch drama, een ongeregeld zooitje in de steden, het verkeer dat een groot deel van je tijd en je leven opslorpt, een aftands deel van Europa, maar hoe dan ook Europa – dan lijkt het wel of ik dat land, waarin ik woon, helemaal niet ken. Ik ken een land waar het leven van iedereen lijdt onder het ontbreken van basisprincipes. Het aandurven om niet te emigreren, een uurtje vrij durven vragen zonder de angst ontslagen te worden, een winkel durven openen zonder je automatisch te moeten oriënteren op bepaalde leveringen, aangifte durven doen zonder bang te zijn voor repercussies, aan een onderzoek kunnen werken zonder de hele regio tegen je in het harnas te jagen: in andere landen lijkt het allemaal heel gewoon, het zijn rechten die voortvloeien uit de wet, defaultmechanismen zouden ICT-ers het noemen, maar hier gelden ze niet. Hier zijn er plaatsen en situaties waar je onmogelijk namen kunt noemen, waar gewoon je werk doen al een gevaar voor eigen leven oplevert. Waar het meest eenvoudige, zoals een fout signaleren, op een ramp wijzen, besluiten de ramp te rapporteren of gewoon alleen maar aan te stippen, ernaar te informeren, om uitleg te vragen, al een opoffering is. Een risico. Een vlucht. Levensgevaar. Dat is Italië.

Je kunt je afvragen, en dat doe ik vaak, of woede alleen misstanden aan het licht brengt. Alsof je door woede loenst naar iets wat in het geheim leeft en dat de woede het blootlegt. Als iets wat in je maag rondjes draait, als een beest dat in het donker rondwaart en geen uitweg vindt; je kunt aan niets anders meer denken, je kunt alleen nog maar denken aan datgene wat je niet kunt uitspreken, je kunt alleen nog maar denken over hoe je het moet volhouden te leven tussen steeds beklemmendere machten, die je beletten te leven zoals je zou willen. Maar je kunt er niet omheen, je kunt niet om dit alles heen.

Er is een Catalaanse uitdrukking die voor mij precies uitdrukt hoe moeilijk het is om de waarheid te achterhalen: 'Bij een overstroming is drinkwater het eerste dat ontbreekt.' En in de chaos aan berichten wil je achterhalen wat er echt gebeurd is, je zoekt drinkwater. Wat is de waarheid eigenlijk waard in dit land? Waar moet je alle verhalen vandaan halen om haar contouren mee te schetsen? Aandacht wordt dan een bepalende factor, want aandacht voor de waarheid is de remedie tegen vergetelheid. En alleen met een verhaal kun je de juiste aandacht geven.

Toneel verandert het woord in een stem, geeft het een gezicht, het bedekt de woorden met een mantel van huid, zonder ze daarbij te verdrukken. Het toneel legt de woorden bloot, juist door ze een huid te geven en maakt de verhalen over een bepaalde streek tot verhalen over elke streek, maakt van één gezicht elk gezicht. En dat is precies waar de machthebbers, alle machthebbers, bang voor zijn. Omdat de vijand dan geen gezicht meer heeft en elk gezicht dus van de vijand kan zijn. De kracht van het toneel als plek die de eenzaamheid doorbreekt, waar het mogelijk is de waarheid publiekelijk te maken, via de oren en het zweet, via de ogen en het zwakke licht. Zo'n plek lijkt me in deze dagen meer dan noodzakelijk. Eén waarheid, gesproken in eenzaamheid, is in een groot deel van dit land een veroordeling. Maar als die waarheid door vele tongen wordt herhaald, door meerdere lippen wordt bezegeld, ze een gedeelde maaltijd wordt, dan is het niet meer één waarheid. Ze vermenigvuldigt zich, krijgt nieuwe contouren en is niet meer toe te schrijven aan één enkel gezicht, één hoofd, één stem. Het symposium, het podium, het spreekgestoelte waar dit in gang wordt gezet, mag wat mij betreft graag een toneelvloer zijn. We zouden moeten eisen dat het uit is met de aanhoudende overstelpende aandacht voor wat politici allemaal verklaren, en dat er ruimte komt om constant en veelstemmig het verhaal van dit land te kunnen vertellen. Eisen dat de verhalen zich opstapelen, zodat de waarheid gekend wordt als enige voorwaarde voor volledig staatsburgerschap van dit land. Echt begrijpen door welke mechanismen het land wordt aangestuurd en weten wat er naast de politieke opstootjes nog meer gebeurt. Zoals in een boek van Victor Serge, waar tijdens een rechtszaak in het Rusland van Stalin voor een rechtbank van enkel gelovigen en afvalligen, de onschuldig veroordeelde, terwijl hij in zijn kooi wordt weggesleept, binnensmonds knarst: 'De waarheid bestaat toch.'

Als de aarde dreunt, doodt het beton

'We zullen niet toestaan dat er gespeculeerd wordt, schrijf op. Prent hen goed in dat ze er niet over hoeven te denken om hier de boel vol beton te komen storten. Wij beslissen hier zelf hoe we ons gebied weer opbouwen...' Deze woorden krijg ik te horen op het rugbyveld. Recht in mijn gezicht, van dichtbij. Neus tegen neus, ik voel zijn adem. Het zijn de woorden van een man die me intens omhelst en me bedankt voor mijn komst. Maar het einde van de beving betekent niet dat zijn angst ten einde is.

De ellende van de aardbeving duurt niet alleen die ene minuut dat de aarde beeft, maar betreft alles wat daarna komt. Hele woonwijken die plat moeten, dorpskernen die gerestaureerd en hotels die herbouwd moeten worden. Het risico bestaat dat het geld dat beschikbaar zal komen niet alleen de wonden zal helen, maar ook verderf zal zaaien. Angst in de Abruzzen betekent angst voor grenzeloze speculatie ontstaan op de fundamenten van de wederopbouw, die de inwoners onder het mom van noodhulp in de maag wordt gesplitst.

Hier in de Abruzzen kwam het verhaal van een illustere

Abruzzees me in herinnering, Benedetto Croce, hier in Pescasseroli geboren, wiens hele familie bij een aardbeving omkwam. 'We zaten aan tafel te eten, ik, mama en mijn zus. Papa ging net zitten. Alsof ik vederlicht werd, zag ik ineens mijn vader dobberen en meteen daarna opgeslokt worden door een walvis, die de vloer was die zich op wonderlijke wijze geopend had, en zag ik mijn zus richting het dak schieten. Doodsbang zocht ik met mijn ogen mijn moeder en vond haar op het balkon waar we beiden naar toe gelanceerd waren en ik viel flauw.' Benedetto Croce werd tot aan zijn nek bedolven onder het puin. Urenlang sprak zijn vader hem toe, tot deze stierf. Volgens de verhalen herhaalde hij continu met klem dezelfde woorden: 'Geef honderdduizend lire aan degene die je redt.'

De mensen in de Abruzzen zijn gered doordat er zonder oponthoud is gewerkt, elke gemeenplaats over de Italiaanse luiheid of onverschilligheid voor verdriet ontkrachtend. Maar de prijs die de regio daarvoor moet betalen zou weleens heel hoog kunnen zijn, heel wat hoger dan de honderdduizend lire van de arme vader van Benedetto Croce. De schrik om wat er, nu bijna dertig jaar geleden, in Irpinia is gebeurd – de verspilling, de corruptie, het politieke en het criminele monopolie tijdens de wederopbouw – zit er goed in bij wie de betekenis van beton kent, wie weet wat geld doet als het niet bestemd is voor ontwikkelingshulp maar voor nood. Wat voor de mensen hier een tragedie is, is voor anderen een buitenkans, een bodemloze goudmijn, een paradijs van winst. Project-ontwikkelaars, aannemers, ingenieurs en architecten staan te popelen om de Abruzzen binnen te stormen, met een formulier in de hand dat zo onschuldig lijkt, maar nou juist het startsein geeft voor de betoninvasie: de invulformulieren waarmee de schade aan de huizen wordt geïnventariseerd. Een dezer dagen worden de formulieren uitgedeeld aan de projectbureaus van alle grote gemeentes in de Abruzzen. Honderden formulieren voor duizenden inspecties. Wie zo'n A4'tje in handen krijgt is verzekerd van uiterst goedbetaalde opdrachten, waarvoor de vergoedingen op een onvoorstelbare manier worden vastgesteld.

'Kort gezegd, hoe groter de schade, hoe hoger de verdiensten,' legt Antonello Caporale me uit. We komen tegelijkertijd in de Abruzzen aan. Hij heeft als journalist de aardbeving in Irpinia zelf meegemaakt en de woede waarmee een aardbeving tekeergaat vergeet je niet gauw. Je moet daar beginnen, bij die aardbeving, negenentwintig jaar geleden, in een dorpje vlak bij Eboli, om te snappen welke risico's de Abruzzen lopen. 'In Auletta,' zegt locoburgemeester Carmine Cocozza, 'zijn we nog steeds bezig met het uitbetalen van de declaraties na de aardbeving. Op elke honderdduizend euro aan staatssteun bedraagt het honorarium van de gemiddelde projectleider vijfentwintigduizend euro.' Zelfs dit jaar heeft het rijk in Auletta nog bedragen uitbetaald om het werk van na de aardbeving af te maken, tachtig miljoen euro in totaal. 'Mijn gemeente kreeg tweeënhalf miljoen. We zullen er de laatste huizen mee bouwen, de laatste dingen die nog gedaan moeten worden mee financieren.' Je kunt je moeilijk voorstellen dat er na negenentwintig jaar nog geld betaald wordt voor wederopbouw, maar het is geld waar de projectbureaus recht op hebben: vijfentwintig procent van de staatssteun. Ze gebruiken professionele tabellen om de kostenvergoedingen mee te berekenen, alles binnen de wettelijke kaders natuurlijk. Kosten voor projectontwikkeling, voor werkbegeleiding, veiligheidskosten, vergoedingen voor de opzichter. Steeds hogere vergoedingen. Ontelbare inspecties. De projectleider vult formulieren in en stempelt af. De gemeente hoeft alleen maar uit te betalen.

Dát is het risico van de wederopbouw. Hoe meer deskundigen, hoe meer de schade oplevert, hoe meer geld er binnenkomt. Aannemers trekken onderaannemers aan; de betonketen, het gesleep met aarde, het af- en aanrijden van bulldozers, de bouwskeletten, ze trekken de avant-garde van de Italiaanse onderaannemers aan: de georganiseerde misdaad. De camorra, de maffia, de 'ndrangheta zijn hier altijd al aanwezig. En niet alleen omdat de elite van de camorrazakenmannen in de Abruzzese gevangenissen zit. Het risico zit hem in het feit dat in tijden van crisis de misdaadorganisaties de grote Italiaanse werken onderling gaan zitten verdelen: de Expo van Milaan gaat naar de 'ndrangheta, dan krijgt de camorra de wederopbouw van de Abruzzen.

De enige manier om dat te bestrijden is een commissie in te stellen om toezicht te houden op de wederopbouw. De voorzitter van het provinciaal bestuur, Stefania Pezzopane en de burgemeester van l'Aquila, Massimo Cialente, laten er geen misverstand over bestaan: 'Wij willen gecontroleerd worden, we willen dat er controlecommissies worden ingesteld...' Het risico dat de misdaad infiltreert is groot. Sinds jaar en dag investeren en bouwen de camorraclans. En door een wel heel bizarre speling van het lot is uitgerekend het gebouw waar de meeste camorrabazen die in de bouw investeren vastzitten, de gevangenis van l'Aquila (ongeveer tachtig man in een gesloten afdeling), het minst getroffen door de beving. Het is het stevigste gebouw.

Uit gegevens blijkt dat er in de afgelopen jaren een enorme camorra-invasie is geweest. In 2006 kwam aan het licht dat de aanslag op boss Vitale was beslist aan een tafeltje in Villa Rosa di Marinsicuro, in de Abruzzen. Afgelopen 10 september bleek dat Diego León Montaoya Sánchez, een van de tien door de FBI *most wanted* drugsdealers, een uitvalsbasis in de Abruzzen had. Nicola Del Villano, kassier bij een crimineel zakenconsortium van de Zagaria's uit Casapesenna, was er meerdere keren in geslaagd aan de politie te ontkomen en hield zich verborgen in het Nationaal Park van de Abruzzen vanwaaruit hij vrijelijk zijn zaken kon regelen. Gianluca Bidognetti was hier in de Abruzzen toen zijn moeder besloot spijtoptant te worden.

De regio Abruzzen is inmiddels een centraal punt in de afvaltransporten. De clans hebben de streek gekozen omdat deze voor een groot deel heel dunbevolkt is en vanwege de aanwezigheid van vele ongebruikte groeves. Het onderzoek 'Ebano' van de carabinieri heeft aangetoond dat er eind jaren negentig ongeveer zestigduizend ton restafval afkomstig uit steden in Lombardije verwerkt is. Alles werd gedumpt op verlaten terreinen en in lege groeves in de Abruzzen. En wie zat daarachter? De camorra natuurlijk.

In l'Aquila is de maffia tot nu toe niet erg aanwezig. Gewoon omdat er geen mogelijkheden waren om grote zaken te doen. Maar nu opent zich een goudmijn voor de bedrijven. Tot nu toe is solidariteit een goede beschermingswal tegen elk gevaar gebleken. Op het rugbyveld van Paganica zie ik pakketten die rugbyteams uit heel Italië gestuurd hebben en bedden die door vrijwilligers uit de teams zijn opgezet. Rugby is hier de belangrijkste sport, of beter, de heilige sport. Als ik het terrein op loop krijg ik bijna zo'n ovale bal tegen mijn hoofd waar een aantal jongens tussen de tenten mee aan het overgooien is.

De veerkracht van deze mensen is de mortel die vrijwilligers en inwoners bindt. Als alleen je leven je nog rest, realiseer je je pas hoe waardevol iedere ademtocht is. En dat is wat de overlevenden mij proberen te vertellen.

In l'Aquila heerst een angstaanjagende stilte. Er is in de ge-evacueerde stad geen enkele beweging rond lunchtijd. Nooit een stad in dergelijke staat gezien. Een bouwval, vol stof. L'Aquila is om deze tijd verlaten. Bijna alle eerste verdiepingen van de huizen zijn ten minste voor een deel ingestort.

Ik had een totaal ander beeld van de aardbeving. Ik dacht dat alleen het oude stadscentrum getroffen was, of de oudste gedeelten. Maar niets is minder waar. De schok heeft letterlijk alles omvergegooid. Ik voelde dat ik hiernaartoe moest komen. En ik herinner me nog heel goed waarom: 'Ben je soms vergeten dat je Aquilaan bent...' zeggen de mensen tegen me. L'Aquila was, jaren geleden, een van de eerste steden die mij het ereburgerschap toekende. Ik herinner het me, en de mensen hier herinneren me eraan alsof het een plicht is: in de gaten houden wat er gebeurt, erover vertellen. De gedachte levend houden.

Ik blijf staan voor het studentenhuis. De aardbeving heeft zowel jongeren als ouderen getroffen. De een lag in bed en zag het plafond op zich vallen, de ander zag het in de leegte verdwijnen, weer een ander probeerde te ontsnappen via de trap, het meest breekbare bot in het lichaam van een huis.

De brandweer laat me toe tot het centrum van Onna. Ik heb geluk, ze herkennen me en pakken me beet. Ze zitten onder het stof en vooral onder de modder. Ze hebben een hekel aan journalisten die overal hun neus in komen steken: 'Moet ik er weer op uit om ze ergens van een plafond af te plukken, blijven ze weer vastzitten,' zegt een ingenieur uit Rome, Gianluca, tegen me, en hij geeft me een cadeautje waar elk kind wild van zou worden. Een vuurrood brandweerhelmpje. Onna bestaat niet meer. De term 'ruïnes' is te vaak gevallen. Het is alsof die geen betekenis meer heeft. Ik schrijf de dingen die ik zie op in mijn notitieboekje. Een wastafel op de grond, fotokopietjes van een boek, een buggy, maar vooral lampen, lampen, lampen. Die zie je normaal nooit buitenshuis. En hier zie je overal lampen. Die zijn het breekbaarst, de dingen die er als eerste aangingen als, meestal nutteloze, voorbode van de aardbeving.

Het leven staat stil, is ineengestort. Ze brengen me naar een huis waar een kind is omgekomen. De brandweerlieden kennen elk verhaal. 'Dit huis hier was mooi, het leek goed gebouwd, maar het fundament was oud.' Dat kon je zo wel zien...

De brandweerlieden vertellen me hoe trots de mensen hier zijn: 'Niemand vraagt ons iets. Alsof het genoeg is dat ze nog leven. Het enige wat een oudere man me vroeg was: "Kunt u misschien het raam voor me dichtdoen? Anders komt er zoveel stof naar binnen." Ik deed het, ik deed de ramen dicht van een huis dat het dak en twee muren miste. Tot sommige mensen is nog niet doorgedrongen wat de aardbeving heeft aangericht.' Franco Arminio, een van de grootste dichters uit deze regio, de beste die ooit over een aardbeving en de schade die ze toebrengt geschreven heeft, zegt in een gedicht: 'Vijfentwintig jaar na de aardbeving is er van de doden weinig over. Van de levenden nog minder.' We kunnen ervoor zorgen dat dit in de Abruzzen niet gaat gebeuren. De bouwspeculanten het niet laten winnen zoals tot nu toe steeds is gebeurd, is het enige echte eerbetoon aan de slachtoffers van deze aardbeving, die niet gedood zijn door de aarde die dreunt, maar door het beton.

De mens

Botten van kristal

Zijn grootvader kwam uit Napels, de vader van zijn vader, Antoine, die Tony werd genoemd. Van kleins af aan keek hij hoe opa muziek maakte, hij wond zich op en raakte buiten adem en iedereen om hem heen dacht dat hij alleen maar aan het spelen was. Hij had niet de naam van zijn grootvader, maar hij had diens talent voor muziek geërfd. Tony was de eerste die dat opmerkte. Zijn vader was een 'zeer verlegen, zeer gereserveerde, zeer Italiaanse man. In huis mocht er niet te veel worden gepraat over persoonlijke dingen of geld,' herinnert Michel Petrucciani zich. Zijn grootvader was gitarist, zijn vader was gitarist.

De familie Petrucciani moet met die gitaars en het werk van moeder als naaister drie kinderen onderhouden. Soms bestaat het avondeten uit *caffelatte,* koffie met veel melk, maar in huis ontbreekt er niets. Telefoon, auto, mooie meubels. En op een dag komt er zelfs een televisie. Niet een kleintje, dat je verblindt als je zit te kijken, maar een enorm bakbeest. Michel zit er de hele dag voor. De televisie behekst hem en zal hem voor altijd veranderen.

Op een avond, toen hij net vier was, laat zijn vader de televisie aan en wordt er een concert van Duke Ellington uitgezonden. In het kind vindt iets plaats dat omschreven kan worden als een soort betovering. Hij wil een piano, maar zijn vader kan die niet voor hem kopen.

Zijn familie is altijd erg begaan met Michel. Hij is geboren met een ziekte die de onuitspreekbare naam *osteogenesis imperfecta* heeft. Waarschijnlijk kan niemand zich voorstellen welke ziekte er wordt bedoeld, maar in de volksmond is de Italiaanse naam daarentegen vreselijk duidelijk: 'botten van kristal'.

Beenderen die zo breekbaar zijn als kristal draaien dol in de gewrichten, ze breken, ze versplinteren. Voortdurend, bij alles. Het kraakbeen rafelt uiteen. De eerste keer dat de botten van Michel braken was op 28 december 1962 in Orange, een mooi stadje in Zuid-Frankrijk. Het was de dag waarop hij geboren werd. Michel is gebroken geboren en vanaf die dag is hij nooit meer gestopt om te proberen de fragmenten van zijn botten te reconstrueren.

De piano die zijn vader hem eindelijk geeft, produceert valse klanken, het lijkt in niets op het concert van Ellington. En de kleine Michel vernielt hem als een speeltje dat het niet doet. Zijn vader gaat er een halen bij de Amerikaanse militaire basis, waar vaak gebruikte instrumenten van de hand worden gedaan. Michel, die thuis wordt onderwezen en de onderwijzers tot wanhoop drijft met zijn brutale streken, begint met pianolessen. Hij studeert tien jaar klassieke piano en haalt het diploma van het conservatorium.

Jazz is de enige sport die hem is toegestaan. Vreemd, maar met een zeer reëel en praktisch doel. Het dient als oefening om de spieren te versterken die zijn fragiele botten moeten steunen. Hij wordt dus achter de piano gezet en hij treedt samen met zijn vader en broers op.

Michel Petrucciani lijdt niet alleen aan een zeldzame ziekte waardoor hij altijd pijn heeft, en zijn kindertijd meer binnen dan buiten het ziekenhuis doorbrengt, maar waardoor hij ook is voorbestemd om dwerg te blijven. Als volwassene is hij nog geen meter lang, hij weegt tussen de vijfentwintig en de vijfenveertig kilo als uiteindelijk zijn buik verder naar voren steekt dan zijn kin. Maanden in bed, zijn lichaam in het gips, zijn ruggengraat vastgezet in korsetten, zijn nek gefixeerd. Hij brengt een eeuwigheid door in zijn ziekbed met het bekijken van de enige dingen die in zijn lichaam niet breken, zijn handen. Zijn handen zijn ook niet klein. Zijn handen zijn zijn lot. Het enige deel van hem dat hem de vrijheid geeft een wereld op te bouwen en geen slachtoffer te zijn van wat hem overkomt. Hij kan zijn lot veranderen. De piano is zijn terrein, zijn handen zijn zijn wapens. Als hij op de pianokruk zit raken zijn voeten de grond niet, hij kan de pedalen niet bereiken. Zijn vader maakt een ingewikkeld mechanisme van hout, een parallellogram met beweegbare delen, waarmee het hem lukt de pedalen te bespelen.

Zodra hij achttien jaar is gaat Michel ervandoor. Hij neemt vanuit Parijs, waar hij zijn eerste concerten geeft en zijn eerste successen heeft, het vliegtuig naar de Verenigde Staten zonder een woord Engels te kennen en zonder zelfs maar het geld voor de reis te hebben. Tony, die voor het fait accompli wordt gesteld, probeert de ongedekte cheque te dekken van de zoon die vertrokken is om het gebied waar de jazz vandaan komt te veroveren. En waar Michel, de meest geniale niet-Amerikaanse jazzmusicus, ontvangen zal worden als iemand die met recht een plaats tussen de groten inneemt.

Hij komt aan in Big Sur, het Diepe Zuiden, het ongerepte deel van de kust van Californië waar Jack Kerouac en Henry Miller woonden. Hier heeft Orson Welles een enorme villa laten bouwen om samen met zijn echtgenote Rita Hayworth te gaan wonen. Michel komt in huis bij een aan lagerwal geraakte vriend en wordt geadopteerd door de plaatselijke hippie- en artiestengemeenschap.

Hij vindt een manier om te overleven en krijgt kost en inwoning in een kliniek waar steenrijke mensen heen gaan om te kuren. Als tegenprestatie speelt hij een paar uur per dag voor ze. Hij vindt ook een vrouw, Erlinda Montaño, op wie hij zo verliefd is dat hij haar ten huwelijk vraagt. Maar zij wil hem uiteindelijk alleen trouwen zodat hij een green card kan krijgen. Min of meer als in de gelijknamige film zal Petruche tien jaar later beweren: alleen is Gérard Depardieu geen dwerg van amper negentien en is Andie MacDowell geen indiaan van de Navajo-stam. Het leven overtreft de fantasie en in het geval van Michel Petrucciani doet hij dat met veel stijl.

Op een dag krijgt hij de kans kennis te maken met Charles Lloyd, een van de grootste saxofonisten aller tijden. Lloyd had glorierijke dagen beleefd met het kwartet dat hij had geformeerd met Keith Jarrett, maar werd gekweld door onzekerheid. Plotseling had hij besloten zijn instrument te laten voor wat het was. Hij was gaan walgen van de wereld van platenproducers en muzikanten en trok zich terug in de bossen om te mediteren en makelaar in vastgoed te worden. De roem van de pianist van hun kwartet had een rol gespeeld bij zijn terugtrekken, en toen zijn vreemde gast zei dat hij piano kon spelen, wilde Lloyd dat horen. Hij liet hem zijn piano zien. Erlinda, die bij de concerten haar echtgenoot die zoveel weegt als een driejarig kind, optilt en het podium opdraagt, zet zijn krukken weg en helpt hem om goed te gaan zitten. Michel begint te spelen. Charles raakt ontroerd. Een paar dagen later heeft hij al een concert in Santa Barbara georganiseerd, waar ze voor het eerst samen optreden. De saxofonist die de dertig allang was gepasseerd, stelt zijn nieuwe maat voor, draagt hem rond in zijn armen en beschrijft hem als 'het wonderkind uit Frankrijk' dat hem weer terug heeft gebracht naar het podium. Een vreemd wonder, dat te Californisch zou zijn als Michel met zijn scherpe gevoel voor humor en zijn zuidelijk temperament niet precies het tegenovergestelde was. Petrucciani doet het talent van Charles Lloyd herleven, die hem op zijn beurt toegang geeft tot de wereld.

Wanneer de twee in 1982 samen optreden op het festival van Montreux, is de carrière van Petruche nog maar net begonnen. Vanaf dat moment zal het een triomftoer door de wereld zijn, met Petruche die technisch steeds beter wordt, en de steeds vrijere en rijkere muziek die hij improviseert of componeert is niet langer alleen gebaseerd op thema's van de grootmeesters van de jazz zoals Bill Evans en Miles Davis maar wordt ook geïnspireerd door populaire nummers zoals *Besame mucho*.

Hij bereikt alles. Hij speelt met de jazzlegendes, met Dizzy Gillespie en Wayne Shorter, met Stan Getz en Sarah Vaughan, met Stéphane Grappelli en vele anderen. Hij geeft concerten in de Carnegie Hall in New York en treedt op voor Johannes Paulus II. Hij neemt een dertigtal platen op voor het meest prestigieuze label en ontvangt in Parijs de Legion d'Onore, de hoogste onderscheiding van het land waar hij is geboren. Alles in minder dan twintig jaar tijd. Het lijkt of niets hem nog kan tegenhouden, alsof er in dat lijfje dat zo breekbaar als glas is, een onuitputtelijke bron zit.

Als hij speelt lijkt het soms of hij verdrinkt, stikt in de positie die hij vast moet houden voor het toetsenbord en dan heft hij snel zijn hoofd op van zijn spel alsof hij een denkbeeldige partituur ziet die alleen hij kan lezen en alleen hij zo snel kan aanpassen. Zijn tong komt uit zijn mond alsof hij adem moet halen om zich te concentreren. Hij steekt zijn tong uit als een dorstige hond, net als Michael Jordan, de beste basketballer in de geschiedenis van de Amerikaanse NBA. De tong van Petrucciani is veel kleiner maar komt naar buiten op het moment dat hij het meest lucht, pathos en concentratie nodig heeft.

Zijn muzikale capaciteiten doen de wereld versteld staan. Naïevelingen dachten dat hij zo bekend was omdat hij een vaardig soort monstertje was, dat ondanks alles toch een goed pianist is geworden. De waarheid is precies het omgekeerde. Hij was een groots pianist en door dat breekbare miniatuurlijfje bestond het risico dat de noten achter zijn bizarre verschijning vergeten zouden worden. Hij racete achter zijn handen aan over het toetsenbord. Verbeend eelt verhinderde hem zijn armen uit te strekken en dus springt hij op van zijn pianokruk om de hoge octaven te halen en springt weer terug om zich op de lage octaven te storten. Hem te zien spelen gaf vaak de indruk dat het bespelen van de toetsen voor hem hetzelfde was als het razendsnel beklimmen van een berg en het achternajagen van alle hoogtevreesrillingen. Zijn muziek kwam in de harten van miljoenen mensen terecht, overal waren zijn concerten evenementen, maar hij nam het liefst uitnodigingen aan in plaatsen zonder glamour. De jazz moest iedereen bereiken. Hij besloot zelfs in Aversa te komen spelen, herinner ik me, toen hij op het hoogtepunt van zijn roem was. Het dagboek van zijn leven is geschreven in muzieknoten. Overal. Maar op 6 januari 1999 overlijdt Michel Petrucciani. De oorzaak die indirect de longontsteking veroorzaakte die hem het leven kostte, was zijn inzakkende borstkas, de kleine botten drukten de interne organen in. Michel had er nooit bij stilgestaan dat hij jong zou sterven. Want hij hield niet alleen van muziek – daarover zei hij dat zijn hopeloze liefde ervoor zijn eigenlijke talent was, dat hij tien uur per dag studeerde en het hem toescheen dat hij maar tien minuten had gespeeld – Michel Petrucciani hield van het leven. Hij leefde elk uur van de dag met alle passie die een mens in zich kan hebben. Hij hield ervan te lachen over de lichamelijke onvolkomenheden van hemzelf en van anderen, hij hield van reizen, de wereld rondreizen, mooie huizen hebben, hij wilde op iedere plek die hij mooi vond een huis kopen, nog een geluk dat hij zijn geld niet alleen beheerde, anders zou hij alles in huizen hebben gestopt. Hij was er gek op om veel vrienden om zich heen te hebben, en hij hield vooral van vrouwen. En dat was wederzijds. Michel heeft er vele gehad, vriendinnen, echtgenotes, minnaressen. Na Erlinda trouwde hij in New York met Gilda Buttà, een prachtige Siciliaanse klassieke pianiste. Daarna met Marie-Laure en ten slotte met Isabelle, de vrouw die tot op het laatst aan zijn zijde was. Hij beweerde dat hij ze allemaal had bemind en dat hij met ieder altijd een diepe vriendschap had bewaard, maar dat hij het met niet één langer dan vijf jaar had kunnen uithouden.

Men vraagt zich vaak af hoe Petrucciano, die zeker een enorm talent bezat, zoveel heel mooie vrouwen kon aantrekken. De gebruikelijke roddels deden de ronde over de seksuele giften van een dwerg. Er gingen legendarische anekdotes rond omdat velen het mechanisme van de schoonheid niet konden begrijpen. Het was niet zijn muziek die de vrouwen verleidde en betoverde zoals in een slangendans. Alles is gevat in een zin van een van zijn meest verliefde vriendinnen: 'Als ik Michel zag, zag ik alles wat hij dacht. Alles wat Michel was. En dat is prachtig.' De schoonheid is niet alleen een lichamelijke elegantie, licht en fascinatie. Het is de capaciteit om te laten zien wie je bent. Te lijken op de voorstelling die je van jezelf hebt, te laten zien wie je echt bent. Iedere keer als ik mezelf afvraag wat schoonheid is, dan denk ik aan Petrucciani.

Michel heeft zelfs twee kinderen gekregen. Een ervan, Alexander heeft zijn ziekte geërfd, maar in een documentaire zit hij op de schoot van zijn vader aan de piano. Een vader en een zoon die iets extra's hebben, muziek en talent, maar die van elkaar houden zoals alle anderen. Er zijn mensen die het afkeuren om kinderen op de wereld te zetten met het risico om je eigen pathologie door te geven. En toen het gebeurde, probeerden ze Michel zich schuldig te laten voelen. Maar hoe kon een levenscomponist denken dat een risico voldoende zou zijn om geen leven te schenken? Hij zou het zichzelf nooit hebben vergeven – dat is zeker – als hij zichzelf de mogelijkheid zou hebben onthouden om leven te schenken. Hij hield te veel van het bestaan, hij wilde het delen en doorgeven. De muziek heeft hem geleerd om te scheppen.

Omdat muziek voor Michel leven betekent, het leven zelf is, en niet zijn meest edele surrogaat, is de rijkdom van de schepping oneindig, die door een grapje van de natuur haar waarde en schoonheid kent.

Muzieknoten waren voor hem als kleuren. Met een solakkoord improviseert hij een uitgestrekt groen dat een landschap van de Provence voorstelt, gedompeld in een warm licht. En dankzij de muziek was Michel niet alleen in staat om zijn lichaamsbouw op het tweede plan te schuiven – hetzelfde als de blindheid van Stevie Wonder –, maar was hij in staat om alles uit het leven te halen wat eenieder maar gewenst zou hebben. 'Mijn filosofie is om plezier te hebben en niet toe te laten dat iets me verhindert om te doen wat ik wil.'

Nadat hij bijna een uur zonder onderbreking heeft gespeeld tijdens een concert, stopt Michel, draait hij zich naar het publiek toe en vraagt: '*Ça va?*' De mensen die gekomen zijn om naar hem te luisteren, lachen. Het is een manier om ze te bedanken en ook om ze te plagen want ze zijn bezorgd om hem, ze vragen zich af hoe hij het kan volhouden, terwijl Michel, hoewel hij lichamelijk lijdt, er nooit genoeg van krijgt om te spelen. Het is niet zijn succes, niet eens alleen de bevrediging dat het hem altijd is gelukt om steeds beter te worden. Nee, het zijn de noten zelf die hem zo goed laten voelen. 'Het is als de liefde bedrijven, als het bereiken van een orgasme: maar het is geoorloofd en je kunt het in het openbaar doen.'

Alles op het spel zetten

Ik ontmoet hem in de kleedkamers van Camp Nou in Barcelona, een gigantisch groot stadion, het op drie na grootste ter wereld. Vanaf de tribunes is Messi alleen een stipje, onverdedigbaar en razendsnel. Van dichtbij is het een tengere, maar sterke jongen, heel verlegen. Als hij praat lijkt het of hij zacht een Argentijns liedje neuriet. Zijn gezicht is fijntjes en glad zonder een enkel baardhaartje. Lionel Messi is de kleinste levende voetbalkampioen. 'La Pulga' wordt hij genoemd, de Vlo in het Spaans. Hij heeft het postuur en het lichaam van een kind, omdat hij toen hij ongeveer tien jaar oud was, ophield met groeien. De benen van andere kinderen werden alsmaar langer, hun handen steeds groter, hun stem veranderde. Maar Leo bleef klein. Er moest iets mis zijn en onderzoeken bevestigden dat: hij produceerde niet genoeg groeihormoon. Messi leed aan een zeldzame vorm van dwerggroei.

En met het stagneren van de groei stagneert alles. Het probleem verbergen is onmogelijk. Zijn vrienden, zijn medespelers op het voetbalveld, iedereen ziet dat Lionel is gestopt: 'Ik was altijd al de kleinste van iedereen, bij alles wat ik deed, overal waar ik heen ging.' 'Lionel is gestopt,' zijn hun exacte woorden. Alsof hij ergens is achtergebleven. Met elf jaar is hij krap een meter veertig, het T-shirt van de Newell's Old Boys, het voetbalteam van Rosario in Argentinië, is hem veel te groot. Hij zwemt in zijn enorme voetbalshorts; in zijn schoenen, hoe strak hij de veters ook aantrekt, loopt hij altijd een beetje te sloffen. Een fenomenale speler, maar met het lichaam van een achtjarig jongetje, niet dat van een puber. Uitgerekend op de leeftijd waarop zijn talent, waar toekomst in lijkt te zitten, alle ruimte voor groei zou moeten krijgen, stopt de groei van armen, bovenlijf en benen.

Voor Messi betekent dit het einde aan de hoop die hij had gehad sinds zijn debuut op het voetbalveld, toen hij vijf jaar was. Hij ziet in dat als hij niet meer groeit daarmee alle kans verkeken is om te worden waar hij van droomt. De artsen concluderen echter dat het tekort aan groeihormoon tijdelijk zou kunnen zijn als hij direct behandeld wordt. De enige manier om het tij te keren is een hormoontherapie met het groeihormoon GH. Jaren achtereen moet hij volgespoten worden om die paar centimeters erbij te krijgen die onontbeerlijk zijn om zich te kunnen meten met de kolossen van het hedendaagse voetbal.

De therapie kost ontzettend veel geld en de familie kan zich dat niet veroorloven. De injecties kosten vijftig euro per stuk, een injectie per dag. Lionel zal moeten voetballen om te kunnen groeien en moeten groeien om te kunnen voetballen. Dat is vanaf nu de enige weg voor hem. Een andere manier om beter te worden dan via de passie van zijn leven, voetbal, kan hij zich niet eens indenken.

Die vervloekte kuur is alleen haalbaar als een club van een zeker kaliber hem onder zijn hoede neemt en die voor hem betaalt. Maar Argentinië verkeert in een vernietigende economische crisis, waaruit allereerst de investeerders zijn wegge-vlucht en daarna ook de mensen, die hun spaargeld zagen ver-vliegen door het waardeloos worden van de staatsobligaties. Kleinkinderen en achterkleinkinderen van in weelde opge-groeide immigranten zoeken hun heil in het land van her-komst van hun voorouders. In deze omstandigheden is er geen enkele Argentijnse club die ervoor voelt, ook al hebben ze door dat de kleine Messi talent heeft, om de kosten op zich te nemen voor een dergelijke investering.

Zeg dat hij nog een centimeter of wat groeit – is hun rede-nering – in het hedendaagse voetbal ben je nergens zonder een groot lichaam. De Vlo zal stuklopen op de massieve ver-dediging, de Vlo zal geen kopgoals kunnen maken, de Vlo zal niet opgewassen zijn tegen de anaërobe inspanningen die van de tegenwoordige centrumspitsen worden gevergd. Maar Lionel Messi blijft toch in zijn eigen team voetballen. En hij weet dat hij moet voetballen alsof hij tien voeten heeft, harder moet rennen dan een paard, onoverwinnelijk moet zijn met de bal aan zijn voet, wil hij ook maar een beetje hoop houden op een echte voetbalcarrière, die van profvoetballer.

Op een gegeven moment wordt hij tijdens de wedstrijd gescout. Scouts zijn álles in het leven van een voetballer. Elke wedstrijd die ze bekijken, elke volgens hen perfect genomen vrije trap, elk jongetje dat ze besluiten te volgen, elk gesprek dat ze voeren met een vader, is toekomstbepalend. Ze stippe-len de toekomst in grote lijnen uit, openen deuren. Maar voor Messi vertegenwoordigt het aanbod nog veel meer. Hem wordt niet alleen de kans geboden op een voetbalcarrière, maar ook de kans op groei, op het vooruitzicht van een nor-maal leven. Hoewel de scouts al over hem hadden gehoord, waren ze toch erg sceptisch voor ze naar hem gingen kijken.

'Als hij te klein is, haalt het niets uit, ook al is hij sterk,' oordeelden ze. Maar 'er waren hooguit vijf minuten voor nodig om te zien dat hij een natuurtalent was. Het was van meet af aan overduidelijk hoe speciaal die jongen was.' Dit zijn de woorden van Carles Rexach, sportdirecteur van FC Barcelona, nadat hij Leo op het veld bezig had gezien. Het is overduidelijk dat Messi een uniek talent in zijn voeten heeft, iets wat verder gaat dan voetbal alleen: het lijkt wel muziek, zoals hij speelt, als een mozaïek waarin elk stukje op zijn plek valt.

Rexach wil hem direct vastleggen. 'Iedereen die op dat moment langs was gekomen, zou goud voor hem gegeven hebben.' En zo wordt een eerste contract gesloten op een papieren servetje. Hij en de vader van de Vlo ondertekenen het: het servetje dat het leven van Lionel zal veranderen. Barcelona gelooft in het eeuwige kind en besluit te investeren in die vreselijke hormoonkuur die hij moet ondergaan. Voor de therapie moet Lionel echter met zijn familie naar Spanje verhuizen en zonder papieren vertrekt de hele familie, zonder werk, uit Rosario, vertrouwend op een contract geschreven op een servetje en in de hoop dat dat kinderlijf een betere toekomst zal brengen voor hen allemaal. De club zegt Messi toe om vanaf 2000 drie jaar lang alle medische kosten te vergoeden. Ze geloven er heilig in dat een jongetje dat bereid is te voetballen om zichzelf te redden uit een hels leven, op een zeldzame brandstof loopt die hem brengt waar hij maar wil.

Doodziek word je van zo'n hormoonkuur. Je bent altijd misselijk, zelfs je ziel braak je uit. Je baard groeit niet. Je spieren lijken in je lijf te ontploffen, ze lijken je botten te breken. Alles in je lichaam groeit, in een paar maanden tijd, in plaats van in een periode van jaren. 'Ik kon het mezelf niet permitteren om pijn te voelen,' zegt Messi, 'ik kon me dat niet per-

mitteren jegens mijn nieuwe club. Omdat ik hen alles ver-
schuldigd ben.' Het verschil tussen wie zijn talent gebruikt
voor zelfrealisatie en wie er alles op inzet, is gigantisch. Je
talent wordt je leven, niet in de zin dat het alles beheerst, maar
dat je talent het enige is waardoor je kunt overleven, waardoor
je überhaupt een toekomst hebt. Er is geen plan B, geen alternatief om eventueel op terug te vallen.

Drie jaar later wordt Messi eindelijk opgeroepen door
Barcelona en zijn familie weet dat als hij niet zal voetballen
zoals er van hem verwacht wordt, ze gigantische financiële
problemen zullen krijgen. In Argentinië hebben ze niets meer
en in Spanje hebben ze nóg niets. En de zorg voor Leo zou in
dat geval weer op hen neerkomen. Maar op het moment dat
de Vlo begint te voetballen, glijden alle zorgen van hun schouders. In de jaren van hard trainen met de steun van zijn team,
is niet alleen Messi's lef toegenomen, maar ook zijn lengte,
jaar na jaar, centimeter na centimeter, uit zijn spieren geperst,
verankerd in zijn botten. Elke centimeter die erbij komt is een
lijdensweg. Niemand weet hoe lang hij nu precies is.
Sommigen zeggen dat hij net iets boven de een meter vijftig
uitkomt, anderen zeggen net iets daaronder, op verschillende
sites staat dat Messi een meter zestig is geworden. De officiële
schattingen wisselen steeds en geven hem er steeds een centi-
metertje bij, alsof hij het verdient, als een prijs gewonnen op
het veld.

Maar als voor het eerste fluitsignaal de spelers van beide
teams naast elkaar op een rij staan en je de hoofden van alle
spelers ongeveer op dezelfde hoogte ziet, moet je nog altijd
naar beneden kijken om Messi te ontdekken, tot minstens
schouderhoogte van zijn teamgenoten. In deze sport waarbij
het steeds belangrijker wordt dat een aanvaller kracht heeft,

waarbij de bijna twee meter van Ibrahimovic en de een meter tachtig van Beckham inmiddels de norm bepalen, blijft Lionel nog steeds gevaarlijk veel weg hebben van een Vlo. Maar zoals Manuel Estiarte, de beste waterpoloër aller tijden, opmerkte: 'Het is waar, je moet incalculeren dat de kans dat Messi bij full body contact gevloerd wordt groot is, net zoals het risico dat hij compleet onder de voet wordt gelopen door de verdediging. Maar... dan moet je hem wel eerst zien in te halen.'

En inderdaad, niemand kan hem bijhouden. Zijn evenwichtspunt ligt laag, de verdedigers proberen hem te hinderen, maar hij valt niet, doet geen stap opzij. Hij rent gewoon op volle snelheid door, de bal aan de voet, hij houdt niet in, hij dribbelt, stapt over, ontkomt, versnelt, misleidt. Onstuitbaar. Bij Barcelona wordt er geroddeld dat de sterspelers van de verdediging van Real Madrid, Roberto Carlos en Fabio Cannavaro, Lionel Messi nog nooit in zijn gezicht hebben gekeken, omdat ze hem niet bij kunnen benen. Leo is razendsnel. Hij schiet weg op zijn kleine voetjes, die meer weg hebben van handen als je ziet hoe hij balbezit weet te houden, elke beweging onder controle heeft. Met zijn schijnbewegingen laat hij zijn tegenstanders struikelen over hun enorme, alleen maar lastige, maat vijfenveertig.

Messi werd voor een reclamespotje gevraagd om zijn verhaal met een stift uit te tekenen. Het is grappig en ontroerend om te zien hoe hij zichzelf tekent als een piepklein poppetje tussen metershoge bomen van benen, verloren tussen te grote voetballen die mijlenver wegvliegen. Maar wanneer die de grond raken vliegt hij ernaartoe om de bal aan te nemen, en klein als hij is, schiet hij tussen alle benen door naar de goal. Bij een uitbal, het moment waarop de tegenpartij even op adem komt, ziet hij zijn kans schoon, hij vliegt ervandoor, er voorbij, en de aanvallers, die dachten dat ze hem achter zich hadden gelaten, zien hem ineens al vijftig meter verderop. Een groot speler is niet de speler die een overtreding afdwingt, maar de speler die zo snel is dat niemand hem kan tackelen.

Messi zien spelen is niet alleen maar voetbal kijken, het is gewoon mooi. Alsof het ineens door je heen schiet, een vlaag van inzicht, een openbaring voor iedereen die erbij is die maakt dat je, als je hem ziet dribbelen en spelen met de bal, geen enkele afstand meer voelt tussen jezelf en de wedstrijd waarnaar je kijkt, dat je je compleet verliest in wat je ziet en je één waant met die ongelijke, maar harmonieuze, bewegingen. Je kunt het spel van Messi vergelijken met de sonates van Arturo Benedetti Michelangeli, met de gezichten van Rafael, met het trompetspel van Chet Baker, de wiskundige formules achter de speltheorie van John Nash, met alles wat meer is dan alleen klank, materie, kleur, en verandert in iets wat alle elementen en aan het leven zelf toebehoort. Als één geheel, zonder ruimte ertussen. Alsof het er altijd al is geweest, dat alleen wanneer je het voor het eerst ziet, wanneer je er voor het eerst, als gehypnotiseerd, naar kijkt, je onvermijdelijk raakt en ervoor zorgt dat je alleen nog jezelf kunt voelen en in je eigen binnenste kunt kijken.

Je hoeft maar naar de sportverslaggevers te luisteren die zijn spel becommentariëren om te begrijpen dat hij een speler van grote klasse is. Tijdens een duel Barcelona-Real Madrid ziet een verslaggever dat Messi constant wordt belaagd door een tegenstander die hem wil tackelen. Hij staakt zijn beschrijving van de wedstrijd; het enige wat hij nog opgewonden uit kan roepen is: 'Hij valt niet, hij valt niet, hij valt nieeeeet.' In een andere wedstrijd tussen deze historische rivalen krijgt de euforische wave 'Messi, Messi, Messi, Messi,' er een extra lettertje bij, de 'a': 'Messia'. Dat is de tweede bijnaam die de Vlo verdiend heeft met de bijtende elegantie van zijn aanvallen, met de welhaast mystieke verbazing die zijn spel wekt. 'De man veranderde zichzelf in een God en stuurde zijn profeet,' zegt het onderschrift van een televisiereportage gewijd aan *el Mesias* en aan de vleesgeworden God van het voetbal die hem voorging: Diego Armando Maradona.

Het lijkt haast onmogelijk, maar terwijl Messi voetbalt, zitten de moves van Maradona in zijn hoofd. Zoals een schaker zich laat inspireren door de zetten van zijn grootmeester in gelijke spelsituaties. Het meesterwerk van Diego Maradona op 22 juni 1986 in Mexico, de goal die wordt beschreven als de mooiste goal van de eeuw, wordt door Lionel bijna identiek nagedaan, zo'n twintig jaar later, op 18 april 2007 in Barcelona. Ook Leo start op zo'n zestig meter van het doel, ook hij passeert in een enkele dribbel twee middenvelders, hij accelereert richting het strafschopgebied, waar een tegenstander die hij eerder gepasseerd was hem onderuit probeert te halen, zonder succes. Drie verdedigers sluiten Messi in en in plaats van richting het doel te rennen, schiet hij naar rechts, voorbij de keeper en nog een andere speler en... goal! Ongelooflijk wat er na de goal gebeurde op het veld. De spelers van Barcelona stonden als aan de grond genageld, de handen op het hoofd, keken om zich heen vol ongeloof dat het mogelijk was ooit nog zo'n goal mee te maken. Allemaal dachten ze dat er maar één man was die tot iets dergelijks in staat was. Maar ze hadden het mis.

De pers komt direct op de proppen met de bijnaam 'Messidona', maar de gelijkenis tussen deze twee Argentijnse topspelers gaat verder dan dit soort vondsten, het is om rillingen van te krijgen. In een sport die de epische fase reeds lang gepasseerd lijkt te zijn, lijken de heldendaden van Messi een mythe te doen herleven. En niet zomaar een mythe. Een mythe die in schril contrast staat met de huidige tijd: die van David en Goliat. Beiden een tenger postuur, afkomstig uit een sloppenwijk, machteloos ook al zien ze dat ze anders zijn reeds vanaf de tijd van de trapveldjes waar ze speelden, altijd dezelfde gelaatsuitdrukking, altijd dezelfde woede over zich, een soort traagheid diep vanbinnen. Theoretisch gezien waren alle elementen aanwezig om hen de fout in te laten gaan, alle elementen om te verliezen, alle elementen om door niemand gemogen te worden en om niet te voetballen. Maar het liep anders.

Toen Maradona dat doelpunt scoorde in Mexico, was Messi nog niet eens geboren. Hij is van 1987. En de reden dat ik helemaal naar Barcelona ben gegaan, dat ik hem wilde ontmoeten, ligt precies in het feit dat ik ben opgegroeid met de mythe van Diego Armando Maradona. Nooit zal ik de wedstrijd tijdens het wereldkampioenschap van 1990 vergeten; een vreselijk lot bepaalde dat Italië met Azeglio Vicini en Totò Schillaci moest spelen tegen het Argentinië van Maradona, uitgerekend in San Paolo. Bij de eerste goal door Schillaci, is het stadion buiten zinnen. Er heerst echter een voelbaar vreemde sfeer op de tribunes. Na de goal van Canigga neemt een fan, geen Napolifan – geen 'autochtoon' – Maradona onder vuur. En dan gebeurt er iets wat nog nooit eerder in de voetbalgeschiedenis is gebeurd en wat daarna ook nooit meer gebeurd is: de fans keren zich tegen hun eigen nationale elftal. De fans uit het vak van Napels scanderen: 'Diego, Diego!' Dat waren ze toch ook gewend? Kon je het hun kwalijk nemen? Met wie moesten zij zich anders identificeren? Maradona is op dat moment zowel de mascotte van de San Paolofans als die van een ander natio-

naal elftal, met spelers die voor andere Italiaanse steden voetballen, Rome, Milaan, Turijn.

Maradona zet de basisregels van de voetbalfans op zijn kop.
Tijdens de finale Argentinië-Duitsland krijgt hij de kous op de
kop. Italië is in de halve finale uitgeschakeld en er is een scheu-
ring ontstaan binnen de Italiaanse fangroepen: om dit te wreken fluiten zij het Argentijnse volkslied weg. Maradona wacht
tot de camera's, die de spelers een voor een langsgaan, bij hem
zijn aanbeland en werpt de fans dan een woedend 'Hijos de
puta!' toe, omdat zij niet eens respect tonen voor het volkslied.
Een vreselijke finale. Heel Napels was voor Argentinië, natuurlijk. Wanneer ook nog een absoluut dubieuze strafschop gegeven wordt, is het helemaal over. Duitsland heeft het duidelijk
moeilijk, maar moet winnen en het verslagen Italië wreken.
Een dubieuze strafschop voor het neerhalen van Rudi Völler.
Andreas Brehme neemt hem, hij zit. En het commentaar van
de Argentijnse verslaggever luidt: 'De enige manier, jongen…
de enige manier waarop jullie Diego konden verslaan.'

Die dagen staan in mijn geheugen gegrift. Elf was ik en dat
soort voetbal zal ik nooit meer meemaken. Maar iets uit die
tijd lijkt te herleven. Het doelpunt van Mexico tegen Engeland,
het doelpunt dat de Vlo twintig jaar na dato opnieuw maakte,
laat een van de meest onvergetelijke momenten uit mijn kindertijd herleven. Ik stel me voor hoe geweldig en duizeling-
wekkend het moet zijn om Messi in San Paolo te zien spelen.
Messi over wie Maradona in eigen persoon heeft gezegd:
'Messi zien voetballen is beter dan seks.' En Diego kan het
weten, hij heeft van allebei verstand. 'Ik vind Napels leuk, ik
wil er gauw naartoe,' zegt Lionel. 'Het moet geweldig zijn een
tijdje in Napels te kunnen zijn. Voor een Argentijn is het er als
thuis.'

Het meest ongelooflijke moment in mijn gesprek met Messi is wanneer ik tegen hem zeg dat hij op Maradona lijkt als hij voetbalt – 'lijkt', omdat ik niet weet hoe ik hem moet uitleggen wat hij al wel duizend keer gehoord zal hebben, maar wat ik hem toch wil zeggen – en hij antwoordt: '*Verdad?*' (Echt?) met een nog verlegener en blije glimlach. Ik mocht Lionel Messi trouwens ook niet interviewen omdat ik een schrijver ben of wat dan ook, maar omdat hem was verteld dat ik uit Napels kom. Voor hem is dat hetzelfde als Mekka voor een moslim. Voor Messi, en voor veel andere spelers van Barcelona, is Napels een heilige plaats als het op voetbal aankomt. De plaats waar talent wordt ingewijd, de stad waar de God van de bal zijn beste jaren heeft gespeeld, waar hij vanuit het niets is opgemarcheerd naar de overwinning op de grote teams, naar de verovering van de wereld.

Lionel lijkt totaal niet op wat je zou verwachten bij een voetballer. Hij is onzeker, bezigt niet de gebruikelijk voetbaltaal die hem geadviseerd wordt, hij bloost en staart naar zijn voeten, of bijt op de nagels van zijn duim en wijsvinger als hij niet weet wat hij moet antwoorden en nadenkt. Maar het verhaal van de Vlo is op nog meer punten buitengewoon. Het verhaal van Lionel Messi is als de legende over de hoornaarwesp, waarvan gezegd wordt dat het eigenlijk onmogelijk is dat hij kan vliegen door zijn buitenproportionele gewicht ten opzichte van de reikwijdte van zijn vleugels. Maar de hoornaar weet dat niet, en hij vliegt. Eigenlijk is het onmogelijk dat Messi met zijn tengere lijf, zijn kleine voeten, korte beentjes, kleine bovenlichaam, al zijn groeiproblemen, mee kan komen in het moderne voetbal waar het een en al spieren, massa en kracht is wat de klok slaat. Maar Messi weet dat niet. En daarom is hij de grootste van allemaal.

Tatanka Skatenato

'Er is geen betere onderneming dan de onderneming die men eigenhandig tot stand heeft gebracht.' Boksers beamen deze uitspraak van Homerus. Boksen is gedisciplineerde woede, gestructureerde kracht, georganiseerd zweet, uitdaging van hoofd en spieren. In de ring doe je ofwel alles om op je benen te blijven staan, of je raakt de bodem van je energie en houdt er rekening mee dat je neergaat. Hoe dan ook: je vecht, een tegen een. Er zijn geen andere mogelijkheden en er is geen middenweg.

Aan de Olympische Spelen van 2008 zullen voor Italië twee bokskampioenen deelnemen: Clemente Russo, eenennegentig kilo, zwaargewicht, en Domenico Valentino, zestig kilo, lichtgewicht. Zesentwintig en zevenentwintig jaar oud. Russo wereldkampioen, Valentino tweede. Allebei politieagent. Boksers die in voorbereiding op Peking al jarenlang door hun Chinese tegenstanders worden bestudeerd. Russo en Valentino komen allebei uit de buurt van Marcianise, de kweekvijver van de bokssport. Hier worden kleine jongens getraind en wanneer ze groot zijn gaan ze bij de politie of in het leger en uiteindelijk kunnen ze rechtstreeks door naar de Olympische Spelen.

Marcianise, een flink dorp met veertigduizend inwoners, is een van de wereldhoofdsteden van de bokssport en zonder twijfel de bokshoofdstad van Italië. Er zijn drie gratis sportscholen waar kinderen vanuit de hele provincie Caserta komen boksen. Er is een reden waarom Marcianise al sinds heugenis de kweekvijver is van boksers in Italië. De Amerikanen die hier in Campania gelegerd waren, lieten de timmerlieden en buffelhouders uit de omgeving komen om zich als sparringpartners voor een paar dollars te meten met de mariniers. En toen ze heel veel van die mariniers hadden verslagen, gingen ze door met vechten en bouwden ze sportscholen en begonnen ze les te geven aan de lokale jongens.

Een van de coaches die sportschool Excelsior in Marcianise beroemd heeft gemaakt, is Mimmo Brillantino. Een soort kerkbewaarder van de bokssport, trainer van Europese en Olympische kampioenen en wereldkampioenen. Hij herkent ze als ze nog kleuter zijn, hij snuffelt aan ze, volgt ze, kijkt in hun ziel. En dan leidt hij ze op, half tijgerdompteur, half oudere broer. Elke ochtend meldde Mimmo Brillantino zich bij zonsopgang bij het huis van Clemente Russo om hem te wekken. Zes uur: hardlopen. Halfnegen: school. Na school haalde hij hem weer op: eten, huiswerk maken en opnieuw trainen. Als de zon scheen in korte mouwen, bij regen met een capuchon. Er werd altijd getraind, met volharding.

Kort voordat ze afreizen naar de Olympische Spelen ontmoet ik Clemente Russo en Domenico Valentino in het sportcentrum van de rijkspolitie, waar alle agenten trainen in alle denkbare takken van sport. Van de grote judoka Pino Maddaloni tot schermkampioene Valentina Vezzali: ze dienen allemaal bij de *Fiamme Oro*, de Gouden Vlammen, zoals de sportlieden van de Italiaanse politie ook wel worden genoemd. Clemente Russo wordt hier Tatanka genoemd, wat bizonstier betekent in de taal van de Lakota Sioux. Een van zijn leraren gaf hem die naam nadat hij *Dances with Wolves* had gezien. In een poging te communiceren met zijn nieuwe vriend Kicking Bird gaat luitenant John Dunbar op handen en voeten zitten en steekt twee vingers boven zijn hoofd omhoog als om de hoorns van een bizon aan te duiden. Het stamhoofd begrijpt het en zegt: 'Tatanka.' Dunbar knikt en zegt het woord na.

Clemente Russo heeft die bijnaam gekregen omdat hij in de ring soms vergeet dat hij een bokser is. Hij buigt zijn hoofd voorover, neus ter hoogte van zijn borst, ogen omhoog, voorhoofd omlaag: klaar om te stoten. Hij moet vanuit de hoek toegeschreeuwd worden dat hij een sportman is, geen straatvechter. Maar zoals Giulio Coletta van de staf van het nationale team zegt: 'Als je zo vecht en je slaat je tegenstander niet meteen tegen de grond, dan pakt die je, want dan verlies jij al je energie en heb je geen adem meer om je te verdedigen en ook geen concentratie. En dan stort je in. Als een bizon nadat hij heeft aangevallen.'

Tatanka heeft een tatoeage op zijn borstkas. Een rennende Amerikaanse bizon met op zijn voorhoeven bokshandschoenen. Clemente vertelt me waarom hij naar de sportschool kwam: 'Omdat ik een dikzak was! En ik kon er niet meer tegen om altijd uit bars weg te moeten blijven.' Nu heeft Clemente Russo als beste eigenschap dat hij het totaalbeeld ziet. Het lijkt alsof hij van de eerste tot de laatste minuut in zijn hoofd heeft wat hij moet doen. En bovendien is hij sterk, maar zelf beschouwt hij dat niet als zijn beste kwaliteit. 'Kracht is niet het belangrijkste. Eerst komt de geest. Die staat centraal, Robbè.' Echte boksers worden niet geboren als vechtersbazen, integendeel: zij gaan juist vaak naar de sportschool om agressiever te worden en om agressie te leren beheersen. 'Het allerbelangrijkste: je moet ze niet krijgen. En het tweede: je moet ze geven.' Daarover zijn Clemente en Domenico het volmondig eens.

De sportschool die hen heeft gevormd, Excelsior, heeft zijn twintigjarig bestaan gevierd, waarvan tien jaar aan de top van de boksverenigingen. Anders dan in andere sporten verdienen de trainers, die hen volgen met de geestdrift van een missionaris, maar net genoeg om ervan te kunnen leven. En toch brengen ze hele dagen door in de sportschool om boksers op te leiden. Push-ups tellen, leren hoe ze de boksbal te grazen moeten nemen, touwtjespringen, hardlopen, doorzetten. 'En ze leren een man te worden,' voegt Claudio De Camillis toe, politieagent, internationaal scheidsrechter en hoofd van de Fiamme Oro, die ze allemaal heeft gezien.

'Ze bellen ons vanuit Marcianise, ze pikken ze er voor ons uit wanneer het nog guppy's zijn. Dan komt er een telefoontje van Brillantino of van coach Angelo Musone of van Clemente De Cesare, Salvatore Bizzarro en Raffaele Munno, de "tempeliers" van de bokssport. Wij nemen ze omdat zij ook kijken naar de hersens van zo'n jongen, zijn afkomst, of hij serieus is.' De politie neemt ze aan en gelooft in ze. Zonder de Fiamme Oro zou er geen Italiaans amateurboksen zijn. En zou er dus geen boksen meer bestaan in Italië.

Inmiddels zijn er geen sponsors meer te vinden en de enige mogelijkheid zou zijn om naar Duitsland te gaan, een land dat de meest gevreesde boksers van deze tijd aantrekt: de boksers uit de voormalige Oostbloklanden. Russen, Oekraïners, Kazachen, Oezbeken, Wit-Russen. De nieuwe gretige vechters. Gladiatoren die de aandacht van de wereld opnieuw hebben gevestigd op de bokssport en van Duitsland het beloofde boksland hebben gemaakt. In Marcianise zijn ook veel Italiaanse kampioenen opgeleid, anderen zijn niet meer dan goede atleten gebleven. Maar allemaal hebben ze zich ver van de camorra gehouden. Soms gingen jongens van een bepaalde familie 's ochtends trainen en jongens van de rivaliserende familie 's middags, maar dan werden zij door het boksen uit hun traditionele omgeving gerukt.

De regels van het boksen zijn onverenigbaar met die van de clans. Een tegen een, vis-à-vis. De inspanningen van het trainen, het respect voor de nederlaag. De langzame opbouw van de overwinning. Clemente Russo zegt hierover: 'Het is een leven vol opoffering, ik heb al twintig jaar niet de kracht om het 's avonds laat te maken. En ik kan me geen moment herinneren dat ik kon rondhangen in bars, zoals ze bij ons doen.' De camorra heeft geen belangen in de bokssport om een heel simpele reden en Clemente Russo kent die reden goed. 'Er gaat niet meer zoveel geld in om. Met het geld van de eerste Europese juniorentitel die ik heb gewonnen, heb ik een scooter gekocht.'

Alleen in Duitsland en Spanje probeert de Russische maffia voortdurend te infiltreren in de bokssport. Maar clans die het voor het zeggen hebben in Marcianise, de Belfortes en de Piccolo's, hebben geen gebrek aan geld noch aan manieren om aan geld te komen. De Belfortes hebben zelfs een cameraploeg van een reality-tv-programma laten komen, *Vita in diretta*, om de trouwerij van Franco Froncillo, broer van de opkomende boss Michele Froncillo, te laten filmen. Ze wilden het feest, waarbij een helikopter een regen van bloemblaadjes over het paar en de genodigden uitstrooide, voor de eeuwigheid laten vastleggen, niet door de gebruikelijke opnames tegen betaling, maar door de RAI. Zodat niet alleen de familieleden, maar alle huisvrouwen in heel Italië de bruid konden bewonderen en benijden.

De twee rivaliserende families, ook wel de 'Mazzacanes' en de 'Quaqquaroni's' genoemd, voeren het bevel over een groot territorium dat bezaaid is met kleine en middelgrote bedrijven. Een territorium waarin het grootste winkelcentrum van Italië en de grootste megabioscoop van het land gevestigd zijn – vreemde records voor een gebied dat een enorme werkloosheid kent en gekenmerkt wordt door emigratie. Het betekent dat er veel onderaanbestedingen zijn die binnengehaald moeten worden, veel parkeerplaatsen die beheerd moeten worden, veel particuliere bewaking die moet worden opgedrongen. En vooral veel afpersing.

In maart 2008 is de gemeenteraad van Marcianise ontbonden wegens camorristische infiltratie. En in 1998 was Marcianise de eerste Italiaanse stad sinds het einde van de Tweede Wereldoorlog waar door de prefect een avondklok werd ingesteld. In de jaren negentig bedroeg het aantal doden één per dag. Toen de Mazzacanes en de Quaqquaroni's elkaar begonnen af te slachten, vervulden de bokstrainers een cruciale rol bij de redding van het territorium. Door niets anders te doen dan het gebod van de bokssport te volgen: 'Iedereen de boksschool in zonder onderscheid in kleur, intelligentie of voorkeur.' Want 'binnen is iedereen rood, rood als bloed' zoals ze hier in de boksscholen zeggen.

Mimmo Brillantino en de andere coaches gingen op zoek naar jongens in de kroegen, op straat, op het schoolplein. En zo plukten ze hen weg uit de woestijn waar de clans van generatie op generatie jongens ronselen om ze op hun schaakborden in te zetten. Dit mechanisme werd door het boksen door-

broken – en wel definitief. De boksring is hierbij doeltreffen-
der dan een universitaire titel. Want wanneer je hebt gevochten met het zweet op je voorhoofd en in je handen, dan wordt
de aansluiting bij de camorra een nederlaag.

Tatanka heeft in 2007 in Canada laten zien wat het betekent
om afkomstig te zijn van een sportschool in Marcianise. Hij
zette zijn azuurblauwe bokskap op en versloeg de Duitser
Pvernov, van wie hij in 2005 bij het wereldkampioenschap in
China had verloren. Hij wist de vuisten van de Montenegrijn
Gajovic te ontwijken, expert in Europese en Olympische kam-
pioenschappen en wereldkampioenschappen die heel wat veel-
belovende uitdagers had uitgeschakeld, maar er desondanks
niet in slaagde grip te krijgen op de ontwijkende Clemente.
Vervolgens versloeg hij de zeer ambitieuze Chinees Yushan. En
toen kwam het sluitstuk tegen de machtige, linkshandige
Chakhkiev, die drie rondes lang de wedstrijd ogenschijnlijk
leidde omdat hij geholpen werd door de scheidsrechters die de
stoten van de Rus negeerden. Dankzij die tactiek begon
Chakhkiev bij de bel voor de laatste ronde met een 6-3 voor-
sprong, waardoor hij op zeker leek te kunnen spelen. De hoek
van Clemente had de moed opgegeven, probeerde dat niet aan
hem te laten merken, maar bereidde zich al voor op de nederlaag. Tatanka zelf bleef er echter tot het laatste moment in
geloven. 'Hij kan niet meer, zijn brandstof is op. Ik versla hem,
ik versla hem.' Binnen twee minuten komt hij terug. Een hoekstoot, een *jab*, hij ontwijkt een linkse en treft het jukbeen van
de Rus vol. Hij wint vier punten zonder ook maar een stoot te
incasseren. Chakhkiev krijgt een salvo van stoten over zich
heen. Hij weet niet meer waar hij is. De ontmoeting eindigt
met 7-6 en Clemente is wereldkampioen.

Het andere wereldtalent uit Marcianise is Domenico Valentino. Iedereen noemt hem Mirko. Dat is de naam die zijn moeder had gekozen, maar uit respect voor haar schoonvader had ze haar zoon uiteindelijk toch naar opa genoemd. Nadat ze echter had betaald voor de inschrijving in het bevolkingsregister, begon ze hem Mirko te noemen. De beste lichtgewicht die ik ooit heb gezien. Hij is snel en technisch en gunt zijn tegenstander geen rust. Zijn strategie legt hij zelf uit: 'Aanraken en wegwezen, aanraken en wegwezen.'

'Ik was dameskapper,' vertelt hij, 'en toen ben ik begonnen met trainen. In Marcianise is dat heel gewoon en zo merkte ik dat er een bokser in mij zat.' Het is bijna niet te geloven dat een van de sterkste boksers ter wereld dameskapper is geweest; het lijkt wel de emancipatie van het imago van een hele beroepsgroep.

Mirko is van kapper de meest gevreesde lichtgewicht van Europa geworden. In de hoek van de ring spreekt hij Spaans. 'Dan zet ik achter elk woord een s, zo voel ik me een beetje Mario Kindelán.' Kindelán, Cubaans lichtgewicht en idool van Mirko, heeft twee keer Olympisch goud gewonnen en is drie keer wereldkampioen geweest. Na zijn overwinning siste hij tegen zijn uitdager op de mat: 'Het zijn niet míjn stoten, het zijn de stoten van de revolutie.'

Domenico Valentino kijkt in de spiegel om zijn razendsnelle bewegingen te bestuderen, de voeten die samen naar rechts draaien. De spiegel is van wezenlijk belang bij het boksen. Touwtjespringen doe je voor de spiegel, je oefent je stoten, je verfijnt je verdediging voor de spiegel. Je kijkt zo vaak naar jezelf dat je er uiteindelijk als iemand anders uitziet. Het lichaam dat je in de spiegel ziet is niet meer van jou, maar gewoon een lichaam dat je kunt vervormen en opbouwen, dat je ongevoelig voor pijn kunt maken en sterk om terug te slaan.

Boksen blijft een heroïsche sport omdat het gebaseerd is op de regels van het gestel die de mens confronteren met zijn mogelijkheden. Zelfs de laatste mens op aarde kan met zijn handen, zijn woede, zijn snelheid laten zien wat hij waard is. Het gevecht is een confrontatie met de essentie van het leven, die door de moderne tijd bijna vergeten wordt. In de ring leer je wie je bent en wat je waard bent. Wanneer je vecht telt geen recht, telt geen moraal, telt niets anders dan jouw lichaam, jouw handen, jouw ogen. De snelheid waarmee je stoot en ontwijkt, overleven of het onderspit delven, winnen of vluchten. Je kunt niet liegen in het fysieke contact. Je kunt geen hulp vragen. Als je dat doet, accepteer je de nederlaag.

Maar het doel van een ontmoeting is niet vast te stellen wie feitelijk de sterkste is. Belangrijker dan de overwinning, belangrijker dan de resultaten van de ontmoetingen is of je ervaring hebt met pijn, of je gevoel wel is uitgeschakeld, want dat moet om in de ring te kunnen stappen en daar te blijven. Wedstrijd en doodsstrijd. Claudio De Camillis pakt Mirko bij een arm en zegt: 'Moet je zien, Robbè. Hij weegt amper zestig kilo. Als je hem op straat ziet, zeg je: die druk ik zo plat. Maar hij is een tank.'

Tijdens de wereldkampioenschappen in Chicago heeft Domenico Valentino de Armeen Javakhyan verslagen, nummer twee van Europa. Op snelheid. Hij stond voor de ogen van de Armeen te dansen en zodra deze hem probeerde te raken, bestookte hij hem met stoten. Verder heeft hij gewonnen van Kim Song Guk, een Noord-Koreaanse bokser die getraind is op snelle stoten, maar die hem niet kon verslaan. In de finale tegen de Engelsman Frankie Gavin had Valentino pech met zijn rechterhand. Dat is zijn zwakke punt: hij heeft kleine, kwetsbare handen. Een voordeel voor Gavin, dat hij perfect heeft uitgebuit. Jammer. 'Als ik gewonnen heb, doe ik niets in de was. Onderbroek, sokken, broekje. En als ik verlies gooi ik alles weg. Als ik win moet je ook niet te dicht bij me komen, dan stink ik naar zweet.'

Ook nu zijn zijn handen gewond. Ik vraag hem: 'Had je ze niet goed ingetapet?' 'Nee,' antwoordt hij, 'dit is iets anders.' En hij draait zijn hoofd om. Achter in zijn nek verschijnt een getatoeëerde naam: Rosanna. Zijn vriendin. Dan geeft hij toe: 'Ik had ruzie met haar en omdat ik opgefokt was, heb ik met mijn handen een brommer in elkaar geslagen. Maar als ik de Olympische Spelen win, trouw ik met haar.' Domenico Valentino houdt van de uitdaging en heeft altijd respect voor de uitdager. 'Uit mijn hoek zul je nooit zinnen horen als "vermoord hem" of "sla hem dood". Nooit. Je vecht tegen je vijand. Punt uit.' Hij heeft nog steeds een uitstekende relatie met Frankie Gavin, is bevriend met de nationale ploeg van Oezbekistan, maar: 'Ik houd niet van Turken want als die winnen, dan drijven ze de spot met je, dan zwaaien ze met hun vlag onder je neus. Maar verder: allemaal vechtende broeders.'

Een gedenkwaardige ontmoeting was die tegen Marcel Schinske in Helsinki in 2007. De jongens uit Marcianise gaan er nog eens naar kijken op YouTube. De Duitse bokser probeert een aanvalsstrategie. Hij beweegt druk, hij wil intimideren. Hij dekt zichzelf af, een fatale fout als je tegen een snelle bokser vecht. En inderdaad geeft Valentino hem meteen een directe stoot op zijn onderkaak, zo hard dat Schinske niet alleen onmiddellijk tegen de mat gaat, maar stijf neervalt, de armen nog steeds afwerend geblokkeerd, de ogen omhoog gedraaid. Domenico Valentino zal die directe stoot nooit meer vergeten. 'Robbè, het was alsof er een stroomstoot door mijn hele arm ging. Ik heb nog nooit zoiets gevoeld. Het was alsof al zijn pijn bij mij naar binnen ging. Ik was bang want nadat hij KO was gegaan, begon hij ook nog met zijn benen te trappelen alsof hij een epileptische aanval had.'

Claudio De Camillis weet nog: 'Ik moest hem halen, ik heb mijn armen om hem heen geslagen en samen zijn we langzaam de ring uitgelopen. Hij huilde, hij heeft veertig minuten lang gesnotterd, hij dacht dat hij hem had omgebracht. Pas toen ik hem verzekerde dat Schinske in orde was, werd hij kalm.' Het lijkt misschien ongelooflijk, maar het is waar: in de ring stappen om een tegenstander neer te halen en als die dan eenmaal neergehaald is, je zorgen maken of je hem niet te veel pijn hebt gedaan, of hij nog wel mens en bokser kan blijven. Zoals Joe Frazier, een van de idolen van Clemente Russo.

Joe Frazier vocht compact, één gitzwarte bonk spieren, maar lenig, en hij won de wereldtitel. Maar in die tijd deed de kampioen der kampioenen, Mohamed Alì, niet meer mee, hij had besloten het boksen de rug toe te keren. En in 1971, toen Frazier een ontmoeting had met Alì, begreep hij dat hij zich pas echt kampioen mocht noemen nadat hij hem had getrotseerd. Na vijftien rondes vond hij ruimte voor een hoekstoot. Alì viel. Verslagen. Vier jaar later volgt er opnieuw een uitdaging. Een match die wordt beschouwd als een van de allerbeste die ooit is gevochten. Geen van beiden is in staat de ander te verslaan. Frazier en Alì bloeden allebei, hun ogen zwellen op, ze kunnen niet meer goed zien, ze hebben geen adem meer. De scheidsrechters hebben niet de moed om een match te laten stoppen die door de hele wereld wordt gevolgd, de trainers voelen er ook niet voor om degenen te zijn die de handdoek in de ring gooien. Dan is het Frazier die een beslissing neemt. Ze zijn allebei moe, beurs geslagen, en Frazier is bang dat hij zal doden of gedood zal worden. Met een op hol geslagen hart, korte adem, ontwrichte onderkaak, bloedende wenkbrauw, arbiters die in verlegenheid worden gebracht. Joe Frazier erkent dat het zijn taak is. Hij trekt zich terug en laat de overwinning aan Alì.

De wetten die zich doen gelden wanneer de andere niet functioneren, worden gedicteerd door het lichaam. Eerlijkheid, woede, achting voor de tegenstander ontstaan pas nadat je hebt geprobeerd hem af te slachten en nadat hij heeft geprobeerd jou af te slachten en je dus gelijk staat. 'Eigenlijk,' zei Frazier toen, 'hoef je helemaal niet zoveel redenen te zoeken. Vanbinnen weet je altijd wat goed is en wat fout is.' Joe Frazier had Immanuel Kant geciteerd zonder het zelf te weten.

Domenico heeft een onmiskenbaar gezicht, een typisch boksersgezicht, ook al 'is mijn neus nooit gebroken geweest, die is van nature zo'. Zo'n gezicht dat langzaam gepolijst wordt door de stoten en de trainingen, net zoals wind en water doen met rotsen. Fotograaf Piero Pompili stelt zijn camera in, nodigt mij vervolgens uit om door de lens te kijken en voor mij verschijnt een haast Azteeks gezicht. Piero Pompili, al jarenlang boksfotograaf. Bijna alle boksers van de wereld zijn door hem geportretteerd in de boksschool toen ze slechts als een klomp ambitie en hoop voor de boksbal stonden. Pompili herkent in hen werken van de grote meesters: 'Guido Reni, net Guido Reni.' Of: 'Caravaggio, je bent een Caravaggio.' De boksers kijken naar hem, vinden hem aardig, maar ze begrijpen niet wat hem bezielt. En hij wordt boos, net als een modefotograaf, maar met heel andere woorden: 'Kom op, Tatanka, een hoekstoot, een hoekstoot. Vooruit Mirko, snel, snel, stoten, stoten.' Pompili kijkt verder; het totaalbeeld van de verscheurende driften in een mens wordt in zwart en wit geschetst op zijn foto's.

Ik kijk naar Tatanka in de ring terwijl Pompili foto's maakt en ik heb gemengde gevoelens. Ik ben in mijn hele leven nog nooit op iemand jaloers geweest, maar op Clemente Russo ben ik jaloers. Zijn lichaam in beweging straalt een archaïsch gevoel van vertrouwdheid uit. Want zo stel je je Hector voor, Alexander, Achilles, Aeneas, de soldaten van Xenophon, de soldaten van Salamis of bij Thermopylae. Later leer je dat ze helemaal niet gespierd waren, dat Achilles niet langer was dan een meter vijftig, dat Leonidas een dik, kalend mannetje was, maar niemand ontneemt jou meer dat beeld van de epische schoonheid van het gevecht, en van dat beeld is Clemente Russo de verpersoonlijking.

Tatanka zegt: 'Voorafgaand aan een match kan ik nergens aan denken. Voor een match bedrijf ik een week lang de liefde niet. Niets. Ik ben geconcentreerd en zie in mijn hoofd alleen mijn stoten, de stoten die beslissend zouden kunnen zijn voor de ontmoeting.' 'Ik denk juist aan degenen die er niet meer zijn,' reageert Mirko. 'Aan vrienden die weg zijn. Aan overleden familieleden.' Hij vecht altijd voor iemand, voor iets wat moet komen, hij vecht altijd in naam van iets, maar instinctief. 'Wij zijn net als renpaarden in de startboxen voor de race. Zo zijn we voor een ontmoeting.'

De boksers van wie Clemente het meest houdt zijn Roy Jones jr. en Oscar De La Hoya. En Mohammed Alì? Mirko antwoordt: 'Alì was groot in zijn hoofd, maar misschien waren er nog betere dan hij. Maar niemand is zo één geheel van hoofd, lichaam, imago en politieke strijd geweest als hij. Alì was een kampioen in communicatie. Niet alleen in boksen.'

Roy Jones jr. is een bokser die breakdance heeft geleerd bij het boksen. Zijn wedstrijden waren een heus dansspektakel. Soms maakte hij voordat hij stootte ritmische pasjes achteruit die leken op de schokkerige bewegingen van een rapper. Roy Jones jr. vocht met een lage dekking, hij opende zijn armen volledig, stak zijn hoofd naar voren en liet een salvo van linkse en rechtse *jabs* neerkomen. Hij trainde vaak in het water. 'Stoten onder water maakt dat het in de lucht lichter wordt,' zei zijn trainer.

Oscar De La Hoya, ook geliefd door Valentino, is een Amerikaanse bokser van Mexicaanse afkomst die voortdurend van categorie verandert, omdat er jarenlang niemand in staat was hem te verslaan. Hij moest de hele wereld afreizen om uitdagers te vinden. Als Oscar De La Hoya in de ring stapt dragen zijn helpers een tweezijdige vlag achter hem aan, de ene kant sterren en strepen, de andere kant de driekleur met de adelaar van Mexico. Elke gewonnen wedstrijd draagt Oscar op aan zijn moeder, die aan kanker is overleden toen hij achttien was. Hij werkt op de flanken, stoot vervolgens op de jukbeenderen, verblindt de ogen en wanneer de uitdager zich vasthoudt aan de touwen, loopt Oscar De La Hoya weg om de scheids te laten tellen totdat hij hoort dat die bij tien is. Dan kijkt hij omhoog en roept uit: 'Voor jou, mama.' De La Hoya is een allround bokser, snel, geen groot incasseerder, maar dynamisch, boos. 'Voor mij is de mooiste ontmoeting die tussen De La Hoya en Floyd Mayweather jr.,' zegt Mirko. 'Twee leiders. De top van de hele bokssport.' De La Hoya met zijn indianengezicht. Mayweather met het gezicht van een braaf jongetje, zachte trekken. De eerste vertegenwoordigt de Mexicanen, de Portoricanen, de latino's, in het algemeen alle emigranten zonder *green card*. De tweede vertegenwoordigt de Afro-Amerikaanse middenklasse, de elegante ebbenhouten mannen, de zwarten die het gered hebben. Malcolm X is ver weg. En nog verder weg zijn O.J. Simpson, Puff Daddy, de onbehouwen zwarte patsers die pronken met geld, succes en vrouwen.

In de presentatie voor de match speelt Mayweather alsof hij Alì nadoet en beledigt hij De La Hoya, maar het commentaar van de Mexicaan luidt: 'Hij leek eerder een chihuahua dan een harde jongen.' Voor een sport die zo arm is geworden als boksen had deze ontmoeting een zeer respectabel budget: vierenveertig miljoen dollar. De La Hoya is getraind door de vader van Mayweather, die voor de wedstrijd echter elk contact verbreekt. Hij kan zijn bokser niet trainen in een match tegen zijn zoon. En dus neemt De La Hoya een andere coach. Het gevecht is een spektakel. De La Hoya valt aan, raakt, maar Mayweather verdedigt zich en gaat over tot de tegenaanval. Hij heeft de woede van de ambitie, hij wil laten zien dat hij nummer één is. De La Hoya weet al dat hij de grootste is, hij lijkt niets meer te willen bewijzen. Hij vecht, maar het lijkt alsof de overwinning hem niet meer interesseert. Alsof alles al voorbij is. En uiteindelijk wordt de *chico de oro* van het wereldboksen overwonnen door een ongeslagen bokser. 'De winnaar van een wedstrijd is altijd degene die iets moet bewijzen, vooral aan zichzelf,' legt De Camillis mij uit.

Clemente en Mirko zullen kolkend van energie naar Peking gaan. Ze zullen alle woede van hun geboortestreek in hun vuisten klemmen. Op straat in Marcianise worden ze aangehouden door de mensen, die vragen: 'Wanneer vertrekken we naar Peking?' Ze zeggen niet: 'vertrekken jullie', maar: 'vertrekken wij'. Want bij dit soort ondernemingen ben je niet langer alleen maar word je de som van velen. Een som die je ziel versterkt. En zo zou aan deze twee boksers iets gevraagd kunnen worden: geef deze geboortestreek alsjeblieft terug wat hem is afgenomen, laat zien wat het betekent om hier geboren te zijn – de woede, de eenzaamheid, de leegte elke avond. Want dat alles is de materie waarvan Clemente en Mirko zijn gemaakt, materie die nergens anders precies zo is. De pure honger om iemand te worden, een doel te bereiken, je te onderscheiden van de lafheid en het geslijm van de mensen om je heen. Omdat je het leven beoordeelt bij elke val, omdat vechten betekent dat je niemand kunt vertrouwen, dat hier altijd alles met moeite veroverd moet worden, dat je altijd achter je moet kijken en altijd moet denken aan degenen die het niet hebben gered.

Maar in jouw ambitie kan zich het streven van een hele landstreek verzamelen en in jouw uitdaging draag jij de hoop van velen met je mee, en de stoten die je in de ring geeft en ontvangt zijn niet langer sporthandelingen maar worden symbolen. Ze worden de stoten van een hele generatie, de hoekstoten en de uppercuts van degenen die het niet meer kunnen opbrengen om steeds alles met moeite te moeten veroveren en elke dag weer een nieuwe laag woede te moeten wegduwen. En dan vecht je niet langer alleen voor jezelf, voor jouw titel, voor jouw trainers, voor het geld dat je meebrengt naar huis, voor je verloofde met wie je wil trouwen. Dan vecht je voor iedereen. Zoals De La Hoya altijd heeft gevochten met alle latino's in zijn vuisten, zoals Mohammed Alì vocht met de bevrijding van alle Afro's ter wereld in zijn bloed, of Jake La Motta met de razernij die door het lichaam van de Italo-Amerikanen stroomde.

En dan rest jullie, Clemente en Mirko, beladen met deze betekenis die in jullie spieren gegrift staat, met jullie blik, met de snelheid van jullie vuisten en jullie benen, met jullie moed

waardoor jullie niet dicht langs de muren van de huizen liepen, dan rest jullie niets anders dan jullie uitdager in de hoek
te drukken en slechts één ding proberen te doen: winnen.

De man die Donnie Brasco was

Het is beter dat we onder de mensen blijven, dan vallen we minder op... Joe Pistone voelt zich nooit echt op zijn gemak in Italië. Hij kijkt naar de gezichten om hem heen, hij praat zacht, is constant in staat van paraatheid, maar zonder er zenuwachtig van te worden. Voor hem niets nieuws onder de zon. Ik wacht buiten voor het restaurant. Geen Joe te zien. Joe Pistone is bijna een levend icoon, een wandelende legende, en ik ben redelijk nerveus. Nerveus om zo'n groot talent te ontmoeten, een tragisch, ingewikkeld talent.

Hoe hij het klaarspeelt in de menigte op te gaan, van gedaante te veranderen, in zijn eigen toneelstukje te geloven, blijft voor mij het geheim van Joe Pistone. Ik bedoel: hoe hij zijn ziel in twee waterdichte kamers weet te splitsen, waardoor je niet ziet dat zijn slechtste kant iets externs is, maar het lijkt alsof die bij zijn karakter hoort. Er gaat te veel tijd voorbij, ik besluit naar binnen te gaan. Joe zit in een hoek. Rug tegen de muur. Aan een tafeltje. Hij eet olijven en spuugt de pitten in zijn hand. Ik stond buiten op hem te wachten en hij zat al lang binnen. 'Beter binnen zitten en iets eten, dan buiten staan.

Tenminste als je niet voor schietschijf wilt spelen.'

Pistone begroet me en kijkt me aan: 'Het gebeurt niet gauw dat een Italiaan zich zo slecht kleedt als jij.' Joe Pistone is Donnie Brasco, het beroemd geworden personage uit de film van Mike Newell. Jarenlang was die naam geheim als wat. Misschien was hij bekend binnen de bende van Bonanno, maar verder eigenlijk alleen bij de FBI. En dan bovendien slechts bij een klein gereserveerd groepje binnen de FBI dat wist dat Donnie Brasco de undercovernaam was van een geheim agent die zes ellenlange jaren geïnfiltreerd zat in de machtigste maffiafamilie van New York.

Joe lijkt in niets op Johnny Depp. Misschien leek Al Pacino zelfs nog wel meer op Lefty, de maffioos door wie Donnie de clan was binnengeloodst, in de veronderstelling dat Donnie een handelaar in kostbare stenen was. Maar Joe is er kort over: 'Een film is een film, mijn leven is mijn leven.' We beginnen te praten. 'Weet je,' zegt Joe, 'in New York had de maffia heel veel macht in de bouw- en de afvalsector had nagenoeg het monopolie op die markten. Dat was gelukt doordat ze de transportsector en de vakbonden in haar greep had en banden had met de politiek. Dat is nu, mede dankzij de rake klappen van de politie, allemaal verdwenen of niet meer zo sterk aanwezig. Het is allemaal veranderd. De jongere generaties willen alles op staande voet. En dat kan met drugs. Zo verdien je snel geld, toch? Mijn generatie, toen ik undercover ging, deed natuurlijk ook in drugs, maar alleen de bazen hadden het voor het zeggen. De regel was: geen drugs in de wijk. We verkopen het in Harlem. Aan de zwarten. Of aan de hippe rijkeluiszoontjes in New York. Maar niet hier bij ons. Terwijl de nieuwe generaties daar lak aan hebben, want zij willen het snelle geld, nu, meteen. Ze gebruiken zelf ook. Vroeger was het ondenkbaar dat in een maffiaclan de baas en zijn grootste vertrouwelingen coke snoven. Om al die redenen is er nogal wat wrijving tussen de oude en de nieuwe garde. Je kunt wel spreken van een generatiekloof. De nieuwe clans hebben hun invloed op de vakbonden verloren, omdat het de jongere generatie aan ervaring en diplomatieke capaciteiten ontbreekt om politici te kunnen omkopen zoals hun vaders dat deden. Het zou hun te veel tijd kosten en zij leven in het tijdperk van 'nu meteen'. De jongeren hebben geen politieke kwaliteiten. En toen de invloed op de vakbonden tot het verleden behoorde, verloor de maffia ook de invloed op de economie van het land. En zonder invloed op het wegvervoer, die wordt aangestuurd door de economie, hadden ze geen invloed meer op de prijzen.'

Joe Pistone kan maar moeilijk bevatten dat de Italiaanse misdaadkartels in Italië en ook wereldwijd nog steeds zo machtig zijn. Alle maffia's in de wereld hebben zich wat betreft model, logica, acties en investeringen laten inspireren door de Italiaanse, ook al hebben de Italianen in New York al jaren geleden het stokje in dat gebied overgedragen aan de Albanezen, de Nigerianen en met name de Russen. Joe had gevraagd of ik een Engels exemplaar van *Gomorra* voor hem wilde meebrengen; hij legt het boek met de kaft naar beneden zodat de voorkant niet te zien is, de zoveelste voorzorgsmaatregel. Maar dan zegt hij: 'Nou ja, deze Amerikaanse omslag kent toch zeker niemand hier in Italië?'

In het betoog dat hij voor de Amerikaanse Senaat hield over zijn leven als undercoveragent, vertelde Pistone dat naarmate de maffiosi meer veramerikaniseren, ze steeds verder verwijderd raken van de ware maffia-aard. Hoe meer Amerika hen door de aderen stroomt, hoe onbetrouwbaarder ze worden.

'Weet je, op een gegeven moment ging de bende van Bonanno Sicilianen naar Amerika halen, omdat ze zich daar veiliger bij voelden. Boss Carmine "Lilo" Galante bracht indertijd een hoop Sicilianen naar de States. Hij had in de gaten welke kant het op zou gaan met de Italo-Amerikaanse jongeren, die hun "cultuur" langzaamaan verloren. De derde generatie raakte er steeds verder van verwijderd. Daarom bracht hij de Siciliaanse maffia rechtstreeks naar Amerika; die was loyaler aan hem. Hij wist dat de maffiosi uit Sicilië in heel Amerika vrijuit konden moorden, want als ze gearresteerd werden wist toch niemand wie ze waren. En ze waren betrouwbaarder: geen drugs, geen buitensporigheden. Discipline en eer.'

In de zes jaar dat hij undercover werkte zag Joe de hele clanhiërarchie vorm krijgen. 'Mettertijd kregen de Sicilianen steeds meer macht; binnen de bende van Bonanno zijn er op het moment zelfs twee stromingen: Sicilianen en Amerikanen. Die kunnen elkaar niet luchten of zien. De Amerikanen waren jaloers op de Sicilianen die door Bonanno naar Amerika waren gehaald. En de Sicilianen vonden de Amerikanen te soft. Een Amerikaan vermoordt geen politie of politici, terwijl men daar op Sicilië niet moeilijk over doet. Uiteindelijk leidde dit tot de moord op maffiabaas Galante en de Amerikanen waren genoodzaakt een nauw pact te sluiten met de Sicilianen die machtsposities binnen de Bonanno-clan kregen toegezegd.'

Soms vergeet ik helemaal dat het Donnie Brasco is met wie ik zit te praten. We dwalen af naar onderwerpen als de grootste criminele organisaties. Totdat ik tegen hem zeg: 'Joe, weet je dat je waar ik vandaan kom je zowel vóór als achter de barricades een mythe bent, voor de politie, maar óók voor de camorrajongens? Donnie Brasco is Donnie Brasco omdat hij ballen heeft. De rest doet er niet toe in hun denkwijze.' Joe lacht en merkt op: '*Forget about it!*' Het legendarische zinnetje uit de film, het stopwoordje van al de gangsters, dat de jongetjes bij ons naar elkaar roepen als ze Al Pacino en Johnny Depp nadoen. 'Porsches zijn grote auto's, nou, forget about it.' 'De slagman van de Yankees is een loser, maar forget about it.' 'Alicia Keys heeft de mooiste kont ter wereld, forget about it.' Een uitdrukking die bevestigt, die alles bevestigt en alles weerlegt.

Ik vraag Joe Pistone of hij als infiltrant ooit opdracht tot moord heeft gekregen. Hij antwoordt nogmaals met een ironisch: '*Forget about it!*' Hij werd er meer dan eens op uitgestuurd om iemand te vermoorden, maar hij wist er altijd onderuit te komen. 'Ik kreeg "contracten" toegespeeld. En ik moest "ja" zeggen. Weigeren gaat niet, want dan leggen ze je om. En laat ik je dit vertellen: als ik ooit had moeten kiezen tussen mijzelf en een maffioos, dan was híj de klos geweest. Ik had hem vermoord. Op een keer was ik met een paar andere maffiosi in de club waar we altijd kwamen. Wordt er gebeld en krijg ik het adres door waar die kerel die ik moest vermoorden op dat moment is. "Oké," zei de rest "we gaan hem pakken." Ik snapte dat ik er niet onderuit kon, want als we erheen gingen en ik vermoordde die man niet, dan zouden ze mij koud maken. Hij moest dus dood. Maar net toen we wilden vertrekken kwam er nog een telefoontje, dat de vorige informatie vals was. En dus gingen we niet meer. Maar ik wist dat ik altijd in mijn achterhoofd moest houden waar ik toe in staat zou zijn om mijn eigen hachje te redden.'

In het achterhoofd houden wie hij was. Dat was nog het moeilijkste. En alleen in het achterhoofd, niet in zijn hart, in zijn maag. Vanbinnen moest hij Donnie Brasco zijn, niet Joe Pistone. Zes jaar zonder zijn gezin, zes jaar waarin je, als je aan jezelf toegeeft wie je echt bent, direct de fout ingaat, fouten, onnauwkeurigheden; je wordt voorzichtig en gewetensvol. Het tegenovergestelde van wat je moet zijn. Zes jaar waarin je moet registreren, gezichten onthouden, gemoedstoestanden peilen, doorhebben wat je overkomt en wat je kan overkomen. Joe probeert dat allemaal vol vertrouwen te doen. Vol vertrouwen in een lotsbestemming: zoiets als 'vroeg of laat gaat iedereen dood; wanneer het mijn beurt is kan ik daar toch niets aan veranderen, maar voordat het zover is zal ik er alles aan doen om te leven.' 'Op een keer kijkt een of andere maffioos me strak aan en zegt: "Als je ons er niet van kan overtuigen dat je een echte juwelendief bent, dan lig je straks opgerold in een tapijt." Ik heb me eruit moeten kletsen, zonder te laten merken hoe bang ik was. Ik zei zoiets als: "Als je me koud wil maken, ga je je gang maar, hier ben ik."

Een andere keer beschuldigde zo'n gast me ervan dat ik drugsgeld van de clan gestolen had. Om vast te stellen of het waar was hielden ze een aantal vergaderingen. Als je dan in paniek raakt, nemen ze je mee "voor een ritje" buiten de stad en jagen ze een kogel door je kop. Dus in plaats van weg te rennen van dat eventuele "ritje", bleef ik in de buurt. Vlak achter de deur waar ze aan het vergaderen waren om precies te zijn. Wachten tot ze klaar waren, zonder een greintje angst. Meer deed ik niet. Veel meer kun je niet doen.' Onbegrijpelijk hoe hij erin slaagde te veinzen dat hij niet bang was. Je kunt wel doen alsof, met een glimlach, doen alsof je vrolijk bent, doen alsof je een maffioos bent. Maar doen alsof je niet bang bent? Ik weet echt niet hoe dat moet. Vaag je de angst weg, zodra je hem voelt opkomen? Onbegrijpelijk. Alleen als je het daadwerkelijk meemaakt, weet je hoe dat moet. Of beter, als je het daadwerkelijk overleeft. Als je geluk hebt. Ik zeg tegen hem: 'Ik heb bewondering voor de manier waarop je je twee levens gescheiden hebt weten te houden. Volgens mij is dat je enige redding geweest.' Joe kijkt me meewarig aan en zegt alleen maar: '*Thanks.*'

We beginnen aan ons eten en praten wat zachter. Mijn recorder registreert de geluiden van het bestek dat over de borden krast, het tikken van de glazen wanneer we voor de grap proosten op allerlei onzinnige dingen: 'op het leven', '*fuck the maffiosi*', 'op Italië', 'op het Zuiden'. De onwennigheid en de spanning van het begin zijn helemaal verdwenen. Ik kan zelfs de naam Donnie Brasco hardop uitspreken, zonder dat Joe constant om zich heen kijkt om de reacties in het restaurant te peilen. Niets. We kunnen gewoon op normale toon doorpraten. 'In het dorp waar ik vandaan kom,' vertel ik hem, 'betekent bij de maffia zijn dat je sexappeal hebt en een heel gevolg van groupies.' Joe bevestigt dat dat overal zo is. 'In Amerika is het niet anders. Als je bij de maffia bent krijg je de beste plaatsen in de restaurants. Als je een kledingzaak binnengaat niet anders. En vrouwen doen het *on the arm* met je, als je een boss bent...' Hij gebruikt vaak uitdrukkingen die ik niet ken, *on the arm*, het zal wel zoiets betekenen als 'doen het zelfs op straat met je'.

Ik vraag me af of je, als je jarenlang op een bepaalde manier leeft – ook als dat een moeilijke manier is – je dat leven misschien toch gaat missen, maar Joe is categorisch: 'Nee, ik mis het geen moment. Het was gewoon mijn werk. Ik had geluk dat ik was opgegroeid in een wijk waar de maffia kind aan huis was. Ik kende haar, en ik was er niet door gefascineerd. Ik zag er niets bijzonders in.'

In de film speelt een zekere nostalgie in de relatie tussen Johnny Depp en Al Pacino echter een belangrijke rol. Brasco weet dat hij de vriendschap van Lefty verspeelt, omdat Lefty weleens vermoord zou kunnen worden als uitkomt dat hij een FBI-agent is. Maar in het echt ging het heel anders. 'In een film moeten de gevoelens van de hoofdpersoon zichtbaar zijn. Als de held in de film tegen de politie zegt: "Doe wat je wilt met dat uitschot, maak hem af, het maakt mij geen zier uit," dan past de regisseur de scène aan, want anders vinden de kijkers het niets. Daarom hebben ze in de film de indruk willen wekken dat het me aan het hart ging als er iemand in de gevangenis belandde of doodging. Zodat mijn personage niet harteloos zou lijken. Maar misschien heb ik toen ik Donnie Brasco werd wel echt mijn hart verloren.'

Opgegroeid in een streek waar heel veel personen die me dierbaar zijn verstrikt zijn geraakt in de netten van de camorra, heb ik nooit gedacht dat zij geen liefde of gevoel hadden, omdat de wegen die ze waren ingeslagen niet de mijne waren. Je kunt je hart niet zomaar dwingen om niet van iemand te houden, omdat diegene een leven leidt dat jij afkeurt en haat uit de grond van je hart. Ik vraag hem hoe het kon dat hij zich niets aantrok van relaties die gewoon ontstaan en hoe hij mensen kon aangeven van wie hij ooit had gehouden. Maar Joe laat er geen misverstanden over bestaan: hij heeft nooit iemand aangegeven die gedwongen werd om met de maffia samen te werken, als die niet tot de clan toetrad. 'Ik begrijp wat je bedoelt. Als undercoveragent kreeg ik op een keer de vraag informatie te geven over mensen uit mijn wijk, mensen die ik al mijn hele leven ken. Ik zei dat ik dat niet deed, omdat ik daar ben opgegroeid. Uiteindelijk verschilt Zuid-Italië niet van New York.'

In de zes jaar undercover zag Joe Pistone zijn drie dochters, die in New Jersey woonden, eens in de zes maanden. Een enorm offer. 'Ik kwam thuis en dacht dat ik nog steeds vader was, maar ik kwam erachter dat ik dat niet meer was. Ik was gewend een man zonder gezin te zijn en mijn gezin was niet meer aan mij gewend. Maar ik was ervan overtuigd dat ik handelde in naam van een betere maatschappij, voor een beter land; ik wist dat mijn dochters uiteindelijk profijt zouden hebben van mijn werk. Ik kon het niet anders zien. En mijn gezin begreep het.' Het werk van Pistone leidde tot de arrestatie van ongeveer honderdvijftig leden van de Bonanno-clan en er staat een premie op zijn hoofd van vijfhonderdduizend dollar, die nooit is herroepen. Het geld ligt klaar om uitgekeerd te worden aan degene die de Italo-Amerikaanse maffia in Manhattan de dienst bewijst hem uit de weg te ruimen. Tijdens de rechtszaken waren er heel wat moordenaars, Joe's voormalige vrienden, die vanuit hun kooi met de hand een pistoolgebaar naar hem maakten, hun wijsvinger op hem richtten en het geluid van een pistoolschot nabootsten. Ik verzamel de moed om nog eens te zeggen dat ik maar niet snap hoe hij echt de angst heeft kunnen overwinnen. Toen ik beveiliging kreeg, citeerde de kolonel van de carabinieri, Gaetano Maruccia, Roosevelt: 'De enige angst die je moet hebben is die om bang te zijn.' Het was zijn manier om me aan te moedigen mijn werk te blijven doen, in een goed humeur, en niet in de val te lopen van de clans, die juist proberen je een constant gevoel van onveiligheid te bezorgen, zodat je van jezelf verwijderd raakt. 'Je hebt helemaal gelijk,' zegt Joe, 'ik ben nooit echt bang geweest. Ze zien het direct aan je gezicht als je dat wel bent. Ik was altijd op mijn hoede, me er altijd van bewust dat een fout mijn dood zou kunnen betekenen. En angst zorgt voor fouten.'

Logisch, zeg ik bij mezelf, maar daarna dan? Als je werk als undercoveragent erop zit? Hoe kun je daarna nog rustig leven? Het is toch niet mogelijk dat je decennialang niet bang bent, of wel? 'De maffia, het bewijs ligt er, heeft uit alle hoeken van de States mannen op me afgestuurd, die me af moesten maken. Uiteindelijk verschilde dat niet veel met toen ik undercover was. In mijn hoofd deed ik nog steeds hetzelfde. Ik deed het goede. En omdat ik het goede deed, was er geen reden om bang te zijn. Ik hoorde namelijk bij de *good guys*. En als ik erover nadacht: wat is nou het ergste wat ze me konden aandoen? Me vermoorden? Zo erg vond ik dat niet.'

Eigenlijk is Joe een heel eenvoudige man, die met zichzelf in het reine is. Hij heeft altijd voor ogen gehouden dat hij zijn werk deed, dat het goed was wat hij deed en dat hij er alles aan deed om zijn werk goed te doen. Hij zag zichzelf nooit als held, noch als schurk. Maar zijn gezin, wat zijn gezin heeft moeten doormaken, dat kan hem toch niet in de koude kleren zijn gaan zitten. 'Dat was het moeilijkste moment van heel mijn leven. Toen de prijs op mijn hoofd werd doorgetrokken naar mijn familie en zij een nieuwe identiteit moesten aanne-men en moesten verhuizen. Ja, toen voelde ik me wel schuldig, want dat is geen normaal leven. Als je nieuwe mensen leert kennen en niets mag vertellen over je verleden, wie je was, wat je deed. Dat is zwaar voor mijn gezin. En het heeft hun meer beperkingen opgelegd dan mij. Ook omdat ik weet hoe ik voor mezelf moet zorgen.' Ik vraag hem of hij zijn herinnerin-gen ergens heeft opgetekend. 'Het eerste wat ik heb gedaan is aan iemand mijn kant van de waarheid vertellen, zodat als mij iets zou overkomen er ten minste één persoon mijn verhaal kon navertellen. Ik heb alles verteld aan een collega-agent van de FBI. Een vriend van me. Ik was ook bevriend met rechter Falcone.'

En dan begint Joe mij vragen te stellen. Hij zegt dat hij de winkansen in de strijd tegen de Italiaanse maffia somber inziet. Hij realiseert zich dat de maffia bij ons nog meer macht heeft dan de maffia die hij als Donnie Brasco heeft leren kennen, toen de Amerikaanse maffia politieke banden had en ze buiten de drugshandel ook de transportsector, de afvalverwerking en de bouw controleerde. Allemaal branches die hier nog steeds in de greep van de georganiseerde misdaad zijn, waar hun positie zelfs versterkt is. De Italiaanse maffiabazen bezitten bedrijven, veel *capizona* (wijkbazen) zijn universitair geschoold, ze zijn hoog opgeleid. Hij is bijna gechoqueerd door de wreedheid van de Italiaanse misdaadmiddenklasse. 'Weet je, in Amerika zijn maffiosi gangsters, zo worden ze gezien en zo zien ze zichzelf. Ze komen van de straat, zijn begonnen als kleine criminelen en langzaam opgeklommen in de organisatie. Alleen in filmklassiekers zie je de maffioso als zakenman. Ze vinden dat ze buiten de "gewone" maatschappij staan, een aparte kaste zijn. Maar hier zie ik dat er doktoren en advocaten bij zijn.' Joe heeft in zijn rapporten over de tijd dat hij Donnie Brasco was geprobeerd de maffiamythe te doorbreken. 'Bij ons zijn er maar weinig maffiosi die villa's en bouwwerken neerzetten. Hun ijdelheid concentreert zich op kleding, auto's, de vrouwen met wie ze omgaan. Het was niet moeilijk die glans eraf te halen, ze zijn anders dan de Italiaanse bosses die hun eigen legendes creëren. Gotti was de enige die dat voor elkaar kreeg in de vs.' Die woorden uit Joe's mond horen maakt indruk. Ik vraag me af of de Italo-Amerikaanse maffia ook is aangetast, omdat zij de werkelijkheid nooit boven de film heeft gesteld. Onze maffia volgde Hollywood nou juist, niet alleen door de villa's identiek na te bouwen, maar vooral door al die dromen van glorie en macht te willen waarmaken. En het is ze gelukt. Het is onvermijdelijk in deze discussie *The Soprano's* aan te halen, de televisieserie die klaarblijkelijk de loop van de televisiegeschiedenis en het beeld dat de Amerikanen en half Europa van de maffia hebben heeft veranderd.

'In Amerika bestaat de maffia alleen in de grote steden, zoals Chicago en Detroit, omdat de maffia-activiteiten zich concentreren rond de industriegebieden. In andere delen van de vs – het zuiden bijvoorbeeld – heeft de maffia helemaal geen invloed, omdat er geen industrie is. Je kunt dus stellen dat de maffia bij ons haar succes te danken heeft aan het feit dat men gefascineerd raakte door iets wat bij de meesten onbekend was en omdat je op tv ook de "goede" kanten zag van de maffiafamilie, hoe gewelddadig en corrupt ook, wat in geen enkele uitzending eerder te zien was geweest. Ik vind *The Soprano's* leuk, maar de Italo-Amerikanen zijn er woest over. Er zijn in de vs zelfs organisaties in het leven geroepen ter bescherming van het Italo-Amerikaanse imago. Het lijkt misschien tegenstrijdig, maar in de Verenigde Staten is het heel gewoon dat als je iemand tegenkomt, die hoort dat je Italiaan bent, je opmerkingen krijgt als: "Dan ben je zeker bij de maffia." Dat kan ik niet uitstaan.'

Ik vertel hem een anekdote waar hij zelf in voorkomt. 'Een Napolitaanse boss zei op een keer dat, toen Joe Pistone in Donnie Brasco veranderde, hij de Bonannofamilie te kijk had gezet, omdat hij geen maffiagezicht had maar dat van een echte man. Toen zeiden mijn vrienden om me te sarren, dat ik het met mijn gezicht dan wel kon schudden.' Joe lacht: 'Als je het goed bekijkt is het eigenlijk lachwekkend hoe de bosses de behoefte voelen met dit soort excuses hun acties goed te praten. Ik was ze te slim af, dat is alles. Er zijn geen excuses.'

Hij was ze te slim af, en dat is alles. Niet door zijn gezicht, maar met andere kwaliteiten, die ik langzaamaan begin te kennen naarmate de avond vordert en Joe Pistone zijn glas nog eens volschenkt. Joe weet mensen goed in te schatten, hij peilt ze met zijn blik, hij ziet details, hij lijkt haast te kunnen zien wanneer je voor het laatst je nagels hebt geknipt en of je heiligenprentjes in je portemonnee hebt. Hij kijkt me aan, hij vraagt me naar het metalen plaatje dat om mijn nek hangt. 'Van de parachutisten, of niet?' Dan wil hij weten: 'Waarom draag je drie ringen?' Ik probeer hem uit te leggen dat het een oude gewoonte is bij ons, het is meer traditie dat ik ze draag, dan dat ik erin geloof. Drie: de Vader, de Zoon en de Heilige Geest. 'Mooi,' zegt hij. Ook Joe houdt ervan om symbolen bij zich te dragen. Hij laat me zijn Claddagh-ring zien, een Iers symbool voor vriendschap en liefde, zijn vrouw heeft eenzelf-de ring. Het zijn altijd de kleine dingen die je laten zien dat de werkelijkheid de fantasie overtreft en dat deze krasse, ouder wordende man met buikje zoveel grootser is dan Johnny Depp. Zoals dit Keltische geloofsteken, dat helemaal niets te maken heeft met Donnie Brasco of de hele Italo-Amerikaanse scene, gekozen om te getuigen van het verbond tussen hem en de vrouw die zijn hele leven aan zijn zijde is gebleven, on-danks alles.

Joe Pistone staat op. We zijn klaar. Hij omhelst me heel ste-vig, zijn armen om mijn schouders geslagen. Dan haalt hij een fototoestel tevoorschijn. Ik en Pistone, we lijken wel een stel aangeschoten toeristen. Of nee, een oom uit Amerika die zijn neefje is komen bezoeken. We letten er helemaal niet meer op of iemand naar ons kijkt, we lopen naar het midden van het restaurant en flitsen erop los om herinneringsfoto's te maken, van die erge, maar die zo'n belangrijk moment vastleggen dat het niet uitmaakt of ze een mooi plaatje opleveren. Een heel vreemde sfeer, vrolijk, rustig. Joe pakt zijn mantel en hoed en vertrekt. We omhelzen elkaar nog eens en hij zegt, terwijl hij me recht aankijkt: 'Ga door, jullie hier in Italië, er is nog een hele weg te gaan, we staan pas aan het begin.' We gaan door. Beloofd, Donnie, beloofd, Joe.

Siani, een echte verslaggever

Op 23 september 1985 werd Giancarlo Siani, een verslaggever van het Napolitaanse dagblad *Il Mattino* die bijzonder knap en met de grootst mogelijke zorgvuldigheid de oorlogen tussen de camorraclans had beschreven, voor zijn huis in Vomero vermoord. Giancarlo Siani werd gedood in een Napels dat volkomen anders was dan het ogenschijnlijk tot rust gekomen Napels van nu. Met driehonderd doden per jaar was het destijds een stad die voortdurend in oorlog was.

Het precieze motief voor zijn moord blijft voor velen een mysterie. De waarheid die in het proces is genoemd, is niet overtuigend, of niet overtuigend voor iedereen. Het artikel van vierduizend tekens, dat ondertekend was door Siani en gepubliceerd werd in *Il Mattino* van 10 juni 1985, had veel ergernis opgewekt in de Nuvoletta-clan. De jonge verslaggever had het gewaagd te insinueren dat de arrestatie van Valentino Gionta, de boss van Torre Annunziata, in Marano de prijs was die de Nuvoletta's moesten betalen om een te dure maffiaoorlog met de Bardellino-clan te voorkomen. De Nuvoletta's, vastbesloten om zich te ontdoen van hun lastige lid Valentino

Gionta, die met zijn zaakjes was binnengedrongen in het territorium van de Bardellino's, wilden hem liever aan de carabinieri verkopen dan doden. Het feit dat zij in een artikel in *Il Mattino* werden betiteld als verlinkers, irriteerde de clan van Marano en via die clan ook hun machtigste bondgenoot, Totò Riina, capo van de machtige Siciliaanse maffia in Corleone. De Nuvoletta's beslisten dat Siani dood moest om aan de Gionta-clan te bewijzen dat hun hypothese een leugen was (hoewel het in werkelijkheid helemaal waar was).

Veel maffiadeskundigen menen echter dat het bewuste artikel niet voldoende is om het doodvonnis te verklaren, maar dat de aandacht veeleer gericht moet worden op de onderzoeken waaraan Giancarlo Siani werkte: een reconstructie van de feiten na de aardbeving, de grote aanbestedingenbusiness die de zakken van politieke leiders, ondernemers en vooral camorraleden had gespekt. Siani had kostbaar materiaal met namen en situaties verzameld om een boek te maken dat nu nooit het daglicht zal zien en waarvan de proefversies nooit zullen worden teruggevonden.

Het enige gemeenschappelijke motief van de verschillende hypotheses staat echter vast: Siani werd vermoord om wat hij had geschreven. Deze jonge correspondent slaagde erin binnen de beperkte ruimte die hem gegund was de achtergronden van de camorra en het machtsevenwicht daarbinnen te reconstrueren, zonder daar louter nieuwsberichten van te maken. Via de elementen die hij bij zijn onderzoeken blootlegde of die hem geleverd werden door de feiten, kwam Giancarlo Siani met nieuwe steekhoudende hypotheses. Zijn journalistiek was gebaseerd op een analyse van de camorra als fenomenologie van macht en niet als crimineel verschijnsel. In die zin werden de vermoedens en de hypotheses in zijn artikelen instrumenten om inzicht te krijgen in de verstrengeling van camorra, bedrijfsleven en politiek.

Terugblikken op de moord op Siani moet niet alleen een moment zijn om zijn korte leven en zijn offer te herdenken, maar moet ook een aanleiding zijn om de huidige stand van zaken van de onderzoeksjournalistiek, die inmiddels dood lijkt, onder de loep te nemen. Door de dood van de onderzoeksjournalistiek wordt zwijgzaamheid over de gecompliceerde economische zaken van de camorra gewaarborgd. Deze dood wordt herdacht met de zware mantel van stilte die definitief is uitgespreid over de onopgeloste kwestie van de relatie tussen de christendemocratische partij, de socialistische partij en de Nuova Famiglia, het camorrakartel waarin in de jaren tachtig en negentig alle families van Campania verenigd waren en dat door Eric Hobsbawm de grootste holding van Europa werd genoemd. Na talloze dagvaardingen, vonnissen en beroepen zijn de gerechtelijke en daarmee ook de journalistieke onderzoeken vastgelopen. En dat terwijl spijtoptant Pasquale Galasso juist veel nuttige informatie verstrekte over economische mechanismes en transacties, investeringen en op cliëntelisme gebaseerde relaties, en zo de details en de dynamiek had blootgelegd waarmee de christendemocraten het land hadden geregeerd.

De moord op Siani vond zevenentwintig jaar geleden plaats, maar als we naar de huidige stand van zaken kijken lijkt het alsof het gisteren was. Het Napels van de aanvoerders van de christendemocratische partij die door Siani werden geobserveerd en aangeklaagd, lijkt nooit te zijn verslagen: Antonio Gava, Paolo Cirino Pomicino, Alfredo Vito en Aldo Boffa vertegenwoordigen nog steeds politieke en economische machten die nog steeds sterk en bovendien formeel brandschoon zijn. De camorra is niet dood. Zijn hegemonie is ijzersterk en totaal. Met de winst van alle mogelijke legale en illegale activiteiten behalen de Campanese clans een jaaromzet van meer dan tien miljard euro, een astronomisch vermogen dat wegvloeit in de legale economie van Europa en de rest van de wereld. In die zin is het absurd om nog steeds te praten over georganiseerde misdaad. Het zou verstandiger zijn de clans een heuse onderneming te noemen die op de 'schone' markt opereert met een heel kostbare meerwaarde die gewaarborgd wordt door militaire bescherming en de toegang tot illegale en 'altijdgroene' markten zoals woeker en drugs.

Juist nu is er grote behoefte aan onderzoeksjournalistiek die de kluwen ontwart van investeringen die het mogelijk maken dat de camorraclans veranderen in prestigieuze bedrijven die het transport beheersen, prijzen en producten opleggen – zoals bij de Emiliaanse groep Parmalat, die dankzij samenwerking met de camorra het monopolie in de melkdistributie veroverde –, en uiteraard veranderen in grote kweekvijvers voor stemmen en politieke macht. De lokale kranten zijn de enige bladen die informatie geven over de camorra, maar zij leveren slechts een eindeloze stroom van berichten over dood en vetes en zijn niet meer dan nieuwsbulletins zonder enige verdieping of aanklacht. De onderzoeksjournalist zou een tussenpersoon moeten zijn tussen de juridische waarheid en de historische waarheid. Twee zeer verschillende en vaak niet met elkaar te verenigen waarheden. Want juist de eindeloze constructie en deconstructie van de juridische elementen, feiten, hypotheses, is de taak van de journalist die zich bezighoudt met de camorra.

Giancarlo Siani werd zevenentwintig jaar geleden vermoord op een zomerse avond in september, terwijl hij vol levenslust in zijn Méhari thuiskwam na een vrolijke dag. Zijn korte leven, de foto van dat bebrilde hoofd en dat spichtige lichaam, geknakt door de pistoolschoten, laten zien hoe kwetsbaar die jongen was wiens ware woorden de capi van de allermachtigste organisaties hadden doen beven. In de oneindige kracht van de aanklacht, verenigd met een verschrikkelijke kwetsbaarheid van het individu, moet de basis worden gezocht voor een nieuwe onderzoeksjournalistiek die zo wijdverbreid en zo doeltreffend is, dat de weinige, niet-gehoorde verslaggevers in de provincie niet langer een heroïsche, eenzame strijd hoeven te voeren.

De vuurtorenwachter

Ik word gewekt door het telefoontje van de directrice van het weekblad *L'espresso* die me meedeelt dat Enzo Biagi is overleden; ik blijf in bed liggen en staar lange tijd naar het plafond. Ze zeiden al dat het niet goed met hem ging, maar ik maakte me geen zorgen: ik had Biagi ieder commentaar over zijn ouderdom zien weerstaan en ook dat van iedereen die hem al zag balanceren op het randje van de serafijnse seniliteit waardoor je verstart en verward raakt. Ik geloofde dat hij ook deze keer de zwarte vleugels van de raven boven hem kon verjagen. Het mocht niet zo zijn.

Biagi is in de herinnering van zijn collega's iemand die dan weer in krantenartikelen en dan weer in tv-uitzendingen opdook, een icoon van de Italiaanse democratische communicatie. Maar ik geloof niet dat ik mezelf met hem moet vergelijken of met wat hij heeft betekend voor de informatievoorziening voor dit land. Sterker nog, ik schiet daarin tekort.

Voor mij, en ik denk dat ik voor mijn hele generatie kan spreken, is hij een bijzonder, nieuw en vernieuwend fenomeen. Een oudere heer die elegant en onbeweeglijk vanachter zijn bureau het referentiepunt werd van iets nieuws lijkt vreemd. Bizar. Totaal anders van wat hij deed toen hij nog jong was. Toen was hij een strenge directeur, een giftige dwarse verslaggever, zonder banden met de politieke partijen DC (Democrazia Italiana) en PCI, Partito Comunista Italiano. Voor mij was dat niet de echte Enzo Biagi. Biagi en zijn generatie brengen een frisse wind, heel anders dan de bebaarde jonge mannen uit 1968 en 1977. Met andere boeken, geen Mao, en geen stuurloze leninist te bekennen. Met Enzo Biagi had ik het vaak over Corrado Alvaro, de Calabrese schrijver waar hij verzot op was en die hij beschouwde als 'een Italiaans verteller die het verstaat om Italië te spiegelen in het Calabrese dorpje Aspromonte, waarin iedere Italiaan zichzelf kan herkennen'. Biagi heeft altijd een andere betekenis voor me gehad dan de mannen uit de generatie van mijn vader. Mannen die gisteren grote historische politieke omwentelingen voorspelden, prediken vandaag de onmogelijkheid om te veranderen. Biagi bezat de gave om een klein detail van het dagelijkse leven er uit te lichten. Om het puntsgewijs te benoemen. Zonder zich naar een oplossing te haasten, drong hij feit voor feit verder door naar de kern. Hij maakte het onderwerp dat de mensen bezighield tot onderwerp van gesprek. Hij was onmisbaar voor de mens die geen tijd te verliezen had. De zorg om het dagelijkse bestaan, belastingen, terrorisme, school en ziekte bracht hij in verband met macrovragen. Hij liet begrijpen, verspreiden, uitdragen, maar ook regelen en coördineren.

Ik heb Biagi nooit als een waakhond voor de democratie beschouwd maar eerder als iemand die zijn roeping als vuurtorenwachter van de democratie nooit heeft opgegeven. Een vuurtorenwachter zoals Maqroll, de marsgast, zoals beschreven door Alvaro Mutis, die zorgt voor verlichting, zodat men rustig de haven binnen kan varen. Hij stuurde de schepen dus niet en wees ook niet de koers die ze moesten varen, maar hij verlichtte de plek van aankomst. Op deze manier was iedereen vrij in zijn keuze. Dit was Biagi's talent en zijn grootste gezag. Hij sprak tegen vele mensen alsof ze bij hem in de kamer zaten, iedereen was van harte welkom. Hij was geen moment snobistisch en bezweek nooit voor de verleiding om de televisiekijker als een naakte aap te behandelen. Het laatste verzetsmiddel waarin Biagi geloofde, was om de dingen die je doet, goed te doen. Enzo Biagi hield van de uitgangspunten van Elio Petri. Hij kon aan de hand van heldere feiten over Italië vertellen, maar hij haatte de column als puur eenzijdig commentaar, een zeldzaam verschijnsel voor een commentator. Twee feiten, het ene tegenover het andere, twee ideeën, twee zienswijzen. Hij had een hekel aan ideologische zekerheden over goed en kwaad, aan het klakkeloze atheïsme en het orthodoxe katholicisme, aan populistische politiek en aan achterkamertjespolitiek.

Zijn manier om daar tegenin te gaan, bestond eruit het tegenovergestelde te doen van de tegenstrijdigheden die hij verafschuwde. Als je het gekrakeel van politici haat, zoek dan het woord dat telt, wanneer je onnauwkeurigheid verafschuwt, bijt je dan vast in nauwkeurigheid. Een eenvoudig levensmotto. Hij probeerde anders te zijn dan dat wat hij niet wilde zijn. Hij probeerde niet om door iedereen aardig gevonden te worden maar probeerde uit te zoeken waarvoor het de moeite is om stelling te nemen. Zijn sterke uitspraken deed Biagi uit respect voor het vertrouwen van de mensen die naar hem luisterden en pas op de tweede plaats uit eigen ideologie. Hij behandelde zijn eigen ruimte om te communiceren niet als een paleis waar de ene na de andere deur achter elkaar opengaan voor de verschillende politieke machthebbers en waar opinieleiders acteurs worden, strategen met diepgaande inzichten en ervaren pennenlikkers van de belastingen.

Toen Enzo Biagi weer terug was gekeerd bij de televisie belde hij me op. Daar merkte ik dat er soms momenten zijn waarop je de tijd anders lijkt te ervaren, alsof seconden en minuten zich bundelen en je dwingen te begrijpen dat ieder moment voorgoed in je geheugen gegrift zal blijven staan. Enzo Biagi's terugkeer op de televisie mee te maken is een van die momenten.

Ik bezocht hem thuis en we aten samen. Biagi vertelde over wat hij vlak na de oorlog in Napels had meegemaakt. Hij had het over straten waar ik jaren had gewoond, maar die in zijn herinnering in puin lagen en duister waren en toch konden we elkaar reizend in twee verschillende eeuwen begrijpen. We discussieerden over hoe het er nu voor stond, en deelden een soort herkenning over de rampzalige staat van de stad. We hadden het over een politiek die geen benul heeft van goed bestuur en waaraan de energie en de lust om er ook maar íéts aan te doen totaal ontbreekt. Over een land dat in tweeën is gespleten, waar noord en zuid niet met elkaar communiceren, waar alles vanuit één gezichtspunt wordt besproken, waar de bevolking steeds minder weet wat er gebeurt en waar alle aandacht wordt opgeëist door het politieke gekrakeel. We hadden het over een land waar 'de kans groot is dat een gedachtespinsel van een parlementariër meer aandacht krijgt dan de eigenlijke gebeurtenissen, en het publiek wel zijn zielige prietpraat kent, maar niet op de hoogte is van wat er aan de hand is met dit land.' Biagi vertelde dat hij naar de bruiloft van Giovanni Falcone was geweest: 'Tot op het laatste moment werd hij gewantrouwd, alleen met zijn dood kon hij recht doen aan zijn werk. Dat zijn weg de juiste was om de dodelijke band tussen cosa nostra en de politiek bij te stellen, begreep iedereen pas nadat hij was vermoord. Een land dat dit soort dingen pas inziet nadat het offer is gebracht is een ziek land.'

Een stem roept ons naar de make-up en ze halen een soort watje dat ergens in is gedrenkt over je gezicht. Loris Mazzetti roept hem als hij, begeleid door zijn dochter Bice, op het punt staat om in de leunstoel voor de uitzending te gaan zitten. Ze kijken elkaar aan: 'Vijf jaar, Enzo, vijf jaar. En nu zijn we weer terug. Biagi is ontroerd, Mazzetti lijkt op zijn kiezen te bijten. Het uur der waarheid is aangebroken, het veto wankelt, het te hebben weerstaan lijkt het meest correcte gedrag geweest te zijn, een kracht die van verre kwam, die geoefende spieren heeft om over giftige modderpoelen heen te springen, zoals het fascisme, de rode brigade, de Democrazia Cristiana, de communisten, de smeergeldstad.

In de studio lacht Biagi me toe en sist: 'Zonder het zuiden zou dit land een verminkt en arm land zijn. Ik verdraag het niet als iemand onzin aan het uitkramen is over het zuiden', zoals iemand die je uitnodigt om te komen kijken waar de dingen tellen. Het zal me moeilijk vallen om de afwezigheid van Biagi te boven te komen. Het is alsof een wiskundige zijn formule verliest, het model om een vergelijking mee op te lossen.

Biagi was zo. In stilte dacht hij ook na over wat hij gezegd en gedacht zou hebben, met welke schijnbeweging van het woord hij zich zou hebben omgedraaid om de tegenstrijdigheden in andermans woorden te ontmaskeren. Altijd uit op een confrontatie.

'We moeten elkaar gauw weer opzoeken,' zei hij, 'en over veel dingen praten, er is veel dat niet goed gaat, maar ik denk dat er nog ruimte is om dingen te veranderen.'

'Natuurlijk, we zoeken elkaar gauw weer op, Enzo,' antwoordde ik.

We wisten allebei dat we elkaar nooit meer zouden zien.

Vaarwel Enzo, dat de aarde je licht moge vallen.

In naam van de wet en de dochter

Als Italiaan moet en kan ik alleen maar hopen dat Italië zijn excuses aanbiedt aan Beppino Englaro. Excuses voor de wreedheid die Italië voor het oog van de hele wereld heeft getoond, niet in staat zich in te leven in het lijden van deze man en zijn zieke dochter. Excuses voor de storm van commotie, voor de beschuldigingen, voor het partij trekken, zonder dat er überhaupt een partij was die verdedigd kon worden.

Het was geen kwestie van voor het leven zijn of voor de dood. Helemaal niet. Beppino Englaro was zeker niet vóór de dood van zijn dochter Eluana. In zijn ogen staat de pijn te lezen van een vader die alle hoop op geluk – en zelfs op schoonheid – heeft verloren door het lijden van zijn dochter. Als man en als burger verdiende en verdient Beppino alle respect, ook, en juist vooral, als je het niet met zijn standpunt eens bent. Want hij heeft zich tot de instanties gericht en in zijn strijd, binnen en met die instanties, niets anders gedaan dan vragen dat de uitspraak van het gerechtshof gerespecteerd werd.

Ik heb me vaker afgevraagd waarom Beppino Englaro het

niet liever 'op zijn Italiaans' oploste. Dat was hem trouwens al van verschillende kanten aangeraden. 'Waarom moest hij er zo'n symbolische strijd van maken?' werd er in de ziekenhuizen gefluisterd. 'Hij had maar met haar naar Nederland hoeven rijden en het was klaar geweest.' Anderen raadden hem de gangbare 'stille' methode aan: twee briefjes van honderd aan een ervaren verpleegster en het werd meteen en in stilte geregeld. Zoals in de film *Les invasions barbares*, waarin een Canadese ongeneeslijk zieke professor, die verschrikkelijk veel pijn lijdt, zijn familie en vrienden in een huis aan een meer bijeen laat komen en daar, met de financiële steun van zijn zoon en met de hulp van een goede verpleegster, illegaal euthanasie pleegt.

Ik vraag me af waar hij de kracht vandaan haalde en waarom hij alle ophef over zich heen liet komen. Waarom nam hij geen voorbeeld aan anderen die, op zoek naar geluk, stilletjes emigreren, aangenomen dat hij er de middelen voor had natuurlijk. Aan anderen, op zoek naar in Italië verboden vruchtbaarheidstechnieken, of op zoek naar een waardig einde. In het bittere besef dat men tegenwoordig niet alleen uit Italië vertrekt om werk te zoeken, maar ook om leven te kunnen schenken of om te kunnen sterven. Door het verhaal van Englaro kwamen oude stoffige zinspreuken uit de filosofielessen op de universiteit weer bij me boven, maar dan in een nieuw jasje.

Het kantiaanse beginsel 'Handel alleen volgens die maxime waarvan je tegelijkertijd kunt willen dat ze een algemene wet wordt', is hier realiteit geworden. En misschien kun je ook alleen in dit soort omstandigheden Socrates begrijpen en nu pas snappen, nadat je het al tig keer hebt gehoord, waarom hij uit de gifbeker dronk en niet vluchtte. Beide thema's zijn ineens heel actueel en het is overduidelijk dat de wil om tot het einde door te gaan, het negeren of verafschuwen eigenlijk van de vluchtroute, veel meer is dan een campagne voor het waardig sterven van één persoon: het is een strijd ter verdediging van het leven van ons allemaal.

Natuurlijk mag iedereen die het niet met Beppino's ideeën eens is zijn bezwaren uiten – en bij gewetensbezwaren is dat zelfs een plicht – tegen het stoppen van de jarenlange kunstmatige voedsel- en vochttoediening, maar dan wel door de discussie met Beppino zelf aan te gaan en niet door kost wat kost de beslissing van het Hof, dat zich ruimschoots over de kwestie heeft gebogen, te betwisten.

Beppino heeft de vraag aan justitie voorgelegd en justitie heeft, na jaren van beroep en hoger beroep, bevestigd dat hij in zijn recht stond. Was dat reden genoeg om deze woede en haat tegen hem te ontketenen? Is het de christelijke barmhartigheid die hem voor moordenaar uitmaakt? Het christelijke geloof heeft mij geleerd dat je je vóór alles het verdriet van je medemens moet kunnen indenken, die moet je proberen te begrijpen en diep in je te voelen. En moet er dan iemand die geen idee heeft van wat het betekent een dochter te hebben die in bed vegeteert, Beppino komen vergelijken met graaf Ugolino* die van de honger zijn eigen kinderen opat? En die dan ook nog al die onzin durft te beweren vanuit een geloofsovertui-

---

* Ugolino della Gherardesca: (Pisa 1220 – maart 1289), graaf van Donoratico, edelman, politicus en scheepscommandant. Hij werd herhaaldelijk beschuldigd van verraad en werd opgesloten in een toren samen met zijn kinderen, waar hij uiteindelijk van de honger stierf. Graaf Ugolino figureert meermalen in de 'Inferno' van Dante Alighieri's *De goddelijke komedie*.

ging? Het geloof heeft er niets mee te maken. De kerk die ik ken is de enige institutie die opereert in de moeilijkste gebieden, in de meest hopeloze toestanden, de enige die leefwaardigheid geeft aan migranten, aan hen die door andere instituties niet worden erkend, aan hen die het hoofd niet boven water kunnen houden in de huidige economische crisis. Het is de enige institutie die te eten geeft en die er is voor wie nergens gehoord wordt. De missionarissen van de Combonianen, de Sant'Egidiogemeenschap, kardinaal Crescenzio Sepe en kardinaal Carlo Maria Martini zijn ordes, gemeenschappen, mensen uit de katholieke kerk, zonder welke het fatsoen in dit land nauwelijks overlevingskansen zou hebben.

Dat is de christelijke overtuiging die ik ken, niet die van de beschuldigingen aan het adres van een weerloze vader, wiens enige wapen het recht is. Uit respect voor zijn dochter Eluana heeft Beppino foto's van haar verspreid waar ze mooi en lachend op staat. Om ons te laten herinneren hoe ze was toen ze nog leefde. Hij had ook kunnen laten zien wat er van haar was overgebleven, een vervormd – uitgeteerd? opgeblazen? – gezicht, verdroogde oren, kwijl op haar kin, een uitdrukkingsloos lichaam, kaal. Maar hij wilde de strijd niet winnen door mensen dit beeld in het gezicht te slingeren. Het enige wat hij nodig had, was de kracht van het zelfbeschikkingsrecht dat ieder van ons bezit. Aan iedereen die zich zo hardnekkig aan de zijde van Eluana schaart om een wit voetje te halen in de kerk, wil ik vragen: Waar waren jullie toen de kerk in opstand kwam tegen de oorlog in Irak? Waar waren jullie toen de kerk opriep tot medemenselijkheid en respect voor de massa's gestrande immigranten tussen Lampedusa en de diepten van de Middellandse Zee? Waar zijn jullie als de kerk in bepaalde streken, als enige stem van verzet, eist dat er iets wezenlijks wordt gedaan voor het zuiden en tegen de maffia?

Het zou mooi zijn als we aan alle katholieken in Italië konden vragen niet te geloven in mensen die zonodig debatten moeten winnen zonder dat ze ook maar iets concreets hoeven te laten zien, maar waarvoor ze alleen partij hoeven te trekken. Zoals gewoonlijk waren de Italianen niet in staat zich in andermans verdriet in te leven: het verdriet van een vader. Het verdriet van een familie. Het 'verdriet' van een vrouw die al jaren in een permanente vegetatieve toestand verkeerde en die aan haar vader haar wil te kennen had gegeven. En mensen die haar niet eens kenden, die Beppino niet kennen, trekken nu die wil in twijfel.

Er was nauwelijks tot geen respect voor haar rechten. Ook wanneer een bepaald recht niet overeenstemt met je eigen morele overtuiging, mag iemand nog steeds zelf beslissen of hij het uitoefent of niet. Daar is het een recht voor. Dat is de essentie van democratie. Ik begrijp wel dat mensen een ander in een bepaalde richting willen duwen of ervan willen overtuigen geen gebruik te maken van hun recht, maar ik begrijp niet dat je het recht zelf ontkent. Italië heeft zich voor de hele wereld te kijk gezet door de zoveelste tragedie uit te buiten.

En op hun beurt hebben een hoop politici het drama Englaro gebruikt om steun te verkrijgen en de publieke opinie af te leiden van de crisis waarin het land verkeert en die het lam heeft gelegd. Een crisis die de gelegenheid biedt dat met illegaal verkregen kapitaal banken worden opgeslokt, die de lonen heeft bevroren en waaruit geen uitweg meer lijkt te zijn, maar dat is een ander verhaal. En uitgerekend op dit moment van crisis, van clichématige antwoorden, van weinig respect, vond Beppino Englaro de kracht om niet de weg van de stilte te volgen, van de illegale sluiproutes waarlangs hij misschien weg had kunnen komen met alleen zijn eigen verdriet. Hij keerde zich tot justitie, streed binnen met de instanties, vroeg dat het oordeel van de Hoge Raad gerespecteerd zou worden, en zorgde zo dat het verdriet om zijn dochter, die al zeventien jaar in coma lag, niet meer alleen zíjn verdriet was, maar ook dat van mij, van ons. Het heeft een van de mooiste, maar vergeten kanten van de democratie doen herontdekken: die van de empathie. Het verdriet van één man dat het verdriet wordt van iedereen. En het recht van één man wordt het recht van iedereen.

Felicia

Twintig jaar lang. Twintig jaar lang: zelfs als je je ogen sluit valt het in de verste verte niet voor te stellen hoe lang dat is. Twintig jaar lang vocht Felicia om te zorgen dat de herinnering aan haar zoon niet uitgewist zou worden. Zodat de betekenis van wat haar zoon had gedaan en had geprobeerd te doen niet in de vergetelheid zou raken vanwege het ontbreken van een veroordeling. Jarenlang werd Peppino door bepaalde kranten en bepaalde politici alleen maar beschouwd als een halve terrorist die de dood vond terwijl hij een bom op een rail plaatste. Wat de maffiosi van Badalamenti in scène hadden gezet om uitgerekend in hun eigen dorp geen problemen te krijgen, had vierentwintig heel lange jaren succes.

Elke dag bleef de fragiele Felicia met haar zoon Giovanni de inwoners van Cinisi, de carabinieri en de mannen van cosa nostra in het gezicht kijken. Twintig jaar lang wachtte ze tot een stukje van de waarheid boven water zou komen en Tano Badalamenti, de boss van cosa nostra die haar zoon had vermoord, eindelijk veroordeeld zou worden. Felicia Bartolotta leefde twintig jaar lang vlak bij de moordenaar van haar zoon, die, wanneer hij terugkeerde van zijn reizen in de vs, de baas speelde in Cinisi, terwijl Badalamenti voordat hij werd verslagen door de Corleonezen van Riina en Provenzano, als onbetwiste heerser het reilen en zeilen van de cosa nostra bepaalde.

In een fraai interview van enkele jaren geleden werd aan Felicia de gebruikelijke vraag gesteld. Een vraag die altijd aan Zuid-Italianen wordt gesteld. Een lompe vraag die inmiddels als normaal wordt beschouwd wanneer je met een man of vrouw uit Zuid-Italië praat. 'Waarom gaat u niet verhuizen?' Zij had geantwoord met haar gebruikelijke, ogenschijnlijk naïeve verweer: 'Ik kan niet naar een ander dorp verhuizen. Om te beginnen heb ik alles hier: mijn huis is hier, mijn zoon werkt hier en bovendien moet ik mijn zoon verdedigen.' En of ze hem verdedigd heeft! In de rechtbank priemde de kleine Felicia met haar vinger naar Badalamenti, keek hem strak aan en beschuldigde hem ervan dat hij de moordenaar was van haar zoon, dat hij die niet alleen vermoord had maar uiteengereten, dat hij niet alleen een maffioso was geweest, maar een bruut. Badalamenti bleef roerloos zitten, de man tegen wie zelfs Andreotti nooit wilde ingaan, kon zich niet voorstellen dat hij door dat oude vrouwtje werd beschuldigd. Felicia droeg haar zoon binnenin zich mee tot er na vierentwintig jaar een vonnis kwam, en een succesfilm, *I cento passi*. Eindelijk een op waarheid gestoelde herinnering aan een jongen die zijn dorp niet verliet en die partij koos tegen de cosa nostra door zijn praktijken aan het licht te brengen via zijn kleine radiozender *Radio Aut* en wat stencils. Een voortdurende, eenzame strijd die onmiddellijk moest worden gevoerd 'voordat je nergens meer erg in had'.

Ik stuurde Felicia de artikelen die ik schreef over de camorra, zomaar, alsof iets me vanuit de verte verbond met de strijd van Peppino Impastato. Op een middag half augustus werd ik gebeld: 'Roberto? Ik ben mevrouw Impastato!' Ik kon amper antwoorden, voelde me vreselijk ongemakkelijk, maar zij vervolgde: 'We hoeven elkaar niets te zeggen, ik zeg je alleen maar twee dingen, een als moeder en een als vrouw. Als moeder zeg ik: "Pas op," als vrouw zeg ik: "Pas op en ga door."'

Vandaag hebben zich vele jongeren verzameld bij het huis van Felicia, om hulde te brengen aan deze vrouw die met niet-aflatend vuur tot het einde toe heeft gestreden tegen ieders verwachting in dat het zou lukken. Maar Cinisi is er niet bij, er is geen burgemeester, geen regiopresident, niets van dat alles. Des te beter. De glimlach van de jongeren die vanuit heel Sicilië zijn gekomen is veel belangrijker. De bosses die er altijd waren zijn echter terug en blijven de dienst uitmaken. Maar zíj is er ook. Haar lichaam heeft rust. De waarheid is boven tafel gekomen, de jongeren kennen Peppino, ze weten wie hij was, ze kennen de weg die hij heeft uitgestippeld. Ze kunnen die inslaan. Nu kon ze rustig sterven. Vaarwel Felicia.

Zaken

Gouden handel

Niets ter wereld komt zelfs maar in de buurt. Niets levert zo snel winst op. Niets kent zo'n gegarandeerd korte leveringstermijn, zo'n constante aanvoer. Geen enkel product, geen enkel idee, geen enkele handel waarvan de markt al meer dan twintig jaar exponentieel groeit en zo groot is dat die ongelimiteerd plaats biedt aan nieuwe investeerders, handelsagenten en distributeurs.

Niets is zo gewild en zo verleidelijk. Niets op deze aardkorst heeft eenzelfde evenwicht in vraag en aanbod. Die eerste voortdurend groeiend, het tweede constant stijgend: een fenomeen dat dwars door generaties, sociale klassen en culturen heen loopt. Met verzoeken in alle soorten en maten en steeds veranderende eisen aan kwaliteit en smaak. Cocaïne. Dat is het ware wonder van het hedendaagse kapitalisme, en dat elke contradictio in terminis weerlegt.

De *Rapaci* (roofvogels) noemen het de witte olie. De Rapaci, ofwel de Nigeriaanse maffiagroeperingen uit Lagos en Benin City, zijn inmiddels een essentiële tussenschakel in de Europese en Amerikaanse cocaïnehandel, zelfs zó dat in de vs hun criminele netwerk, zo meldt het tijdschrift *Foreign Policy*, alleen te vergelijken is met die van de Italo-Amerikaanse maffia. Als je het in beeld zou willen brengen, dan is coke de aanjager in elk systeem, het echte bloed in de aderen van de handel, de belangrijkste lymfe van de economie, het befaamde poeder op de vleugels van een vlinder bij álle grote geldtransacties. Italië is het land waar de belangrijke zaken van de cocaïnehandel worden georganiseerd en waar ze in de macrostructuren verankerd zijn. Italië heeft daardoor een spilfunctie in de internationale cokehandel en in het beheer van de kapitaalinvesteringen. De Cocaïne bv is zonder enige twijfel de meest lucratieve business van Italië, de grootste onderneming van Italië, het bedrijf met de meeste buitenlandrelaties. Het kan rekenen op een consumententoename van twintig procent per jaar, een ondenkbare stijging voor welk ander product dan ook. De cocaïnehandel alleen al levert de georganiseerde misdaad een omzet van zestig keer de omzet van Fiat en honderd keer die van Benetton. Calabrië en Campanië bevoorraden de grootste cocaïnehandelaars ter wereld, de grootste inbeslagnames van Europa in de laatste jaren hadden plaats in Campanië (alleen al in 2006 ging het om een ton coke) en als je alle rapporten over drugssmokkel van de Calabrese en Napolitaanse antimaffiadienst bij elkaar op zou tellen, dan blijken de 'ndrangheta en de camorra samen goed voor een jaaromzet van ongeveer zestig ton.

De Afrikaanse route, de Spaanse route, de Bulgaarse route, de Nederlandse route, het zijn de vele wegen waarlangs de coke oneindig gaat, allemaal naar één en dezelfde haven, Italië, om van daaruit naar nieuwe bestemmingen uit te varen. Er zijn nauwe bondgenootschappen met Ecuadoraanse, Colombiaanse, en Venezolaanse kartels, met Quito Lama, Rui en Cartagena. Cocaïne beslecht elk cultureel obstakel en elke afstand tussen de continenten. Het vlakt de verschillen ertussen uit, in een handomdraai. Eén markt: de wereld. Eén doel: geld. In Europa zijn de 'ndrangheta en de camorra als de beste in staat om de cocaïnehandel te drijven en ze werken daarbij vaak met elkaar samen in nieuwe onbekende bondgenootschappen tussen clans, waar de Italiaanse media gewoonlijk niet veel meer aandacht aan besteden dan wat misdaadberichten. Op deze manier kunnen 'ndrangheta en camorra in de schaduw van de roem van de cosa nostra hun cocaïne-import en -handel alsmaar verbeteren en vernieuwen. De jonge clanleden gebruiken, blijkens veel onderzoeken van de Calabrese antimaffiadienst, al niet meer de archaïsche en dialectische benaming 'ndrangheta, maar cosa nuova, de nieuwe zaak. En dat de cosa nuova weleens de juiste invulling kan geven aan een organisatie die overal in doordringt en nauwe banden heeft met de Napolitaanse en Casalese camorrakartels, is méér dan slechts een vermoeden. Zuid-Amerika en Zuid-Italië blijken met elkaar verbonden door één navelstreng waardoor coke en geld stromen; de kanalen zijn veilig en bekend, alsof er denkbeeldige rails door de lucht lopen en tunnels door de zee die de Italiaanse clans met de Zuid-Amerikaanse narco's verbinden.

Op het strand bij Salerno heb ik eens zo'n narco ontmoet. Hij was de enige die er schijnbaar genoegen in schepte met narco te worden aangesproken. Lomp op een strandstoel liggend, armen in de lucht om zijn oksels te bruinen, vertelde hij over zichzelf en liet precies de juiste stiltes vallen om nieuwsgierigheid te wekken maar niet te bevredigen. Hij vertelde over zichzelf zonder enig detail te geven dat ooit als bewijs zou kunnen dienen, hij liet geen misverstanden bestaan over wie hij was en liet toe dat hij met legendes werd omhuld.

Hij zei dat hij bevriend was met een Colombiaanse guerrillastrijder, Salvatore Mancuso, en sprak over hem als over een soort halfgod, met zoveel macht dat hij immense geldbedragen kon verplaatsen en Zuid-Italië aan Colombia wist te binden met één onlosmakelijke knoop. Maar die naam zei me niets. Een Italiaanse naam in Colombia, een van de vele. Een aantal jaren later leerde ik echter elke centimeter van die legende kennen en elke centimeter aan penneninkt van justitie.

Salvatore Mancuso is de leider van de AUC (Autodefensas Unidas de Colombia), de Colombiaanse zelfverdedigingsgroepen, de paramilitairen, die sinds tientallen jaren meer dan tien regio's in het binnenland van Colombia bezet houden en strijd voeren tegen de FARC om cocaïnedorpen en -plantages. Mancuso is verantwoordelijk voor driehonderdzesendertig doden, waaronder vakbondsleden, burgemeesters, officieren van justitie en mensenrechtenactivisten. Hij vertelde dit zelf in zijn bekentenissen aan tafel bij de Commissie Vrede en Recht, die is ingesteld in het kader van de onderhandelingen tussen de paramilitairen en de regering van de Colombiaanse president Álvaro Uribe. Salvatore Mancuso heeft tot nu toe elk verzoek om uitlevering aan de VS of Italië, die willen dat hij verantwoording aflegt voor de tonnen coke die hij geëxporteerd heeft, weten te ontwijken. Hij heeft zich namelijk laten arresteren en is zodoende in Bogotà onder 'bescherming' gesteld van justitie. Zo is hij bijvoorbeeld veroordeeld tot een gevangenisstraf van veertig jaar voor een van de meest afschuwelijke aanslagen uit de Colombiaanse geschiedenis, in Ituango, maar omdat hij momenteel zijn medewerking verleent aan het ontmantelen van de guerrilla is zijn straf volgens de Colombiaanse wet nummer 975 teruggebracht tot slechts acht jaar. Acht jaar die hij werkend inlost in een fabriek in het noorden van het land, maar vanwaaruit hij nog steeds rustig de verspreiding van de beste Colombiaanse coke over de Italiaanse kartels regelt.

Het horen noemen van de naam Mancuso betekent voor velen, iedere keer weer, de stem horen opborrelen van een getuige die ontsnapt was uit een van de bloedbaden die Mancuso's mannen van de AUC hadden aangericht. Een boer verklaarde voor de rechtbank, terwijl hij de microfoon tussen zijn vingers fijnkneep als een tube tandpasta waar hij het laatste beetje wilde uitpersen: 'Wie het in zijn hoofd haalde in opstand te komen lepelden ze de ogen uit.' Duizenden mannen die hem ter beschikking stonden, een vloot militaire helikopters en hele door hem overheerste regio's maakten hem tot de koning van de coke en van de Colombiaanse jungle. 'El Mono', de Aap, is de bijnaam van Mancuso, naar zijn uiterlijk, lenig en gedrongen als een orang-oetan. Het onderzoek Galloway-Tiburon geleid door de antimaffiadienst van Reggio Calabria, toont aan dat hij met Italië de meeste zaken doet. Hij heeft zelfs een Italiaans paspoort. Italië zou het veiligste land zijn om te 'overwinteren', mocht het hem in Colombia te heet onder de voeten worden. Verschillende onderzoeken van de antimaffiadienst (zoals Zappa, Decollo, Igres, Marcos) wijzen Mancuso aan als dé drugshandelaar die, door de ramen van de Italiaanse havens, Europa volstopt met coke. Als een Italiaanse regering er ooit in slaagt om Mancuso naar Italië te halen, zal deze als enige mogen verkondigen iets wezenlijks te hebben gedaan in de strijd tegen de cocaïnehandel, want elke dag die Mancuso in Colombia mag blijven, is als een handtekening onder zijn zaakjes.

De Italiaanse georganiseerde misdaad speelt een cruciale

rol, omdat die bemiddelt tussen de verschillende kanalen en continuïteit garandeert in de kapitaalinvesteringen. De bedragen waarmee de coke wordt aangekocht worden de '*puntate*', de inleg, genoemd. De inleg van de Italiaanse clans is sneller ter plekke dan die van alle andere concurrenten: stipt en hoog, zodat de producenten zich gegarandeerd weten van grote verkopen en zij bovendien de lading niet zelf naar de plaats van bestemming hoeven te brengen. Operatie *Tiro Grosso* (Grote Uithaal) werd gecoördineerd door officieren van justitie Antonio Laudati en Luigi Alberto Cannavale, in 2007 afgerond door de carabinieri van de Operationele Eenheid in de provincie Napels. Aan de operatie hebben ook de rijkspolitie en de fiscale recherche meegewerkt en tientallen Europese politiekorpsen en agenten van het Amerikaanse Antidrugsagentschap, de DEA, en van de Centrale Italiaanse Antidrugsdienst aangestuurd door generaal Carlo Gualdi. Ze dwingt ons om onze kijk op de wegen die de cocaïne bewandelt drastisch te wijzigen. Er is een nieuwe figuur opgedoken, de *broker*, en de as van de internationale drugshandel heeft zich verplaatst van Spanje naar Napels.

Sinds de aanslagen van 11 maart 2004 voert Spanje een zeer strenge grenspolitiek, wat zich vertaald heeft in een exponentiële toename van het aantal haven- en autocontroles. En zo werd het land dat in de ogen van de narco's eerst één groot cocaïnedepôt was, met als enige beperking dat de coke niet voor de interne markt bestemd mocht zijn, problematisch als handelscentrum. Alle drugs worden dus naar andere havens geleid zoals die van Antwerpen, Rostock, Salerno. Nadat de inleg is bepaald, arriveert de coke in de havens. Het bieden gebeurt niet alleen door de clans, maar ook door de koeriers, de brokers zelf en door ieder ander die een gokje wil wagen op de investeringsmarkt van dit alchemistische poeder dat je honderd maal je inzet aan winst oplevert. In een telefoongesprek dat is afgeluisterd door de carabinieri in Napels tijdens de operatie Tiro Grosso, bereidt Gennaro Allegretti, die is aangeklaagd wegens drugssmokkel, een reis naar Spanje voor. Hij belt een vriend om hem uit te nodigen ook geld in te leggen. Aan de andere kant van de lijn probeert de vriend, die net van de bank vandaan komt en weet dat hij niet veel te makken heeft, eronderuit te komen: 'Wat doe jij maandag? Want ik moet zondag al klaarstaan... als jij niet meedoet... dan zit ik zondagavond in de auto en vertrek. Maandagochtend gaan we heel vroeg weg.'

'Ik denk van niet, want ik kom net van de bank, bijna zeker van niet.'

'Mis nou niet steeds de boot, man... Half Italië doet mee, waar zit je steeds op te wachten? Volgende maand kom je drie miljoen rijker terug.'

De brokers ontmoeten elkaar in hotels overal ter wereld, van Ecuador tot Canada, degenen die import-exportbedrijven opzetten zijn de besten. Ze doen zaken met producenten als Antonio Ojeda Diaz die – ook dit blijkt weer uit operatie Tiro Grosso – van Quito tot Guayaquil zijn contacten met de Italianen onderhield via op Turkije gerichte import-exportbedrijven. In Istanbul kwamen alleen de containers aan, de cocaïne werd in gedeelten gelost tijdens de stops in Italiaanse en Duitse havens. De manieren waarop de Napolitaanse brokers de coke vervoeren zijn onuitputtelijk. Van blikjes ananas waarin de cocaïne bij wijze van beschermlaagje tussen twee schijven verstopt is, tot kisten bananen waarin de coke als balletjes binnenin elke banaan is genaaid.

De Zuid-Amerikaanse tussenpersonen, zoals bijvoorbeeld

Pastor en Elvin Guerrero Castille, wonen vaak in Napels zelf en regelen hun zaakjes rechtstreeks van hieruit. De nummer één broker van Italië, zo luidt de aanklacht, is Carmine Ferrara, uit Pomigliano. Volgens de onderzoekers was hij de organisator van de belangrijkste inlegrondes. Zelf schept hij in een telefoontap over zijn bravoure op: 'Iedereen wil zaken met mij doen.' Het inleggeld wordt door de verschillende clans opgehaald: Nuvolette, Mazzarella, Di Lauro, de Casalesi, Limelli, groepen die vaak onderling rivaliseren, maar die via dezelfde brokers aan coke komen.

De handel verloopt op eenvoudige wijze, zoals in ieder ander bedrijf. De brokers onderhandelen met de narco's, dan komen de koeriers die voor het transport zorgen, dan de 'renpaarden', de clanleden, die de cocaïne verdelen over de verschillende subgroepen van de clan, en uiteindelijk de 'paardjes' die het rechtstreeks aan de pushers geven. Bij elke overdracht blijft er iets aan de strijkstok hangen, maar van veertig euro per gram in 2004, is de prijs van coke tegenwoordig gezakt naar tien à vijftien euro op de belangrijkste Italiaanse pleinen. De pleinen in hartje Napels, de hoofdstad van de verkoop, zijn een hoofdstuk apart.

De brokers zijn van fundamenteel belang voor de cocaïneproducenten: ze behoren niet tot een clan, ze weten niet – of alleen globaal – hoe de clans georganiseerd zijn en mochten ze dus ooit gaan praten, dan weten zíj niets van de clan en de clan niets van hen. Als een broker gepakt wordt, blijft het criminele kartel overeind en neemt het gewoon een nieuwe broker. Als aan de andere kant een criminele familie wordt ontmanteld, dan behoudt de broker zijn handel en verliest niet meer dan die ene klant. Hij zoekt een andere familie of wacht tot er een nieuwe familie opstaat.

Een plaatsvervangende schaamte bekruipt je bij de verontrustende berichten dat tachtig procent van de Italiaanse bankbiljetten cocaïnesporen bevat en dat in het riool van Florence meer cocaïneresten te vinden zijn dan in dat van Londen. Maar dat coke inmiddels de hoofdmotor van de criminele economie is en dat die criminele economie de meest florerende is van onze tijd, daar vecht justitie al jaren tegen, in stilte en vaak met ongeschikte middelen.

Openbaar aanklager Franco Roberti, uitgesproken mediterraan hoekig gezicht, oosterse ogen, coördinator van de antimaffiadienst in Napels tot april 2009 en daarvoor werkzaam bij het directoraat van de Italiaanse nationale antimaffiadienst, roept, herinnert, onderstreept, sinds tijden – al voordat er echt iets speelde – en met de vastberadenheid van iemand die verder kijkt dan alleen het spoedeisende van een kritiek moment, wat nu echt de kern van het probleem is. Tijdens de persconferenties over de belangrijkste antidrugsoperaties die vanuit zijn kantoor werden gecoördineerd, zet hij zonder een blad voor de mond te nemen uiteen hoe ernstig het probleem is waar we voor staan. 'Bijna alle moorden in Napels zijn drugsgerelateerd. Cocaïne vloeit er als water en levert fabelachtige winsten op. De clans strijden om de controle over de handel. Een investering in een partij cocaïne van een miljoen euro, levert een clan er binnen de kortste keren algauw vier op. De winst is het vierdubbele van de inleg, en wordt in minder dan geen tijd behaald.' In operatie Tiro Grosso alleen al besloegen de zaken van de brokers een gebied van Spanje (Barcelona, Madrid, Malaga) tot Frankrijk (Marseille en Parijs), Nederland (Amsterdam en Den Haag), België (Brussel) en Duitsland (Münster); dan zijn er vervolgens nog de koeriers en de contacten in Kroatië, in Athene, in Sofia en Pleven in Bulgarije, in

Istanbul, Turkije en uiteindelijk in Bogota en Cúcuta in Colombia, Caracas in Venezuela, Santo Domingo en Miami in de vs.

Geen enkele van de ingezette koeriers had een strafblad, en ze reisden in speciaal geprepareerde auto's. Je kunt je niet voorstellen wat ze met die auto's deden: de coke en de hasj werden in een soort laagje vlak boven de as van de auto aangebracht en de romp van de auto werd er gewoon bovenop gemonteerd. Automonteurs zeggen dat deze methode die in de Napolitaanse autogarages van de wijken Quarto, Agnano en Marano wordt toegepast, een kamikazetactiek is. De kamikazepiloten hebben de moderne militaire strategie voorgoed veranderd door korte metten te maken met elke verdedigingstactiek, omdat men er tot dan toe van uitging dat elke aanvaller zichzelf wil sparen. Even innovatief waren de drugskoeriers toen ze inzagen dat je alleen voorbij een wegblokkade komt, als je lading niet ontdekt kan worden tenzij de hele auto gedemonteerd wordt. Wat geen enkele patrouille natuurlijk kan.

Op een keer werd een auto in beslag genomen. De carabinieri wisten absoluut zeker dat er cocaïne in zat, maar konden niets vinden. De hele auto haalden ze uit elkaar, maar geen coke. De honden roken de coke, maar wisten niet waar die zat. Verward liepen ze heen en weer met het schuim uit hun neus. De coke was in de vorm van kristallen op de bedrading verstopt. Alleen een ervaren auto-elektrotechnicus kon dit herkennen als hem opviel dat er meer draden waren dan nodig.

Voor het transport zet men de familie van de smokkelaars in. Zij zijn de beste manier om de ladingen te verspreiden. De echte familie, dus niet de clan, maar gewoon onberispelijke familieleden met de meest uiteenlopende beroepen. Zij krijgen een weekendje Spanje aangeboden en vijfhonderd euro per persoon voor de reis. Zodat ze een advocaat kunnen betalen, natuurlijk, als ze gepakt worden. Een onberispelijke familie – vader, moeder en dochtertje – die op zaterdag- of zondagochtend op reis gaat wekt bij de wegcontroles geen enkele verdenking. In de lente hielden de carabinieri op de weg van Rome naar Napels een familie aan in een Chrysler, ruim en volgepakt op een bed van tweehonderdveertig kilo cocaïne. Terwijl de ouders gearresteerd werden, haalde een onderofficier met veel moeite een meisje los dat zich aan haar moeder vastklampte, luid huilend en compleet over de toeren. Het ongeloof stond te lezen op de gezichten van deze zondagskoeriers, alsof ze zich niet ten volle hadden gerealiseerd waar ze mee bezig waren.

Het lijkt wel of de Chrysler speciaal gebouwd is voor drugskoeriers om hem vol te stoppen: boven de banden, de sleuven waar de autoraampjes indraaien, die vaak niet meer naar beneden kunnen omdat er cocaïne onder zit. In de jaren tachtig was het de Panda, maar tegenwoordig vind je geen drugskoerier die níét een Chrysler begeert voor zijn wagenpark. Alle koeriersauto's worden beschermd door waarschuwingsauto's die de controleposten moeten signaleren; bij elke afrit van de snelweg geeft één van de 'baanbrekers' aan of de koerier veilig op de snelweg kan blijven of dat hij eraf moet. Aan de telefoon spreekt men nooit over de aankomst of het vertrek van een lading en de koeriers kennen niet het hele traject. Ze weten alleen in welke stad er een basis is en ze nemen pas contact op met deze basis als ze eenmaal gearriveerd zijn. Pas als ze daadwerkelijk op de plaats van bestemming zijn, zodat de rechercheurs sowieso nooit meer op tijd kunnen komen om de partij in beslag te nemen, mocht er toch een gesprek onderschept zijn. Eén telefoonkaart voor elke reis. Daarna wordt hij weggegooid.

Op een keer, bij de tolpost van de afrit naar Caserta-noord krijgt een koerier die wordt afgeluisterd in de gaten dat de carabinieri hem op staan te wachten en dat hij is gesnapt. Hij treuzelt wat bij de kassier, zodat hij ter plekke de anderen kan bellen: 'Ik ben de klos. Bel de advocaat, zet alle mobieltjes uit, stop iedereen.' Als een koerier gesnapt wordt, proberen de 'baanbrekers' de burgerauto's van de carabinieri af te schudden en zetten ze op een aantal vluchthavens vrachtwagens klaar: de laadruimte gaat open, de auto wordt ingeladen en de vrachtwagen rijdt verder. Anoniem. Een vrachtwagen tussen vrachtwagens. Het is zo moeilijk de waarschuwingsauto's te negeren dat afgelopen april de carabinieri een helikopter op de snelweg naar Capua moesten laten landen om een koerier te arresteren.

Doodmoe word je van hun manieren om de carabinieri te omzeilen. Een auto uit Spanje, die is ontmaskerd door Tiro Grosso, reed de volgende omweg om in Napels te komen: hij vertrok uit Ventimiglia, ging van daaruit naar Genua, toen terug naar Ventimiglia, daarna naar Rome, terug naar Florence, naar Caserta en uiteindelijk naar Napels. Alles komt in Napels uit, maar kan ook weer vanuit Napels vertrekken. Pistoia, La Spezia, Rome, Milaan en dan Catania. De witbestoven Italiaanse neuzen snuiven coke die in Napels gedoopt is. Er is geen plek te bedenken waar de coke van de Napolitaanse brokers niet komt. Er is geen enkele misdaadgroepering die niet via hen onderhandelt. De Turkse maffia vroeg de Napolitaanse brokers dringend om coke in ruil voor wapens. De onderzoeken die de brokers moeten ontmaskeren zijn ontzettend ingewikkeld. Smokkel bestaat tegenwoordig voor het grootste gedeelte uit cocaïnesmokkel. De Mazzarellafamilie – zo blijkt uit de onderzoeken – heeft aan de brokers haar 'kapiteins' ter beschikking gesteld, dat wil zeggen de mensensmokkelaars uit de jaren tachtig die toen blondines vervoerden en tegenwoordig vanuit de Marokkaanse en Spaanse havens álles vervoeren naar Napels, Mergellina en Salerno. Voordat een Squalo-motorjacht gebruikt mocht worden, moest deze per se eerst getest worden door de Napolitaanse kapiteins. Het is tot op heden onmogelijk gebleken om het drugstransport door de Napolitanen over zee aan te pakken. De gebroeders Russo, twee bosses uit Nola die het hele imperium van camorrabaas Carmine Alfieri hebben geërfd en onvindbaar zijn, houden zich volgens politierapporten ergens op zee op, ze zetten nooit voet aan land, waren oeverloos rond over de Middellandse Zee en de oceanen.

Napels-stad slokt alle aandacht op: de microcriminaliteit en de vetes eisen zoveel directe aandacht, dat er geen tijd over is voor de grote zaken van de clans en de cokebourgeoisie. De brokers weten dat maar al te goed. Maar soms gaat het anders. En om dat in te zien moet je generaal Gaetano Maruccia ontmoet hebben, politiecommandant in het buitengebied van de gemeente Napels. De eerste keer dat ik hem sprak zag ik al direct dat hij een competente strateeg is waar niemand omheen kan, maar tegelijkertijd herkende ik in hem het elan van kapitein Bellodi uit *Giorno della civetta**. Onderling onverenigbare kwaliteiten, die echter in deze man bleken samen te vallen. Hij was in staat om een evenwicht te vinden

* Misdaadroman van Leonardo Sciascia uit 1960. Het verhaal speelt op Sicilië; kapitein Bellodi is de idealistische politiecommandant uit Parma die het onderzoek moet leiden.

tussen iets waar je absoluut nooit zonder kunt en iets wat je doet omdat er naast je plichtsbesef ook nog de sterke motor van de vrije keuze draait. Geboren in Apulië, met Calabrees bloed, een Siciliaans en Romeins verleden, een zekere gelijkenis met Brando op latere leeftijd, strak naar achter gekamd grijs haar, diepe stem. Onmisbare sigaar in zijn mondhoek en in zijn werkkamer een vreemd apparaat dat om de zoveel tijd een parfum uitpuft om de tabaksgeur te maskeren. Het verbaasde me dat hij zo helder wist te verwoorden wat de kern is van het structurele probleem in dit gebied: het feit dat je altijd maar achter noodsituaties aanrent, geleid door de waan van de dag, door de dwangmatige roep om direct toepasbare oplossingen. Maruccia heeft het goed op een rij: 'Wij zullen móéten onderkennen dat de legale markt niet alleen doordrongen is van uit de cocaïnehandel afkomstig kapitaal, maar ook dat dat kapitaal de markt in grote mate bepaalt. En begrijpen hóé het de markt bepaalt is nog het moeilijkste van alles. Onze meest recente onderzoeken tonen aan dat Napels een lanceerbasis is voor de internationale drugsdistributie en tevens een beginpunt voor witwaspraktijken, voor herinvesteringen, voor het omzetten van de winst uit de drugshandel naar legale economische activiteiten. De drugsroutes blootleggen en de kanalen waarlangs de drugs binnenkomen en de vele manieren waarop de coke en de hasj hier arriveren is essentieel, maar evengoed is het pas het eerste begin van het vele werk, en het is misschien zelfs wel het gemakkelijkste stuk. We moeten die transformaties begrijpen: hoe verandert dat witte poeder nu in al de rest. Handel, bedrijven, gebouwen, geldstromen tussen banken, gebiedbeheersing, vergiftiging van de legale markt. Je moet eerst deze macro-economie aanpakken, want dan krijgt de kleine en middelgrote criminaliteit het moeilijk en hebben hun activiteiten geen groeikansen meer. Maar dít moet de volgorde zijn, niet andersom.'

Het provinciale politiekorps rond Napels heeft veel resultaten geboekt. Hun meest recente succes zijn de invallen bij de hele clan van Sarna, die veel macht in het beschermingsgeld en de cocaïnehandel heeft en actief is in de wapenhandel met het Oostblok, en die bussen bejaardenverzorgsters als dekmantel gebruikt: zeventig aanhoudingen. En ook de drugshandel in de Napolitaanse wijk Scampia hebben ze aangepakt, met een massa-arrestatie in de hoogste gelederen, namelijk van de pushers, maar ook door het neerhalen van de versterkingen waarmee de clans hun plein verdedigden: een nieuwe uiterst effectieve methode waarbij honderden mannen naast elkaar staan om het plein te beschermen en om elke schijn van een opstand of aspiratie daartoe de kop in te drukken.

Maruccia droomt er helemaal niet van om verheerlijkt te worden; hij is gewoon in staat om door de chaos heen te kijken, door het dek van de afzonderlijke feiten, vaak uit de onderontwikkelde misdaad, waarmee we worden overstelpt en dat de machtigste criminele ondernemingen aan het oog onttrekt. 'Het valt niet te ontkennen dat hun grootste kwaliteit ligt in het succesvol verhandelen van coke. We móéten onderkennen dat dit systeem het voor elkaar krijgt de verwaarloosde buitenwijken zoals Napels-noord te veranderen in een bloeiende industrie, ook al is die illegaal, en dat dit systeem in elk geval neergehaald moet worden op dezelfde manier als je grote industriële en financiële bedrijven ontmantelt en niet alsof het roversbendetjes zijn. We hebben hier te maken met het belangrijkste bedrijf van dit gebied, en niet alleen van dít gebied, vrees ik, maar van het hele land. Als je de problemen waar Napels mee kampt wilt aanpakken, dan kun je niet binnen de regiogrenzen blijven – ook al kunnen we er hier niet genoeg geld, middelen en aandacht op inzetten, aangezien de routes hier beginnen en soms ook weer eindigen –, maar je moet het hele land erbij betrekken en misschien wel de hele wereld. Niet alleen tegen de drugshandel is een efficiënte internationale samenwerking bepalend, er moet op alle fronten worden samengewerkt en de geldstromen die via de clans alle uithoeken van de wereld bereiken, moeten worden geraakt. Of je handelt vanuit deze visie, of je bekijkt altijd maar een deel van het probleem.'

Het is dus onmogelijk om coke te blijven zien als iets wat alleen maar in het criminele circuit circuleert. Als je weet hoe de cocaïnehandel in elkaar zit, zul je de Europese economie, die niet over olie (de zwarte variant) beschikt, begrijpen. Het geeft je in elk geval zeker een kader om de Italiaanse economie te begrijpen. Je hoeft de sporen van de cocaïne-investeringen van de brokers uit Campanië en Calabrië maar te volgen om te begrijpen in welke richting de legale markten zich zullen bewegen. De onnoemelijke toegevoegde waarde die coke heeft in het leven van miljoenen mensen en het onuitsprekelijke criminele talent van de Italiaanse economie, kun je alleen maar uitleggen met een metafoor als die van de nul in de wiskunde. Als je Robert Kaplan citeert met: 'Als je kijkt naar nul zie je niets, maar kijk je erdoorheen, dan zie je de wereld', moet je tevens concluderen: 'Als je kijkt naar coke zie je alleen maar poeder, maar kijk je erdoorheen, dan zie je de wereld.'

Bouwen is veroveren

Bin Laden heeft de hand weten te leggen op een van de meest gewilde territoria: het centrum van Milaan, het gebied binnen de grachtenring van de wijk Navigli. Via Santa Lucia, een van die rustige, haast onzichtbare herenstraatjes, maar op loopafstand van de populairste cafés en de imponerende monumentale panden, waar advocaten en notarissen kantoor houden en waar zakenlieden hun appartementen en showrooms zoeken om in de nabijheid van de oude Milanese families te kunnen vertoeven. Precies daar vind je het enige wat er in deze stad nog te veroveren valt, een stad die vooral in de breedte uitdijt en wier periferieën haar naam doen vertwee- nee, verdrievoudigen. Een stad waarvan ten minste het hart nog intact was, ongerept, waar je nog kon bouwen en verkopen voor vijftienduizend euro de vierkante meter. Precies daar heeft Bin Laden zich naar binnen gewerkt, in de lucratieve Milanese makelaardijbusiness.

Bin Laden, niet de gevreesde Al Qaidaleider, geen Arabier en geen islamiet, en die geen ander geloof kent dan Geld. 'Bin Laden' is de bijnaam van Pasquale Zagaria, aannemer in de betonclan, de camorraclan van de Casalesi. Geboren in Casapesenna, een dorpje onder de rook van Caserta, dat meer bouwbedrijven telt dan inwoners.

'Bin Laden' is de bijnaam die alsmaar opduikt in de onder- zoeken van de antimaffiadienst van Napels, aangestuurd door officieren van justitie Raffaele Cantone, Raffaello Falcone en Francesco Marinaro. Zijn bijnaam heeft hij te danken aan het feit dat hij zomaar in het niets kan verdwijnen, maar vooral aan de angst die hij inboezemt, aan de angst die zijn naam alleen al bij het uitspreken ervan aanjaagt. Het verhaal gaat dat de bijnaam eigenlijk meer als grap was ontstaan: als iemand het zou durven om op het gezicht van Pasquale Zagaria eenzelfde jaap aan te brengen als Osama heeft – had- den een aantal ondernemers uit de clan en hun volgelingen spottend opgemerkt – dan zouden ze hem erbij lappen. Want als zelfs loyaliteit ingezet kan worden om winst te kunnen maken, dan is het niet meer dan logisch dat je ook die uit- onderhandelt en verkoopt.

Pasquale 'Bin Laden' Zagaria heeft, volgens de aanklacht van de Napolitaanse antimaffia, als hoofdaannemer alle onderaan- nemers van de hogesnelheidslijn Rome-Napels aan zich onder- worpen en hij heeft in hoge mate de projecten van de Alifana- spoorlijn in Zuid-Italië beïnvloed; hij had bedrijven klaarstaan om in te stappen in de aanleg van de HSL Napels-Bari en in het metroproject van Aversa, klaar om het ombouwproject te coördineren dat het vliegveld van Grazzanise tot burgerlucht- haven moest maken, met de bedoeling er het grootste vliegveld van Italië van te maken. Zagaria's bedrijven wonnen aanbeste- dingen in het hele land dankzij concurrerende tarieven en hun capaciteit om machines en mankracht in real time te verplaat- sen. Ze bouwen overal in Emilia Romagna, Lombardije, Umbrië en Toscane. Pasquale Zagaria, wiens bouwbedrijf zich inmiddels tot de grootste bouwbedrijven van Italië mag reke- nen, is pas echt begonnen nadat hij het hart van zijn imperium en dat van de Casalesi in Emilia Romagna had weten te planten. In Parma in het bijzonder, dat tegenwoordig tot de steden behoort met de meeste camorracontacten, doordat de kapitaalinvesteringen van de clan door de lokale economie zijn geabsorbeerd.

Niet dat er sprake is van kolonisering, eerder het tegendeel. Bouwbedrijven groeien snel in het noorden. Ze doen projecten, ze bouwen, verkopen, kopen, verhuren, maar ze raken ook vaak in de problemen. Dan is er nieuw kapitaal nodig, mannen en groepen die de banken zekerheid geven en die direct kunnen investeren. De Casalese camorra biedt uitstekende voorwaarden: het grootste kapitaalvermogen, de beste vaklui en de absolute top wat betreft het oplossen van administratieve of organisatorische problemen van welke aard ook. En de familie Zagaria, die binnen de clan het leiderschap heeft over de betondivisie, laat de concurrent ver achter zich als het gaat om de aankoop van grond of het aanschaffen van materiaal tegen de beste prijs, het vinden van nieuwe bouwterreinen of het converteren van onbegaanbare modderpoelen in aantrekkelijke percelen voor luxe appartementencomplexen.

De persoon die Bin Laden Zagaria met Parma verbindt is bouwondernemer Aldo Bazzini, betonman met belangen in Milaan, Parma en Cremona. Volgens de aanklachten wordt hij de marionet van Zagaria, nadat zij hun band verstevigen door een huwelijk: Bin Laden trouwt met de stiefdochter van Aldo Bazzini. Die laatste becommentarieert in een telefoongesprek met zijn advocate Conti het nieuws als volgt:

Conti: 'Waar is die dochter heen?'
Bazzini: 'Die is getrouwd met een… een grote baas! Uh, uit het zuiden!'

C: 'Dat meen je niet! Gaat het goed met haar?'

B: 'Het gaat heel goed met haar!'

C: 'Die man, hebt u die zelf voor haar gevonden, hmm, Bazzini?'

B (lacht): '…Uh, ja, haha!'

C: 'Het is oppassen als iemand met u op stap gaat! Straks vindt u voor mij ook nog een man…'

B (lacht): …

C: 'Is het echt een boss?'

B: 'Ja, ja, echt!'

C: 'Enne, is zij…is zij nu…rijk?'

B: 'Stinkend rijk!'

C: 'Stinkend rijk!'

En het leven gaat er ook echt op vooruit. In een aantekening van de carabinieri staan de uitgaven van de Zagaria's vermeld, en tussen straattegels, cement, terracotta en pleisterwerk staan tevens negentienduizend euro voor een dagtripje naar Monte Carlo en twintigduizend voor een uitgave in Oro Mare, de juwelenstad.

Na het huwelijk beginnen de zaken van Bazzini, die langzaam bergafwaarts gingen, dus weer aan te trekken, dankzij de investeringen en het vakmanschap van de Casalesi. En het is interessant te zien hoe de bedrijfsnamen van Bazzini's ondernemingen, die volgens de onderzoeken van de antimaffia in Napels, toch echt door de Casalesi worden beheerd, op geen enkel manier naar Zuid-Italië verwijzen. Nuova Italcostruzioni srl Nord, Ducato Immobiliare srl, en één bedrijf is zelfs vernoemd naar de auteur van *De Kartuize van Parma*, Stendhal Costruzioni srl.

Emilia Romagna is van oudsher een gebied waar de

Casalesi-clan graag investeert. Giuseppe Catarino, een boss die twee jaar geleden in Calabrië is opgepakt, had in Modena een monopoliepositie. In Via Benedetto Marcello zit sinds jaar en dag een Casalesivesting en ook in Reggio Emilia, Bologna, Sassuolo, Castelfranco Emilia, Montechiarugolo, Bastiglia en Carpi. Je hoeft het spoor van de bouwondernemingen maar te volgen, en de misère van de vele emigranten uit Agro Aversano, die door hun dorpsgenoten die bij de clan zijn worden onderdrukt. Zelfs hun militaire activiteiten hebben zij naar de investeringsgebieden geëxporteerd. Het begon op 5 mei 1991, met een conflict tussen artillerie-eenheden van de Casalesi in Modena. Op 14 maart 2000 vond er een aanslag plaats in Castelfranco Emilia. En een aantal maanden geleden, op 10 mei 2007, zijn in Modena de benen afgehakt van Giuseppe Pagano, eigenaar van de bouwonderneming Costruzioni Italia.

Italië wordt bijeengehouden door beton. Beton is het bloed in de aderen van de Italiaanse economie. Met beton word je geboren en word je ondernemer, zonder beton is elke investering een risico. Gewapend beton is het terrein van de winnaars. In stilte heeft de betonclan macht gekregen in Italië, een stilte die gebouwd is op de zekerheid dat van geen enkele clanaangelegenheid de echo weerklinkt buiten de regiogrenzen van Campanië. Een clan, onbekend in Italië, maar berucht en gevreesd in de streek waar hij alles en iedereen controleert. Tijdens de rechtszaak tegen de clan van Zagaria stelde officier van justitie Raffaele Cantone met klem: 'Dit hier zijn bosses die doen, denken en met elkaar dealen als ondernemers. Het zíjn ondernemers. Ontkennen dat de Zagaria-clan bestaat en dat die de touwtjes in handen heeft in de hele regio, is hetzelfde als ontkennen dat je ademhaalt.'

Deze clan heeft zijn grote macht verworven, doordat hij in Zuid-Italië de hele betonketen onder controle heeft. De clan beslist over wie levert, beheert alle mogelijke aanbestedingen, dicteert de afpersingsregels bij elke opdracht. Het is een systeem dat geen scheuren toestaat. Afpersing is een onmisbaar instrument geworden om alles en iedereen met elkaar te verbinden tot één commercieel netwerk, en wie afgeperst wordt komt daar niet onderuit. Tientallen telefoontjes, van ondernemers aan clanleden, met de vraag: 'Geef me werk!' en evenzoveel telefoontjes de andere kant op om de executieverkoop van hun bedrijven tegen te houden: 'We komen uit Casapesenna, die grond is van ons.' Ze hoeven de naam van hun dorp maar te noemen en elke ondernemer begrijpt het. Ze hebben de cementhandel gemonopoliseerd, iedereen die wil bouwen moet met hen om de tafel en alle betonproducenten (Cocem, DMD Beton, Luserta, CLS) werken onder hun voorwaarden.

Geen enkel bedrijf kan op de bouwplaatsen aan de slag zonder toestemming van de Casalesi. In de onderzoeksstukken wordt een belangrijk voorval beschreven: een ogenschijnlijk onbekend bedrijf deed zonder 'toestemming' van de clan mee aan de bouw van het dierenasiel van Caserta. Er werd hen op staande voet bevolen: 'Stop de vrachtwagens, iedereen legt het werk neer.' Om vervolgens tot de ontdekking te komen dat het bedrijf een van de honderden geautoriseerde bedrijfjes was, en het werk kon weer door.

Zo kunnen bij de clan aangesloten bedrijven dus goedkoop werken, winnen ze de aanbestedingen in het zuiden en leveren hogere kwaliteit in het noorden. Doordat ze kunnen groeien, krijgen ze ook toegang tot de grote openbare werken. In 2003 wordt een begin gemaakt met het megaproject van de regering-Berlusconi voor de aanleg van nieuwe infrastructuur; de antimaffia van Napels ontdekt dat er in een hotel in Rome een topontmoeting plaatsvindt om de clan het project binnen te loodsen. Rome is bekend terrein voor de Casalesi; ze hebben al eens geprobeerd voetbalclub Lazio binnen te komen, en ze zijn de succesvolle partner geworden van Enrico Nicoletti, boss van de bende van Magliana, de grootste misdaadorganisatie van Rome. De ontmoeting vindt plaats in een vergaderzaal in een hotel in de buurt van de Via Veneto in Rome. Aanwezig zijn bouwondernemer Aldo Bazzini, boss Pasquale Zagaria, Alfredo Stocchi, politicus en oud-gemeentesecretaris van de socialistische partij, en als laatste de voorzitter van de gemeenteraad, Bernini, die adviseur is van minister Lunardi. Giovanni Bernini, partijleider van Forza Italia in Emilia Romagna, werd in 1994 gekozen tot voorzitter van de gemeenteraad van Parma, in 2002 kreeg hij de meeste stemmen binnen de partij Casa delle Libertà (opgericht door Berlusconi). Wanneer Bernini door de Napolitaanse antimaffiadienst als getuige wordt gehoord, legt hij uit dat Zagaria aan hem is voorgesteld als ondernemer, wat hij natuurlijk ook was, maar dat hij niet wist dat hij ook een boss was. En dan stopt het onderzoek; wat er daarna gebeurt, is niet bekend. Maar het staat als een paal boven water dat het niet de clans zijn die de openbare werken nodig hebben, maar andersom. De bouw vraagt om het beste beton en om de beste prijzen.

Pasquale 'Bin Laden' Zagaria werd gezocht, vergeefs, terwijl zijn satellietbedrijven alsmaar nieuwe aanbestedingen binnenhaalden. Uiteindelijk heeft hij zichzelf aangegeven en om een verkorte procedure gevraagd. Het grootste gedeelte van de clan was aanwezig tijdens het proces in de rechtbank van Napels. De beste strategie: nu de commercie en de handelsgewoonten steeds meer bepaald worden door de wet is het nutteloos die uit te dagen als er verder geen rek in zit, als de mazen te klein zijn. Dan moet je de schade accepteren, die zo veel mogelijk beperken. Niet tegen het recht ingaan.

Officier van justitie Raffaele Cantone kreeg door hoe de betonclan functioneerde. Hij had belangrijk onderzoek naar de betonclan gedaan en was erin geslaagd beslag te leggen op bouwplaatsen met een gezamenlijke waarde van meer dan vijftig miljoen euro. En dus besloot de clan dat de rechter opgeblazen moest worden. De stukken spreken over ladingen TNT besteld bij de gelieerde Calabrese-clans. De pers is nauwelijks op de hoogte van dit soort zaken. De beveiliging van de officier van justitie wordt verdubbeld, de spanning in het gebied is om te snijden. De Calabrese 'ndrangheta en de Casalese camorra zijn van oudsher met elkaar verbonden, zusters in het zwijgen dat zij, in tegenstelling tot de cosa nostra, wel hebben weten af te dwingen. Maar dan sussen de duiven de valken van de clan, omdat zij wel inzien dat het geen geschikt moment is om een bloedbad aan te richten. En de clan, die zelfs een jonge vakbondsman, Frederico del Prete, vermoordde, de clan die er niet voor terugdeinsde iemand uit de eigen gelederen te vermoorden, omdat hij in de gevangenis homoseksuele contacten had gehad en de eer van het hele kartel dus had 'bezoedeld', de wreedste clan van Zuid-Italië, díe clan maakt pas op de plaats. Geen televisiecamera's, geen nationale aandacht, geen bekendheid. De moord op de officier van justitie wordt uitgesteld.

Pasquale Zagaria is de broer van Capastorta. 'Capastorta', Scheefhoofd, is de bijnaam van Michele Zagaria. Hij is al meer dan elf jaar voortvluchtig en heeft inmiddels de rang van meest gezochte boss van Italië overgenomen van Bernardo

Provenzano. Michele Zagaria is het militaire hoofd van de Casalesi-clan, de onbetwiste leider. Formeel zit hij eigenlijk samen met Antonio Iovine, 'o Ninno' (de Baby), op de troon, als een soort onderkoningen onder boss Francesco Sandokan Schiavone, die vastzit. Michele Zagaria heeft ervoor gezorgd dat de clan efficiënt georganiseerd werd.

Er doen natuurlijk heel wat verhalen de ronde over zijn leven. Maar de verhalen over de macht van de camorra zijn eerder mythische verhalen dan zomaar verzinsels. Zo wordt in de stukken de villa van Michele Zagaria in Casapesenna beschreven; met een glazen koepel als dak, zodat de enorme boom in de woonkamer licht krijgt. Maar afgezien van de verbazingwekkende bouwkundige excessen waar alle bosses van de betonclan zich schuldig aan maken, is de levensstijl van Michele Zagaria haast calvinistisch te noemen. Hij wilde geen gezin, heeft er geen gesticht, niet officieel tenminste. Hij schijnt wel een dochter te hebben, maar hij heeft haar niet durven erkennen omdat ze dan zijn achternaam zou krijgen, hij is niet getrouwd en leeft in eenzaamheid. Het grootste gedeelte van zijn voortvluchtige leven bracht de boss in de kerk door, en iedereen in het dorp kent het verhaal dat Michele Zagaria in de biechtstoel zijn vertrouwelingen sprak: echt niet voor de biecht, alleen voor zaken. Binnen de clan van Zagaria heerst grote discipline. Cocaïne is er bijvoorbeeld verboden. Toen de jongens van de clan toch met coke begonnen, greep Pasquale Zagaria direct in en sloot ze op bij de varkens in het varkenskot. Hoewel de boss uiteindelijk zelf ook aan de coke gaat. In een opgenomen gesprek is te horen dat een van zijn ondergeschikten, Michele Fontana, bijgenaamd 'o Sceriffo', de Sherif, verlegen en onderdanig aan Michele Zagaria durfde te vragen of hij ooit gebruikt had. De boss gaf hem een hoogst memorabel antwoord. 'Ik zei, Michele... ik ben gewoon eens benieuwd... heb jij ooit gebruikt? ... Ik zei... sorry dat ik het vraag, hoor... en hij kijkt me recht aan en zegt: "Je weet toch dat ik net een priester ben; doe wat ik zeg, maar doe nooit wat ik doe".'

Michele Zagaria houdt ook van theater, met zichzelf in de hoofdrol. Op een keer had een machtige zakenvrouw, Immacolata Capone, een afspraak met een vertrouweling van de boss, precies die 'Sceriffo', en Zagaria zegt dat hij de vrouw een verrassing gaat bezorgen. 'O Sceriffo' laat haar op de voor-stoel van de auto plaatsnemen. Ze hoort geluiden uit de kof-ferbak komen en een stem die zegt dat hij het niet meer uit-houdt. Ze vraagt wat dat te betekenen heeft, maar 'o Sceriffo' mompelt alleen: 'Maakt u zich geen zorgen, mevrouw.' Dan arriveren ze bij een koninklijke villa ergens op het platteland van Caserta en daar springt Michele Zagaria uit de kofferbak en loopt het huis in. De vrouw is totaal overrompeld door de boss en kan geen woord tegen hem uitbrengen, hoewel ze al jaren succesvol samen zakendoen. In een aantal stukken staat beschreven hoe de boss in een van zijn vele villa's midden in de woonkamer gaat zitten die is afgewerkt met zeldzame mar-mersoorten, een aangelijnde tijger aait en onderwijl rustig begint te keuvelen over aanbestedingen, cement, bouwwerken en bouwgrond. Het leek wel een filmscène die op zich al genoeg was om een mythe te creëren en die voer was voor de clans om hun macht mee te voeden die verder alleen bestaat uit verdwijningen en aanbestedingen.

Immacolata was er zeer goed in geslaagd een stabiel politiek en ondernemersklimaat te vestigen. Zij, een vrouw uit de Moccia-clan, was contactpersoon geworden voor de Zagaria-clan en werd begeerd door veel camorristen, die in de hoop op een relatie met deze boss met eigen ondernemingen haar het hof maakten. Volgens de aanklachten is de politicus die haar in het zadel hielp, Vittorio Insigne, regionaal raadslid van de centrumrechtse Udeurpartij, tegen wie Raffaele Cantone en Francesco Marinaro drie jaar en acht maanden hebben geëist voor medewerking aan de camorra-activiteiten. Insigne zou ervoor hebben gezorgd dat Capone's bedrijven een antimaffiacertificering kregen. In de telefoontaps wordt voortdurend aan de politicus gerefereerd, ook met betrekking tot de winstverdelingen. Volgens de aanklachten zorgde Insigne ervoor dat Capone aanbestedingen won en Capone bracht hem een deel van de opbrengsten. Ten tijde van het onderzoek zat Vittorio Insigne in de Transportcommissie van de regio Campania.

Het team van de Napolitaanse antimaffia, onder leiding van Franco Roberti, heeft ook ontdekt dat Capone een kolonel van de luchtmacht, ene Cesare Giancane, had benaderd. Hij was bouwdirecteur bij bouwprojecten in Nato di Licola bij Napels. De clan van Zagaria – zo luidt de aanklacht – had zelfs een aandeel weten te krijgen in de projecten van het Noord-Atlantisch Pact, namelijk de bouw van een centrale radar in de buurt van het Patriameer. De radar is van groot belang voor de militaire activiteiten van de NAVO in het Middellandse Zeegebied. Maar misschien was het haar grootmoed die haar fataal werd: in november 2004 werd Immacolata Capone vermoord in een slagerij in Sant'Antimo, enkele maanden nadat haar man was omgebracht.

Ook politiek gezien doet de clan wat hij wil. De soort onvermijdelijke ondergeschiktheid aan de politiek van de jaren negentig bestaat niet meer. Integendeel, de politiek is tegenwoordig onderschikt aan de zakenwereld, ook de camorrazakenwereld dus. In een telefoontap is te horen hoe Michele Fontana, 'o Sceriffo', zijn interesse voor de laatste verkiezings- campagne in Casapesenna laat doorschemeren: 'Mijn paardje is gestegen.' De politicus blijkt Salvatore Carmellino en 'o Sceriffo' noemt hem zijn 'paardje', waarmee hij wil zeggen dat hij met hem in de gemeenteraad rustig zijn gang kan gaan, een contact dat in intentie een referentiepunt kan worden voor de business van de clan. De plaatselijke politiek als dorsvloer voor de eigen zaken, de landelijke politiek als onderhande- lingsruimte voor steeds andere zaken, om te gebruiken, te negeren, te misbruiken, te regeren.

Volgens Von Clausewitz is oorlog niets anders dan 'politiek bedrijven maar dan met andere middelen', volgens Michel Foucault is politiek 'oorlog voeren maar dan met andere middelen'. In dat geval zijn de zakelijke clans dus niets anders dan economische systemen die elk middel aanwenden om hun economische oorlog te winnen.

De antimaffia-agenten van de ROS in Rome die al eerder de eer hadden om 'Capastorta' op te sporen, mogen hem nu opnieuw achternazitten. Het is zo goed als zeker dat hij op dit moment ergens in Casapesenna zit, want een militair kopstuk mag zijn territorium nooit verlaten. De lokale politie-eenhe- den moeten hulp krijgen, de opsporingsonderzoeken moeten geïntensiveerd worden en de betonbedrijven moeten nauw in de gaten worden gehouden, elke stap moet gevolgd worden om te voorkomen dat zij de markt monopoliseren met hun strategie die iedere vage vorm van vrije concurrentie in de kiem smoort. Elk moment van verminderde aandacht waardoor de clan de ruimte krijgt om macht uit te oefenen riekt naar samenzwering. De centrumlinkse regering heeft tot nu toe veel te weinig gedaan, is te langzaam, te ongeconcentreerd en te soft in de strijd tegen de criminele bouwbedrijven en tegen de middenklasse die rechtstreeks aan de clan gelieerd is. De regering móét in actie komen tegen het systeem van 'opdracht voor verhuur', dat wil zeggen: de mogelijkheid om machines te huren van de clans zonder dat dat ergens geadministreerd wordt. Het zou verboden moeten worden, of er zouden niet dezelfde vergunningen moeten gelden voor onderaannemingen.

Maar stilte alom, en stilte is schuld. In het Spartacusproces, het grootste maffiaproces van de afgelopen vijftien jaar, waaraan in de landelijke pers niet eens aandacht werd besteed op de dag dat de rechter uitspraak deed, probeert de clan in hoger beroep de twintig levenslangveroordelingen ongedaan te krijgen. En het zou toch te erg voor woorden zijn als een van de weinige pogingen die er in dit land gedaan worden om de boevenbendes van de betoncriminaliteit te dwarsbomen niet serieus genomen wordt. De advocatencolleges die de clan verdedigen, het enorme leger aan advocaten dat de verschillende camorrafamilies – Schiavone, Bidognetti, Zagaria, Iovine, Martinelli – ter beschikking staat, pleiten vooral stilte, minimalisatie, dat de blikken elders gericht worden. Ze willen bewerkstelligen dat men in het land deze praktijken beschouwt als de uitwassen van enkelen. En wat daarbij vaak helpt is een intellectuele klasse die zich verre houdt van deze zaken en er schoon genoeg van heeft, en een politieke klasse die er of in verstrikt is geraakt of niet begrijpt hoe het in elkaar steekt. Het is interessant om de telefoontaps te beluisteren waarop wijkbazen, de ondernemers van de clan, te horen zijn. Dan hoor je hoe belangrijk het voor hen is dat de aandacht van de landelijke pers naar de oorlog in Irak gaat, naar het homohuwelijk, maar vooral naar elke vorm van terrorisme.

De komende maanden moet de aandacht gevestigd blijven op het hoger beroep van het Spartacusproces. De bosses zijn nog niet definitief veroordeeld en het Hof van Cassatie herroept zo vaak veroordelingen tot levenslang. Het is zó belangrijk dat de landelijke aandacht niet verslapt, dat men het reukspoor van het cement volgt, zodat cement, afval, transport, supermarkten geen primaire investeringsobjecten meer kunnen zijn voor de clans en hun geen gelegenheid meer bieden voor witwassen. Zo niet, dan is het te laat. Dan is er geen scheiding meer, als die er überhaupt nog is, tussen legale en illegale handel. Ik vrees dat de kans groot is dat ieder woord waarmee je de werkwijze van de clans probeert te beschrijven zal verstommen, onbegrijpelijk zal zijn, alsof het uit een andere, verre, wereld komt; ik vrees dat justitieel onderzoek straks alleen nog een zaak is tussen rechters, advocaten en beklaagden onderling, en die zo lang als men wil gerekt kan worden met zo min mogelijk aandacht en waarbij zelfs de vermoorde doden als een inherent kwaad voor lief worden genomen. Dat kan toch niet. Ik vrees dat de woorden die dat alles willen vertellen onbegrijpelijk worden. Met het risico dat je niet schrijft om te vertellen wat er gebeurt, maar om aan de kijker of lezer iets voor te schotelen wat hij nooit zal kennen.

De pest en het goud

Het is een landstreek die niet uit de donkere nacht ontsnapt. En die geen oplossing zal vinden. Wat nu gebeurt is ernstig, want de eenvoudigste rechten worden buitengewoon: beschikken over toegankelijke wegen, onbevuilde lucht inademen, hopen op een leven dat normaal is voor een gemiddeld Europees land. Leven zonder bezeten te hoeven zijn van de keus tussen emigreren of je aansluiten bij de camorra. Het is een donkere nacht, de nacht die over dit gebied valt. Want weggevreten worden door de kanker lijkt bijna een noodlot dat je deelt met anderen en dat onvermijdelijk is, net als geboren worden en sterven, omdat de bestuurders maar blijven praten over cultuur en electorale democratie, eendagsvliegen die nog holler zijn dan hun gekunstelde discussies, en degenen die oppositie voeren worden meer verteerd door de angst naast het net te vissen dan dat ze de mechanismen willen veranderen. Je sterft aan een stille kwaal die in je lichaam ontstaat op de plek waar je woont en die je uiteindelijk langs de oncologische afdelingen van half Italië voert. De meest recente publicaties van de Wereld Gezondheidsorganisatie laten zien dat de situatie in Campania ongelooflijk is. Er wordt gesproken van een duizelingwekkende toename van het aantal gevallen van kanker. Pancreas, longen, galbuizen: het percentage ligt twaalf procent hoger dan het landelijk gemiddelde. Het medische tijdschrift *The Lancet Oncology* sprak al in september 2004 van een toename van vierentwintig procent van levertumoren in de omgeving van vuilstortplaatsen; vrouwen worden het meest getroffen. Het is interessant om daarbij te vermelden dat in de grootste risicogebieden in Noord-Italië een toename is geconstateerd van veertien procent.

Maar misschien gebeuren deze dingen in een ander land. Wie regeert en wie oppositie voert, wie vertelt en wie betwist, woont in een ander land. Want als ze in dit land zouden wonen, zou het ondenkbaar zijn dat dit alles pas wordt opgemerkt als de straten geplaveid zijn met afval. Misschien was het in een ander land dat de voorzitter van de Commissie Algemene Zaken van de regio Campania eigenaar was van een onderneming – Ecocampania geheten – die in elke hoek van de regio en daarbuiten afval inzamelde en niet beschikte over een door de Kamer van Koophandel afgegeven zogenoemd 'antimaffiacertificaat'. En toch is het niet in een ander land dat afval zo'n enorme business is. Iedereen verdient eraan: het is een bron van inkomsten voor ondernemingen, voor de politiek, voor de clans, een bron die gevoed wordt door lichamen te ruïneren en grond te vergiftigen.

De afvalbedrijven verdienen eraan: op dit moment behoren de Campanese afvalbedrijven tot de beste van Italië en zijn ze zelfs in staat samenwerkingsverbanden aan te gaan met de belangrijkste afvalgroepen van de wereld. De Napolitaanse afvalbedrijven zijn als enige in Italië aangesloten bij het Franse EMAS-systeem, een milieubeheersysteem met als doel de milieueffecten als gevolg van bedrijfsactiviteiten in het gebied te voorkomen en te reduceren. Als je naar Ligurië of Piëmonte kijkt, dan zie je dat talloze activiteiten die door Campanese bedrijven worden uitgeoefend uitstekende resultaten bieden en steeds binnen de normen van alle criteria blijven. In het noorden wordt schoongemaakt, ingezameld, is men in evenwicht met het milieu; in het zuiden wordt begraven, geknoeid, verbrand.

De politiek verdient eraan: onderzoek van openbaar aanklagers Milite en Cantone van de Napolitaanse antimaffiadienst naar de gebroeders Orsi (ondernemers die van centrumrechts zijn overgestapt naar centrumlinks) heeft uitgewezen dat het consortiumsysteem op dit moment het criminogene mechanisme is waardoor de drie machten – politiek, bedrijfsleven en camorra – zich kunnen verenigen. Het privaat-publieke consortium is een ideaal systeem om alle controlemechanismen te omzeilen. Het systeem is nuttig gebleken om een monopolie te krijgen op de keuze van ondernemers die dikwijls dicht bij de camorra staan. De ondernemers waren van oordeel dat de publieke vennootschap van rechtswege het afval mag inzamelen in alle gemeenten van het consortium. Met als gevolg dat er monopoliesituaties en enorme winsten zijn ontstaan die in het verleden niet voorkwamen. Het onderzoek van Milite en Cantone wees uit dat het consortium voor een kolossaal bedrag (ongeveer negen miljoen euro) het afvalbedrijf Eco4 had gekocht door middel van valse facturen. De privépersonen hielden de winst voor zichzelf en schoven de verliezen af op het consortium. Het consortiumsysteem heeft de politiek dertienduizend stemmen en negen miljoen euro per jaar opgeleverd, terwijl de jaaromzet van de clans in twee jaar tijd zes miljard euro bedroeg.

Maar ook de eigenaren van de stortplaatsen verdienen enorme bedragen. Zoals Cipriano Chianese, advocaat en tevens ondernemer uit het dorpje Parete, zijn thuisbasis. Jarenlang had hij leiding gegeven aan het bedrijf SETRI, gespecialiseerd in het transport van bijzonder afval afkomstig uit het buitenland. Uit heel Europa vervoerde hij afval naar Giugliano-Villaricca, illegale transporten waarvoor hij nooit een vergunning had gekregen van het regionale bestuur. Hij had echter de enige vergunning die nodig was, namelijk die van de camorra. Door de officieren van justitie van de antimaffiadienst, Raffaele Marino, Alessandro Milita en Giuseppe Narducci, beschuldigd van externe deelneming aan een camorristische organisatie en voortdurende afpersing, is hij de enige die onderworpen is aan de voorzorgsmaatregel die werd ingesteld door de rechter-commissaris van Napels. In het onderzoek staat de leiding over de groeves X en Z centraal, illegale stortplaatsen in Scafarea bij Giugliano, eigendom van het bedrijf Resit en door het regeringscommissariaat gekocht tijdens de afvalnoodtoestand in 2003. Volgens de beschuldigingen is Chianese een van die ondernemers die de noodtoestand hebben weten uit te buiten. Voor de afvalverwerking van zijn bedrijf Resit heeft hij aan het buitengewone regeringscommissariaat een bedrag weten te factureren van meer dan drieëndertig miljoen euro, alleen al voor de periode van 2001 tot 2003. De installaties die Chianese gebruikte, hadden al gesloten en ontruimd moeten zijn. Maar het zijn daarentegen goudmijnen geworden tijdens de noodtoestand. Doordat hij bevriend was met een aantal leden van de Casalesi-clan, zo hebben informanten van justitie verteld, had Chianese voor stuntprijzen waardevolle grond en bouwwerken gekocht, stemmen gewonnen bij de verkiezingen van 1994 (hij was kandidaat op de lijst van Forza Italia maar werd niet gekozen) en een vrijbrief gekregen voor de afvalverwerking in het territorium van de clan. Het parket heeft preventief beslag gelegd op zaken die terug te voeren zijn naar de advocaat-ondernemer uit Parete: toeristencomplexen en discotheken in Formia en Gaeta en een groot aantal appartementen tussen Napels en Caserta. De noodtoestand, de stad die uitpuilde van het afval, de overvolle afvalbakken, de protesten – de politici die meededen aan de verkiezingen hebben de oplossing gevonden in het afvalbedrijf Resit, gevestigd in het gehucht Tre Ponti op de grens tussen Parete en Giugliano.

Aan de afvalverwerking in Campania verdienen de ondernemingen in het noordoosten. Operatie Houdini toonde in 2004 aan dat de markt voor een correcte verwerking van giftig afval prijzen berekende die varieerden tussen de eenentwintig en tweeënzestig cent per kilo. De clans leverden dezelfde dienst voor negen of tien cent per kilo. De camorraclans zijn erin geslaagd te garanderen dat achthonderd ton grond die vervuild was met koolwaterstof en eigendom was van een chemisch bedrijf, verwerkt werd voor de prijs van vijfentwintig cent per kilo, inclusief transport. Een besparing van tachtig procent op de normale prijzen. Als al het illegale afval dat beheerd wordt door de clans op één hoop zou worden gegooid, zou het een berg worden van veertienduizendzeshonderd meter hoog, op een oppervlakte van drie hectare; het zou de grootste berg van de wereld zijn. Zelfs in het geval van de Moby Prince, de veerboot die was afgebrand en die niemand wilde verwerken, hebben de clans geen nee gezegd. Volgens de milieuorganisatie Legambiente is het schip verwerkt in de buurt van Caserta, is het in stukken gezaagd en hebben ze het laten wegrotten op het platteland en op vuilstortplaatsen.

In dit land zou iedereen *Biùtiful cauntri* (geschreven op z'n Napolitaans, te vinden op internet) moeten kennen, een documentaire van Esmeralda Calabria, Andrea D'Ambrosio en Peppe Ruggiero. Het laat het gif zien dat vanuit alle hoeken van Italië is begraven in het zuiden, dat schapen en buffels laat creperen en een zure stank uit het hart van de perziken en de 'annurca'-appels doet ontsnappen.

Maar misschien is het in een ander land dat men de gezichten kent van degenen die deze grond hebben vergiftigd. Misschien is het in een ander land dat de namen van de verantwoordelijken bekend zijn zonder dat dat voldoende is om ze als schuldigen te kunnen aanwijzen. Misschien is het in een ander land dat de georganiseerde misdaad de grootste economische macht is, terwijl het nieuws zich blijft richten op de politiek die het dagelijkse debat vult met holle discussies, terwijl de clans het land verwoesten en volbouwen, zonder dat er enig weerwoord komt van de media, die te episodisch zijn, zich te veel laten afleiden door de bestaande mechanismen.

Het is helemaal niet de camorra die deze noodtoestand heeft veroorzaakt. De camorra heeft geen belang bij het creëren van een noodtoestand, de camorra heeft dat niet nodig, zijn belangen bij het afval en de daaraan verbonden inkomsten heeft hij toch wel, heeft hij altijd, heeft hij sowieso, bij zon en bij regen, bij noodtoestand en bij ogenschijnlijk normale toestand, als hij zijn eigen belangen volgt en niemand belangstelling heeft voor zijn territorium, als de rest van het land hem zijn gif toevertrouwt voor een onverslaanbare prijs en vervolgens meent zijn handen ervan te kunnen aftrekken en rustig te kunnen slapen.

Wanneer je iets in je vuilnisbak gooit, daar in dat emmertje onder je gootsteen, of wanneer je de zwarte vuilniszak dichtknoopt, dan moet je bedenken dat het niet zal worden omgezet in kunstmest, in compost, in vruchtbare materie waar muizen en meeuwen zich te goed aan zullen doen, maar dat het rechtstreeks verandert in aandelen, kapitaal, voetbalteams, dure villa's, geldstromen, ondernemingen, politieke stemmen. Men wil en men kan niet ontsnappen uit de noodtoestand, want het is een van de periodes waarin het meeste verdiend wordt. Maar de noodtoestand wordt nooit rechtstreeks door de clans geschapen: het echte probleem is dat de politiek er de afgelopen jaren niet in geslaagd is de afvalcyclus te sluiten. De stortplaatsen zijn overvol. Men heeft gedaan alsof men niet wist dat ze uiteindelijk overvol móésten raken als alles daar terechtkomt. Eigenlijk zou er maar heel weinig op de stortplaats terecht moeten komen, maar als álles daar wordt verwerkt, stapelt het afval zich op. Wat het allemaal zo tragisch maakt, is dat het niet onze tijd is die in gevaar wordt gebracht, dat het niet onze straten zijn die nu schade ondervinden doordat ze uitpuilen van vuilniszakken. Nee, het zijn de nieuwe generaties die geschaad worden. De toekomst zelf is in gevaar. Wie nu geboren wordt, kan niet eens meer proberen om te veranderen wat zijn voorganger niet heeft kunnen stoppen en veranderen. In deze geteisterde gebieden ligt het aantal foetale afwijkingen tachtig procent hoger dan het landelijke gemiddelde. Misschien is het goed om eens te denken aan de les van Beowulf, de epische held die het trolachtige monster dat Denemarken teisterde zijn armen afrukt: 'De sluwste vijand is niet degene die je alles ontneemt, maar degene die je er langzaam aan laat wennen dat je niets meer hebt.' Zo is het: eraan wennen dat je niet het recht hebt te wonen op je eigen grond, te weten wat er aan de hand is, over jezelf te beslissen. Eraan wennen dat je niets meer hebt.

Oorlog

Het Vollmann-syndroom

Ik heb William Trevor Vollmann één keer ontmoet aan de Amalfitaanse kust. Vollmann aan de Amalfitaanse kust te zien was voor mij, die alles van hem had gelezen wat er in Italië was gepubliceerd, zoiets als Mike Tyson te ontmoeten in een loge van het Scala Theater in Milaan. Het talent van Vollmann is zijn ambigue rasechte vertelkunst. Hij is in staat op te gaan in het verhaal zonder zich erin te verliezen, hij kan zich in de meest uiteenlopende situaties bevinden maar toch zichzelf blijven. Een betrokken maar gecamoufleerd oog dat wil begrijpen, maar dat hetgeen hij wil kennen nooit kan doorgronden. En dus vertelt hij erover.

Vollmann was in Ravello met Antonio Moresco, die was uitgenodigd door Antonio Scurati. Voor een publiek dat voornamelijk uit zomertoeristen bestaat, die de avond anders willen doorbrengen dan met de gebruikelijke folkloristische dansen, concerten en komedies, beginnen Vollmann en Moresco voor te lezen uit hun werk. De toeristen zijn luidruchtig en beginnen in elkaars oor te praten, ze kunnen nauwelijks op hun stoel blijven zitten. Ze schuren met hun rug langs de stoelleuning, ze winden zich op. Voor hen is literatuur op de eerste plaats iets geruststellends om 's middags naar te luisteren. Nu hebben ze er last van, ze worden ondergedompeld in te veel wreedheden, gedwongen geconfronteerd met meedogenloosheid en met het verhaal. Een dame begint te tollen op haar stoel, dan leunt ze ver over naar links en valt ten slotte flauw. Door de woorden die ze had gehoord, ging ze zich slecht voelen.

Toen Fabio Zucchella, directeur van *Pulp*, daarna Vollmann interviewde, vroeg hij hem wat zijn definitie was van literatuur. Vollmann antwoordde dat hij pas net had ontdekt wat hij werkelijk wilde met schrijven en dat hij dat tot nu toe niet had begrepen: 'Die dame laten flauwvallen die van mijn woorden een moment van verheffing verwachtte, maar haar lichaam kon het niet aan. De woorden zijn doorgedrongen. Dat wil ik.'

Dan buigt hij zich voorover naar Zucchella's oor: 'Waar kan ik hier de Nigeriaanse meisjes vinden?' Zucchella antwoordt dat hij uit Pavia komt, dat hij geen flauw idee heeft waar de Nigeriaanse meisjes zijn aan de Amalfitaanse kust en dat hij toen hij uit Napels hierheen kwam niemand langs de weg heeft zien staan. Minachtend antwoordt Vollmann: 'Een stad zonder Nigeriaanse hoeren verdient het niet om bezocht te worden.' Terwijl hij zich op een plaats bevond die als een van de allermooiste plekken ter wereld wordt beschouwd.

Vollmann, die nu achtenveertig jaar is, vertelt wat geschiedenis is en de mensheid en van dat laatste onderzoekt hij alles. Niets menselijks is hem vreemd. Nu komt in Italië *The Ice-Shirt* uit, een boek dat een delirium lijkt, een wonderbaarlijk delirium. Het bestaat uit mythologische geschiedenis en lotgevallen van onbekenden. Een ongelooflijk boek, het eerste uit de reeks van een veel groter project: het beschrijven van de geschiedenis van de Verenigde Staten van Amerika. En Vollmann begint lang geleden: in het jaar duizend, toen het Amerikaanse continent werd ontdekt door de Vikingen en het gespuis van Erik de Rode het nieuwe continent veroverde. Ver voor Columbus had Europa het Amerikaanse continent al ontdekt en besloot het daarna uit vrije wil weer te verlaten. De Noren hebben Groenland veroverd, dat nu autonoom Deens territorium is. De Noren, uitstekende navigators, ontdekten Amerika en noemden het 'Vinland', dat te vertalen is als 'het land van de druiven'. Ze zagen overal wilde wijnranken en dat voedde de Scandinavische verbeelding. De roodhuiden werden door de Noren 'ellendige wilden', ofwel *skraeling* genoemd. De Noren vonden hen beestachtig omdat ze het beenmerg van herten aten, zich in dierenhuiden hulden en op een primitieve manier vochten. Er waren diverse conflicten tussen hen. De Vikingen verlieten Vinland-Amerika toen de eerste koloniale drang voorbij was en keerden terug naar de Scandinavische landen in het noorden. Vanaf dat moment zou Amerika voor ongeveer vijfhonderd jaar onbekend blijven voor de rest van de wereld.

Vollmann vertelt in een uitgebreide romancyclus, genaamd de *Seven Dreams,* over het millennium Amerikaanse geschiedenis vóór de Europese kolonisatie. Hij reisde daarvoor tot aan de noordpoolcirkel op zevenhonderd kilometer afstand van het dichtstbijzijnde gehucht, om de migraties van de Eskimo's te bestuderen.

The Ice-Shirt is een soort sage, op basis van etnologische en geschiedkundige teksten, die in de romanvertelling van Vollmann worden gemythologiseerd. Het meest vindingrijke van het verhaal zit 'm niet in de gebeurtenissen, maar in de mythische lijm die hij heeft gebruikt bij de montage van het verhaal. Vollmann concipieert zijn boeken naar aanleiding van gebeurtenissen die hij vertelt alsof hij ze voor zijn ogen ziet gebeuren, alsof hij een oude herder is die voor het vuur zit en aan de nieuwe generatie voorvallen doorgeeft die verloren zijn gegaan in de nacht der tijden. *The Ice-Shirt* is een zeer rijk boek.

Vollmann is een schrijver van dikke boeken, hij is misschien wel de meest productieve schrijver ter wereld: 'Ik schrijf wel-eens achttien uur achter elkaar door.' Hij lijdt al jaren aan het carpaletunnelsyndroom. Een scherpe pijn in de polsen door het uren achtereen schrijven achter de computer. Vollmann wil vertellen over het gat tussen de geschiedenis van de individuele mens en de immense uitgestrektheid van de geschiedenis van de mensheid. Over wat er is tussen het concrete leven van alledag en de lotgevallen van volkeren die eeuwenlang voortduren. En vaak bevindt de mythe zich tussen deze twee gebieden in.

In een ander boek, *An Afghanistan Picture Show: Or How I Saved the World*, vertelt Vollmann over de tijd dat hij een twintiger was en als vrijwilliger aan de zijde van de Afghaanse moedjahedien tegen de Sovjets ging vechten. Hij ging naar Kabul om te schieten en ergens in te geloven, en om de islam te begrijpen. Hij is een schrijver die zelf onderdeel uitmaakt van het verhaal. Eigenlijk kan een schrijver het beste zijn beroep uitoefenen door het beroep van anderen uit te oefenen. En daarin is Vollmann fantastisch. Hijzelf staat in zijn reportageboeken midden in de realiteit. Hij is aanwezig en geeft inzicht in de gegevens en verzamelt getuigenissen die hij met zijn eigen stem vermengt. Hij schrijft altijd in het heden. In een boek dat niet in Italië is uitgekomen, *Europe Central*,

vertelt hij door middel van een verhalende structuur de ver-
woestende oorlog tussen Duitsland en de USSR. Hij maakt een
verhaal van de geschiedenis. Hij interpreteert de gegevens die
hij verzamelt, de biografieën die hij verslindt. Hij schrijft geen
historische roman, maar eerder een episch verhaal waarin de
transformatie van de individuele lotgevallen van de mens in
mythische lotgevallen het hoofdkenmerk van zijn literatuur
is.

Vollmann leeft altijd in symbiose met zijn eigen schrijven,
als een ziekte die hij uit een ver verleden heeft opgelopen van
Xenophon, de geschiedkundige die huurling was, waardoor
hij alleen kon vertellen over hetgeen waar hij alles vanaf wist.
Of zoals Antonio Scurati verduidelijkt op de flap van *The Ice-
Shirt*: Vollmann laat de grenzen tussen werkelijkheid en verbeelding, waarheid en onwaarheid vervagen. Dat die in onze
tijd niet meer worden gewaardeerd volgens de regels van fantasie en feit, verifieerbaarheid en fictie. En dus zal de lezer
begrijpen dat wat hij leest een waarheid is, die is omgezet in
een visie. Het feit is er wel, maar hij is in staat dat te overstij-
gen en om te zetten in een mythe die geen ontkenning is van
de geschiedenis, maar een vervanging ervan in een historische
novelle, verhaal, een literair woord, gebaseerd op een gedachte die overgedragen moet worden. Van zijn project *Rising Up
and Rising Down*, bizar zoals al zijn literaire projecten, 4500
volgeschreven bladzijden die gewijd zijn aan een verhaal dat
over geweld gaat (in Italië is er een bloemlezing van verschen-
nen, *Als een op en neergaande golf*). Vollmann zegt: 'Ik heb
getracht een soort van moreel algoritme te creëren om te
berekenen wanneer een bepaalde gewelddadige daad gerechtvaardigd is of niet. Geweld wordt altijd uitgedrukt in bloed of
getallen maar soms beslaat geweld zo'n uitgestrekt gebied dat

we het niet zien.' En ook *The Ice-Shirt* zit vol met strijd en confrontaties, met gedachten over de aarde, over edele ridders en over de dorst naar veroveringen. 'Ik heb geschoten om te doden en ze hebben op mij geschoten, ik hoorde de eenzaamheid van vele mannen: ik weet veel van geweld.'

Vertellen over de ellende van de mens, drugsverslaving, hoeren, kwaadaardige uitbuiting, betekent niet dat je je aangetrokken voelt door het abjecte, of dat je de verloedering ophemelt. Het betekent dat je je eigen tijd ziet en via de sporen van het heden als een archeoloog zoekt naar de sedimenten van het verleden waar de mens hetzelfde blijft, in de zucht naar macht, naar bloed, naar verovering.

Waarom Vollmann besloot om zijn eigen leven op het spel te zetten en heroïne te spuiten om de werking van heroïne te begrijpen, om te gaan schieten in Afghanistan in een poging de oorlog te begrijpen en de islam, om zich blindelings over te geven aan de bibliografieën van de Amerikaanse geschiedenis, om zich in de straat van de scherpschutters in Sarajevo te wagen, verklaart hij zelf als volgt: 'Toen we klein waren gingen mijn zusje en ik vaak samen naar het meer. Ze was nog maar zes jaar, en ik negen en ik moest op haar passen. Het is mijn schuld dat ze op een dag is verdronken, want ik was afgeleid. Door haar dood ben ik gaan denken dat ik nooit een goed mens zou kunnen worden, en waarschijnlijk komt het doordat ik altijd probeer om mensen te helpen en voel ik medelijden met de verliezers: want ik voel me ook een verliezer, sinds ik die afgrijselijke fout heb gemaakt.' Een schrijver kan geen goed mens zijn en vaak gaat hij schrijven uit onmacht daarover. Hierdoor kan hij vertellen dat hij met zijn schuldgevoel niets kan veranderen en hoopt dat zijn indirecte actie zich in het bewustzijn en in de visie van zijn lezers uitbreidt, en dat die dus in zijn plaats of aan zijn zijde kunnen ageren en zo zijn laatste droom laten uitkomen over een gemeenschap die begrijpt, voelt, wandelt en leeft.

Apocalyps Vietnam

Dispatches (in het Nederlands verschenen onder de naam *Verslagen uit Vietnam*) is een oorlogsroman. Geschreven te midden van het oorlogsgedreun. Een roman over Vietnam, een reportageroman, literair, maar gebaseerd op ware gebeurtenissen, geschreven vanuit de waarnemingen van een ooggetuige, vanuit indrukken, feiten, waarnemingen, interviews, gevechten, braaksel, vrolijkheid, cynisme, wreedheid, euforie, vervloeking. De roman is het middel, de schrijfstijl wordt bepaald door de menselijke blik.

Michael Herr vertrok naar Vietnam als schrijver, niet als journalist. Voor de soldaten – zelf hecht hij erg aan deze nuance – maakt het geen enkel verschil. Beide zijn een vak voor dienstweigeraars. Als je als schrijver naar oorlogsgebied gaat, heb je geen specifiek doel voor ogen, je weet niet zeker of je met een bepaald bericht of feit terugkomt. Misschien kom je met niets terug, of met alleen een hele berg indrukken. Misschien schrijf je niets, of alleen de details. Militaire kaarten bestuderen, leren hoe een mitrailleur werkt, urenlange gesprekken voeren met één soldaat, de plannen lezen van een militaire operatie. Voeg aan dit alles de geur van napalm toe en het plotselinge schijnsel van de dageraad in het zuidoosten van Azië. Dat was het plan van de reporter-schrijver. En zo doet hij het. Hij vergaart, observeert, maalt en mengt alles dooreen tot een roman. Tien jaar deed hij erover om *Dispatches* te schrijven. En na *Dispatches* schreef hij niets meer. Hij schreef nooit meer een ander boek. Misschien wel omdat het, zoals John le Carré schrijft, het mooiste oorlogs-verslag is sinds de *Ilias*.

'De conventionele journalistiek kon deze oorlog evenmin uitleggen als de conventionele vuurwapens hem hebben kun-nen winnen. De conventionele journalistiek kon niet meer dan díé gebeurtenis eruit pikken die de meeste impact heeft gehad op de Amerikaanse geschiedenis in de afgelopen tien jaar en die tot een brij maken geschikt voor de massamedia, het meest voor de hand liggende en minst discutabele verhaal eruit lichten en dat met onbekende geschiedenisfeiten opleu-ken. En de beste correspondenten wisten dat, en meer...' ver-klaart Herr.

De Vietnamoorlog is de oorlog die ons in het Westen het meest in het geheugen gegrift staat, het meest tot onze ver-beelding spreekt. Meer nog dan de Tweede Wereldoorlog, meer dan de Dertigjarige en de Zesdaagse Oorlog, meer dan de Punische oorlogen en de napoleontische, meer dan de Spaanse of de Amerikaanse burgeroorlogen, veel meer dan welk ander later conflict: van Somalië tot Bosnië, van Irak tot Afghanistan. En misschien zelfs wel meer dan de moeder der hedendaagse oorlogen, die niet voor niets de Grote Oorlog wordt genoemd. Want indertijd had je wel Céline en Jünger, Remarque en Barbusse, Slataper en alle andere grote Engelse poëten, maar niet de vuurkracht van de grote Amerikaanse filmindustrie. Geen *Apocalyps Now, Full Metal Jacket, The Deer Hunter, Hamburger Hill, Rambo, Good Morning Vietnam, Platoon.*

Tijdens de Neurenbergse processen sprak Hermann Göring een zin uit die door de Vietnamoorlog volledig wordt ontkracht: 'De winnaars schrijven de geschiedenis.' De geschiedenis van de Vietnamoorlog is alleen maar door verliezers geschreven. De enige oorlog die de Verenigde Staten hebben verloren is ook de meest becommentarieerde geworden. Als je Vietnam zegt, zeg je ook de naam van het land dat het heeft bestormd, bezet, verwoest en dat uiteindelijk met de staart tussen de benen is afgedropen. Dit is het verhaal van de afgang en de schaamte, voor het eerst in de geschiedenis van de mensheid, gegoten in een filmepos zoals alleen de Hollywood-filmindustrie daar tegenwoordig toe in staat is.

Hollywood probeert al een halve eeuw de Tweede Wereld-oorlog, de glorierijke, de juiste, tot *epic film* te maken, en toch, als je aan oorlog denkt, dan zie je de helikopters van *Apocalyps Now* voor je en het verwrongen gezicht van Marlon Brando, je hoort het klikken van de Russische roulette in *The Deer Hunter*, je hoort de mariniers zingen: '*Mickey Mouse, Mickey Mouse, forever let us hold our banner high.*' Niet de Spartanen die zichzelf opofferen om het oprukkende Perzische leger te stuiten in de slag om Thermopylae, niet de Serven verslagen door het Ottomaanse Rijk tijdens de slag op het Merelveld, niet het onder de Sioux-indianen aangerichte bloedbad bij Wounded Knee, niet het heroïsche verzet van een willekeurige kleine staat of stam, maar de éígen nederlaag, de nederlaag van de troepen van het éígen rijk, komt tot leven in dit filmepos en de troepen van dat verslagen imperium schrijven het verhaal; er is echt iets veranderd.

Als je ziet wat de soldaten overkomt in die hel van snikhete, drukkende hitte, tropische insecten, hinderlagen van een onzichtbare vijand, waar ze sowieso zo onbekend mee zijn dat ze niet eens diens gezicht zouden herkennen, ze de geluiden van zijn taal, zijn mimiek of meest basale handgebaren niet zouden kunnen ontcijferen, dan staat elk feit op zichzelf, naakt en rauw, zonder enig betekeniskader waarin het geplaatst kan worden. De oorlog staat nergens meer voor, zelfs niet voor zijn eigen absurditeit, zelfs niet voor de aanklacht tegen zijn verschrikkingen, het kwaad. Het enige wat de verloren oorlog misschien is, is de samenvatting van een nederlaag. Aan de schrijver die mans en moedig genoeg is biedt dit grondniveau, dit level nul, evenwel een uitgelezen kans om te laten zien wat hij waard is, om te getuigen, te vertellen, niet meer dan dat. En het lukt Michael Herr. *Dispatches* is een boek met een bizar vervolg. De twee cinematografische meesterwerken over de oorlog tegen de Vietcong, *Full Metal Jacket* van Stanley Kubrick en *Apocalyps Now* van Francis Ford Coppola, zijn met dit boek in de hand tot stand gekomen. Michael Herr verleende zelfs zijn medewerking op de set van de twee films. Twee compleet tegenovergestelde films over een en dezelfde oorlog, twee verschillende gezichtspunten vanwaaruit wordt gefilmd – in de eerste film heb je grote overzichtsbeelden, doffe opmerkelijke kleuren, een psychedelische en barokke Apocalyps; in de tweede een bijna ziekelijk geometrische structuur die oplost in een afgebakende waanzin, in een klassiek bloedbad in een klein dorpje in de jungle –, maar beide zijn het ribben genomen uit één auteur en uit één boek. Tot op de dag van vandaag worden de Amerikaanse soldaten met de beelden van deze twee films gedrild; ze prenten de langskomende beelden in hun hoofd, beelden die uit dezelfde bron zijn voortgekomen: *Dispatches*. En toch blijft die geschreven bron van woorden rijker dan beide filmkolossen. En dat is omdat de schrijver zelf in Vietnam was. Maar ook omdat een groot epos, zelfs een epos over een nederlaag, op een of andere manier betekenis zou moeten geven aan dat wat het probeert te verwoorden of te verbeelden, ook als dat het einde van de wereld is of de systematische verwoesting van de mensheid.

Maar Herr doet dat niet, Herr blijft in Vietnam en doet niets anders dan verzamelen en aaneenrijgen wat hij ziet: dierlijke doodsangst en zinloze wreedheid, obsceniteiten en wanhoop, verbijstering en dood. Al het absurde wat die jongens, maar een paar jaar jonger dan hijzelf, meemaken, kan hij ter hand nemen en op de bladzijden smijten, zonder ook maar een poging te doen ze in een bepaald kader te plaatsen. Eén boek, driehonderd bladzijden, geeft aanleiding tot twee van de grootste films die ooit geproduceerd zijn. Dat bewijst wel waar literatuur, in tegenstelling tot film, toe in staat is: ze belicht alle kanten, ook al is het slechts in de vorm van een verhaal, ze geeft inzicht in de complexiteit. Een uniek literair werk, dat heel dicht bij de werkelijkheid blijft, maar met hoe dan ook prachtige beschrijvingen en schilderingen, zoals maar weinigen dat ooit gelukt is bij het vertellen over verschrikkingen en verval.

Direct vanaf de eerste bladzijde spat er een soort woede van het boek af. Maar niet een woede vanuit de maag, de woede zit dieper. Herr gaat naar Vietnam, naar een oorlog waar je je onmogelijk afzijdig van kunt houden, en hij verhaalt over de soldaten die op de meest gruwelijke wijzen met de meest vreselijke verwondingen liggen te creperen. Hij vertelt hoe met mitrailleurs op de legervoertuigen gevuurd wordt en hij vraagt zich af, terwijl hij naar de kogelgaten in de gepantserde voertuigen kijkt, wat die kogels met een mens zouden doen. Hij vertelt niet over de wonden, maar over de menselijke conditie. De menselijke conditie die in een oorlog de conditie is van een van beide partijen. Ik houd van Xenophon vanwege deze partijdigheid: hij onderkent dat het perspectief van de verteller oprecht kan zijn als hij bekent dat zijn visie partijdig is. En daarnaast houd ik van Xenophon, omdat hij toen hij over de Griekse handelaren wilde schrijven, eerst zelf handelaar werd. Herr schaart zich in zijn boek achter de mariniers, het is een toevallige keuze, niet omdat hij specifiek voor hén was, maar gewoon omdat je een beginpunt moet hebben vanwaaruit je kijkt. 'Wij huilen niet om de moordenaars van de Vietnamese families,' zullen enkele democratische politici zeggen. En Michael Herr zal antwoorden: 'Sinds wanneer huilen democraten om wie dan ook?' Je kunt met een dergelijke onpartijdige morele blik kijken als je onderscheid maakt tussen ongelijk en gelijk, goed en kwaad, maar deze zienswijze wordt in *Dispatches* volledig overhoopgehaald. Er bestaan alleen partijen, oorlogen, ideeën, politieke keuzes, afijn, dingen die verteld, onder ogen gezien en telkens opnieuw gekozen moeten worden, zonder de pretentie dat je aan de kant van het recht staat, of van het onrecht. En dit boek leert ons hoe dit soort thema's behandeld moeten worden, thema's die misschien niets anders zijn dan extreme proeftuinen waarin je als schrijver leert hoe je je ertegenover op moet stellen.

Michael Herr schrijft rauwe, korte zinnen; voor wie vindt dat woorden uit het leven gegrepen moeten zijn, betekenen ze meer dan menig esthetische wijsheid: 'Je gedraagt je zoals het hoort en daarmee uit.' De oorlog is een onmenselijke conditie voor de mens, waarin alles stilstaat. En deze suspense is het laboratorium waarin het boek tot stand komt. Misschien intrigeert *Dispatches* me daarom zo. Een boek dat niets onbeschreven laat, de uitbarstingen, de zenuwinzinkingen van de soldaten die gewoon niet meer kunnen, het verhaal over een Afro-Amerikaanse soldaat die veertig keer achter elkaar masturbeert, het alcoholmisbruik, de seksexcessen, het drugsmisbruik, dingen die ook als je eraan kapot gaat de enige kans op overleven zijn. Of misschien intrigeert het me hoe hij vertelt over de doden, de vermoorde doden, de impact van de kogels op hun lijven, alsof de kogels een nieuwe uitdrukking geven aan het doorzeefde lichaam. Een lijk doorzeefd met kogels, dat blijft je voor altijd bij, wil hij zeggen. Eigenlijk is het vanzelfsprekend dat je lijken ziet in oorlogsgebied, maar wat zo goed is aan Michael Herr is dat voor hem niets vanzelf spreekt; hij is nooit de geharde journalist die alles verdraagt zonder enige blijk van emotie, geen woordenchirurg. Hij zit gewoon te dicht op de dingen die hij vertelt om zo te kunnen zijn, te dicht bij de vermoorden en hun doodswalmen, bij de smerigheid en de waanzin.

Dit boek is zo ontzettend mooi omdat alleen een letterlijke blauwdruk van de verschrikkingen de lezer kan laten zien dat ook hij onder die omstandigheden, als je besluit onder die omstandigheden te leven, tot hetzelfde in staat zou zijn geweest. Of als je ervoor kiest toch anders te reageren, dat dan meer een beslissing van het lichaam is, dan van de geest. 'Hoe kun je nou schieten op vrouwen en kinderen?' vraagt een oorlogsverslaggever aan een Vietnamsoldaat. Het antwoord in *Dispatches* is: 'Dat is niet zo moeilijk: je hebt er niet zoveel lood voor nodig,' in *Full Metal Jacket* wordt dat: 'Dat is niet zo moeilijk: ze rennen niet zo hard,' en dan moet de reporter in de helikopter overgeven. Herr sleept de lezer de oorlog in, maar dan ook echt. Hij laat ze niet alleen de beelden zien, maar ook de gedragingen. De lezer ruikt niet alleen de stank van het bloed en de napalm, maar hij voelt de woede en de angst, hij voelt hoe wreed hij zelf geweest zou zijn, hij voelt hoe een mens die voor zijn leven vecht ophoudt mens te zijn. Als ik *Dispatches* niet gelezen had, had ik nooit zover kunnen komen met schrijven, maar dat is nog het minst erge. Als ik *Dispatches* niet gelezen had, dan had ik niets begrepen van het leven dat ik nu leid. De menselijke conditie in oorlogstijd is van alle tijden. Van de Punische oorlogen tot de Golfoorlog. Maar in de details is alles anders en juist daar is de stem van de schrijver noodzakelijk. In *Dispatches* is er continu actie, soldaten komen soldaten tegen, soldaten houden op mens te zijn, stijgen uit boven de menselijke gesteldheid en boven de doelen waarvan ze zelf niet wisten dat ze die konden bereiken. Geen van de mariniers gelooft werkelijk dat hij in Vietnam het communisme gaat bestrijden, geen van hen gelooft dat het een oorlog is die democratie moet brengen aan de slaven van Ho Chi Minh, maar dat is geen reden om niet te vechten en te sterven. Waar vijanden zijn, moet gemoord worden. Er zijn acties waarbij de soldaten een gewisse dood tegemoet gaan en waar ze uit zouden kunnen ontsnappen. Maar de mariniers vluchten niet. Je sterft en je vecht voor je *brothers in arms,* uit het verlangen alles op het spel te zetten.

'*Shit Saigon*' is de openingszin van *Apocalyps Now*. Maar wel shit die degenen die vrijwillig naar Vietnam vertrokken zelf hebben opgezocht. Door degenen die het risico dat ze konden sterven opzochten om te kijken hoe ver een mens kan gaan. Michael Herr is niet geïnteresseerd in een goed geconstrueerd en gedocumenteerd verhaal dat je ook uit de informatiebronnen kunt afleiden met het excuus: 'Ik doe mijn werk goed, ik ben doortastend, ik neem afstand van datgene wat ik schrijf om objectief te blijven.' Misschien was er wel een moment waarop hij dacht: Wat kan mij het schelen. Het maakt me niets uit als ik een fout maak, als ik uitgemaakt word voor collaborateur. Ik vertel hoe het zit, de stank van de in de schoenen rottende voeten, de blaren op de handen vanwege de geweren, de perversiteiten. Of ik vertel over de glimlach van een jongen op een baar, met een door een granaatscherf half opengereten been en met verbrande handen. Hij huilt niet, roept geen 'mama'. Maar hij lacht. Hij lacht, omdat zijn been in plakken, zijn verwondingen, het bloed dat als een fontein uit hem spuit, willen zeggen: 'naar huis.' Terug naar huis, naar familie, naar Amerika. Het einde van de muggen, de kogels, het regenwoud, de koorts, de Vietcongtronies. Zijn droom houdt op droom te zijn. De fouten van de officiers houden op en de drugs die medicijn geworden zijn tegen vermoeidheid en verdriet, of tegen de stress die ze de té rustige en dus té 'lieve' soldaten aangejaagd hebben. Herr slaagt erin de verschrikkingen, maar ook de schoonheid, in de ogen te kijken, de strijdlust en het uniform waarin je er voor de meisjes thuis moediger en sterker uitziet dan je eigenlijk bent.

Herr is er niet in geïnteresseerd een geheime geschiedenis te reconstrueren. Hij wil vertellen wat er zich onder onze ogen heeft afgespeeld, maar wat door geen mens te beschrijven valt. Dát Vietnam is mede dankzij Michael Herr de oorlog geworden die niet is verloren door toedoen van de kogels of de guerilla's van de Vietcong, maar vooral doordat erover werd verteld. Het werkelijke verhaal van die oorlog vertellen is als het vernietigen van elk argument dat tot het conflict had geleid, en als het aangeven van de grens vanwaar een mens ophoudt mens te zijn en de soldaten alleen nog kunnen overleven door elkaar te helpen. Vietnam, Vietnam. Eigenlijk waren we er allemaal.

Deze dag behoort voor altijd aan jullie toe

Alles is je al bekend. Dat wil zeggen, als je de slag om Thermopylae kent en als je gewapende conflicten tussen mensen altijd bezien hebt vanuit de geschiedenis van de driehonderd Spartaanse hoplieten, die zich in 480 voor Christus verzetten tegen de veroveringsstrategieën van het Perzische Rijk. Leonidas en zijn driehonderd mannen, gekozen uit zijn arsenaal van beste strijders, allemaal (of bijna allemaal) met zonen die voor hen het nageslacht veilig konden stellen. Op de nauwe bergpas bij Thermopylae boden zij verzet aan het grootste leger uit de hele wereldgeschiedenis, hopend dat ze de Griekse legers uit andere steden zo genoeg tijd konden geven zich te organiseren, en wetend dat de dood erop zou volgen.

300 is gebaseerd op de comic van Frank Miller. De strip is een juweeltje. Een meesterwerk dat tot de grote literatuur gerekend mag worden. Het wordt ook wel een 'graphic novel' genoemd, de naam voor deze nieuwe manier van verhaal schrijven met woorden en tekeningen waarvoor de term 'strip' te min is. Miller vertelt over een botsing tussen werelden en culturen die geografisch en qua handel heel dicht bij elkaar liggen, maar toch mijlenver van elkaar verwijderd zijn. Zoals altijd is het hoofdthema de strijd tussen goed en kwaad, tussen vrijheid en slavernij, eer en verraad, zich aanpassen of zich opofferen. Frank Miller heeft zijn eigen Leonidas gecreëerd, zoals hij ook zijn superhelden Batman en Daredevil creëerde, en het Perzië van Xerxes is een klassiek, oprukkend Sin City. De eeuwige strijd tussen goed en kwaad, de vijand zoals altijd supermachtig, maar corrupt; supermachtig, want corrupt, maar ook zwak, want corrupt.

De primaire indeling in goed en kwaad levert een wirwar van wegen op. Het verhaal is een epos omdat het bol staat van waarden en normen, legenden, mythen, ijdelheden, morele wetten, gewetensvragen, pesonages van vlees en bloed met wie iedereen zich kan vereenzelvigen en die je de zin van je dagelijkse leven duidelijk maken, omdat je je door hun toedoen verbonden voelt met een gemeenschap. Of je zet je er voor eeuwig tegen af. Dit alles vind je in de geschiedenis van *300*. De hoplieten die zichzelf opofferen om te voorkomen dat de tirannie over Griekenland zal heersen, vertegenwoordigen in de overlevering een op zichzelf staand moment in de geschiedenis, terwijl het er tegelijkertijd een onderdeel van is. Het wordt een legendarische geschiedenis. De geschiedenisfeiten waarover wordt verteld vormen de basis van een beeld van een kosmogonie over het ontstaan van waarden en normen. 'Spartanen, deze dag behoort voor altijd aan jullie toe,' brengt Leonidas zijn hoplieten in herinnering.

In het verhaal over de slag bij Thermopylae vind je aanknopingspunten om het leven mee te verklaren, te begrijpen, samen te vatten. Een epos is een manier om over de geschiedenis te vertellen, het epos is de vervoerder; het perspectief hangt weliswaar af van de verteller door wiens ogen het verhaal gezien wordt, wiens maag het heeft moeten verteren en aan wiens oren het gericht is, maar zo erg is dat niet. Dat is de dialectiek van diverse epische verhalen. In *300* wordt het verhaal verteld vanuit het westerse gezichtspunt, met de blik van Herodotus, vernieuwd en naar eigen inzicht geremodelleerd even vaak als het verhaal verteld is in gedichten, romans, drama, of, zoals hier dus, in film of strip. Hier in het Westen dat steeds westerser wordt.

Amerika is wel de laatste plek waar een geschiedenis van epische omvang kan ontstaan. Epiek bezinkt en ontstaat wanneer er een hechte cohesie bestaat binnen een cultuur en eens te meer wanneer die cultuur bedreigd lijkt te worden. De epiek bevestigt en beschermt de cultuur, zet haar af tegen andere culturen, maar dat kan ook niet anders.

In Europa is de filmindustrie volgens mij weer niet in staat een filmepos te maken waar zo'n kracht van uitgaat. De kracht, de aardsheid, het instinct. Een Italiaan zou het allemaal te veel aan het fascisme doen denken, maar Frank Miller vertaalt de taal van Herodotus in de yankeetaal van de comic met de enorme vrijheid die het beeld hem geeft en slaagt er zo in het verhaal haar epische kracht en geschiedkundige waarde terug te geven. En ook zijn film slaagt hierin.

Wel vreemd: Frank Millers boek wordt als kunst aangemerkt, maar de verfilming ervan niet, terwijl de film meer weg heeft van een stripverhaal dan de echte strip. Het is een spektakelfilm, voorspelbaar, bloederig. Maar zelfs met de middelen en de special effects van een Hollywoodgigant blijft het een ruwe en zelfs lompe film. Hij is van een kleine jongetjeslompheid, want het is propaganda. Het is het product van een gewonde supermacht die probeert een gevaarlijk gezicht op te zetten en die zich niet realiseert dat het in niets lijkt op het Sparta waaraan het zich probeert te spiegelen.

Meeslepend is de film echter wel. Alsof er iemand achter je bioscoopstoel staat en een veer precies ter hoogte van je ingewanden opwindt. Wanneer een boodschapper van Xerxes op weg gaat om koning Leonidas te spreken en Sparta aanbiedt dat het een autonome satrapie van het Perzische rijk kan worden door een belasting in de vorm van aarde en water te betalen, nodigt Leonidas hem uit om naar de put te gaan en te kijken hoeveel water erin zit.

'Dat is godslastering. Niemand heeft ooit een boodschapper bedreigd, het is van de gekken,' sprak de ambassadeur.

Leonidas zet de punt van zijn zwaard tegen de kin van de boodschapper en zegt: 'Gekken? Dit is Sparta.' En hij trapt hem tegen zijn borst de diepte van de put in. Het been van de kijker vliegt nog net niet met dat van Leonidas mee omhoog. Leonidas begaat hier een tactische fout: hij had bloed kunnen sparen, de autonomie van Sparta kunnen behouden en Sparta bondgenoot kunnen maken van het meest stabiele, georganiseerde en vreedzame rijk uit die tijd. Maar zijn beledigende, respectloze trap wordt in het epische verhaal symbool voor de totale afzwering van elke vorm van onderwerping of compromis.

Voordat ze een laatste keer ten strijde trekken roept Leonidas, gespeeld door Gerard Butler, die vreselijk veel weg heeft van de mannen op een Griekse vaasschildering: 'Spartanen, maakt het ontbijt klaar en eet zoveel je kunt, want vanavond eten we in de Hades.'

300 is een jubeldans van geweld, van afgehakte hoofden, loshangende, doorgesneden nekken met uit sleutelbenen stekende messen. Maar misschien ligt ook dit beeld dichter bij de geschiedkundige waarheid dan dat het trouw is aan de wetten van de pulpfictie. Als je de honderden lijken ziet van de Onsterfelijken, de garde van de koning der koningen, keizer van Perzië, die stuklopen op de schilden van de falanx van hoplieten, wier lansen zich in hun buiken boren, de doorkliefde lichamen, de van de botten gescheurde spieren en de uitgerukte ogen, is het onmogelijk de parallel over het hoofd te zien met het werk van Lucanus, volgens mij een van de grootste oorlogsschrijvers aller tijden. In zijn *Bellum Civile* beschrijft hij hoe de soldaten op de strijdvelden verdronken in het bloed, hoe hun bloed de aarde doordrenkte. De strijders bezweken pas als elke druppel bloed uit hun lichaam was weggevloeid. In stukken gereten en doorboord liepen ze leeg. Ook in de film verdrinken de strijders in het bloed en stapelen de lichamen zich op tot muren van doden. Je kunt de stank van zoveel dood en in de modder van Grieks en Perzisch bloed geweekt vlees haast ruiken.

De kijker heeft nergens last van, terwijl de classicus zich opvreet van ergernis over de handgrepen van het zwaard, de sierrand van de dolk, het weefsel en de motieven van de stoffen, de ongelijkmatige wonden op de gezichten van de koningen en op de helmen van de hoplieten, die historisch onjuist zijn. Maar *300* is zeker een film die tot de verbeelding spreekt, die een beeld schept. Dit beeld, geholpen door de comic van Frank Miller, is in werkelijkheid geïnspireerd op de nauwe bestudering van historische bronnen en op scènes van Griekse vaasschilderingen. De film is bijzonder trouw aan de geschiedenis en de legende. De hoofddeksels van de Perzische soldaten, de helmen en de schilden en zelfs de scènes waarin de verschillende etniciteiten binnen het leger van Xerxes een rol spelen – van hoplieten tot Indiërs, van Mesopotamiërs tot

Libiërs – voegen een nieuw modern element toe aan de historische werkelijkheid, aan de epiek van de slag bij Thermopylae. Het is in de film ook gelukt voor het eerst iets in beeld te vangen wat tot dan toe nog nooit was verfilmd en wat zelfs in de oudheid moeilijk te bevatten was: de *agoge*, de Spartaanse opvoeding van de jongelingen tot staatsburger en militair en waarvan zij ofwel terugkeerden als strijder, of helemaal niet. De film begint met de draconische openingszin: 'Zodra hij kon staan, werd hij ingewijd in het vuur van de strijd.'

Op zevenjarige leeftijd werden Spartaanse jongetjes bij hun familie weggehaald en in bendes ingedeeld; hun opvoeders moesten hen niet alleen fysiek trainen, de Spartaanse opvoeding was er vooral op gericht dat zij ontberingen en pijn leerden verdragen. De jongens droegen zowel 's zomers als 's winters dezelfde lendendoek, liepen met ontbloot hoofd en blootsvoets, ze werden op rantsoen gesteld en uit stelen gestuurd als ze hun honger niet hadden kunnen stillen. Maar als ze daarbij gesnapt werden, volgde een zware straf, niet voor het stelen, maar omdat het niet gelukt was het ongezien te doen. Ze sliepen op stro en eens per jaar kregen ze tot bloedens toe met de zweep.

De agoge van Leonidas eindigt wanneer hij een wolf doodt, een enorm beest van haast mythologische proporties, die al zijn woestheid op de koning leek af te willen reageren. In *300* komen nog wel meer monsters voor die rechtstreeks uit *Lord of the Rings* van Peter Jackson afkomstig lijken, tolkieniaanse orks en trollen. En verder, Herodotus, die zich constant opwindt over de omvang van het vijandelijke leger waarover gezegd wordt dat het de rivieren deed opdrogen wanneer de soldaten hun dorst lesten, schildert het af als zo onmetelijk groot dat het inderdaad één enorm monsterlijk beest lijkt. De hommage aan *Gladiator* lijkt me duidelijk. Graanvelden, warme filters, want in de Amerikaanse epic film moet, juist vanwege die epiek, alles kloppen; eerst *Gladiator* en toen *Troy* en *Alexander*. Regisseur Zack Snyder lijkt de kant van de Spartanen te hebben gekozen, als een scholier die besluit voor wie hij is, voor de Spartanen of voor de Atheners. Zijn jongenshart kiest partij, maar schrikt vervolgens haast van de reacties van de Iraanse diplomatie. Het was Ahmadinejad in het verkeerde keelgat geschoten hoe de Perzen soms werden afgeschilderd. Te wreed, te veel als slavendrijvers, te vrouwelijk zelfs. Het is waar, in de film wordt niet gerept over het feit dat Athene en Sparta, telkens wanneer zij om een tactiek verlegen zaten om hun vijand mee te vernietigen, Perzië er als een politieke partner bij haalden. En ook niet dat Perzië een van de vreedzaamste rijken uit de menselijke geschiedenis was. Het is een film over Thermopylae. En eigenlijk zouden de dood en het hoogste offer als enige weg naar de heerlijkheid Ahmadinejad juist aan het hart moeten gaan en hem wellicht aanmoedigen om te begrijpen dat er achter de geschiedenis van de driehonderd hoplieten zoveel meer zit om je aan te spiegelen, dan alleen het schitterende goud van Xerxes en zijn Perzen.

De beelden van al die lijven zijn een constante verwijzing naar de opoffering, al vanaf het begin wanneer Leonidas met zijn driehonderd mannen richting Thermopylae oprukt en de rode capes van de Spartanen één grote stroom bloed lijken. Op een gegeven moment roept een van de mannen uit de voorhoede van Xerxes, een man met een Palestijns gezicht, een baard en een donkere huid, uit: 'Onze pijlen zullen de zon verduisteren,' en een Spartaan antwoordt: 'Dan zullen we in het donker vechten.' En ze lieten een pijlenregen afdalen op de driehonderd hoplieten van Leonidas, die enkel hun schilden hadden ter bescherming. Wondermooie scènes waarin de kusten van Klein-Azië wemelen van de soldaten. Beelden van drastisch ingekorte veldslagen en landschappen wisselen elkaar af en worden onderbroken door de woorden die veelal aan Herodotus zijn ontleend, maar ook aan allerlei andere bronnen. 'Spartanen! Geef jullie over en leg de wapens neer.' 'Perzen! Komt ze halen.' Deze zin zoemt na in de oren van iedereen die het verzoek krijgt zijn wapens af te leggen in het aanzien van de vijand. Van Casavatore tot Caracas. De Spartanen van Leonidas kunnen zich trouwens helemaal niet terugtrekken. De Spartaanse militaire code, noch de inborst van de soldaten, voorziet daarin. Sparta neemt geen krijgsgevangenen, het kent geen medelijden en geen terugtrekken uit de strijd.

Leonidas ontmoet Xerxes. Hij is ontzettend lang, minstens twee keer zo lang als Leonidas en zetelt op een prachtige troon met aan beide zijden een massieve leeuw met daarachter twee gouden stieren. Xerxes probeert Leonidas te overtuigen zijn mannen erdoor te laten: 'Denk je eens in welk een vreselijk lot mijn vijanden wacht, als ik zelfs mijn eigen mannen met plezier dood als dat mij de overwinning zou kunnen brengen.' En Leonidas antwoordt: 'En ik zou sterven voor ieder van mijn soldaten.' Het komt tot een treffen van de twee legerleiders met hun verschillende visies van de twee verschillende legers. Mannen in dienst van een god-koning tegen strijders die worden aangevoerd door een strijdlustige koning. Wanneer de Onsterfelijken – de garde van Xerxes – aan de spies worden geregen, loopt de man die zich een god voelt een wel heel menselijke rilling over de rug. Want de Spartanen hebben geen eigen schrift of munt, ze hebben geen Perzische bibliotheken, geen Mesopotamische astrologen, geen geometrieën of miljoenen onderworpen volkeren. Maar ze denken aan het verhaal. En Leonidas weet dat er zonder verhaal niets van hun offer overblijft.

Een van de driehonderd mannen die aan een oog gewond is geraakt, wordt gevraagd om in Sparta zijn verhaal te gaan vertellen. Delio vertelt zijn verhaal, een groots verhaal dat gaat over overwinnen. Ook al gaat het over het wreedste bloedbad aller bloedbaden. En of het nou komt door de special effects of door de verhalen waarmee je van kinds af aan gevoed bent, maar aan het einde van de film overvalt je een vreemde drang. De drang om je kind bij de hand te nemen, als je een kind hebt. Of anders om op straat een willekeurig jochie aan te klampen, het bij de arm te nemen en mee te tronen naar een uithoek waar Italië nog Magna Graecia is, naar de tempel van Poseidon in Paestum, of naar Pozzuoli naar de tempel van Serapide, of naar zee waar aan de horizon de tempel van Selinunte op Sicilië gloort. En je vertelt hem over de slag bij Thermopylae en hoe de driehonderd Spartanen, driehonderd vrije mannen, tegen een immens slavenleger vochten. En je zou zijn hoofd tussen je handen willen nemen om hem de woorden van Leonidas toe te schreeuwen, zodat hij ze nooit zal vergeten: 'De wereld zal weten dat vrije mannen zich hebben verzet tegen een tiran, dat weinigen zich hebben verzet tegen velen, en dat zelfs een god-koning bloeden kan.' Niets ten nadele van Ahmadinejad.

Het Noorden

De geesten van de Nobelprijswinnaars

Van een uitnodiging voor de Svenska Akademien, de academie in Stockholm die sinds 1901 jaarlijks de Nobelprijzen toewijst, word je toch een beetje zenuwachtig: je kunt met geen mogelijkheid de gedachte uitbannen dat je ontvangen wordt in het ultieme heiligdom van de literatuur. Maar wanneer ik in Stockholm aankom, staat me een verrassing te wachten. Alles is met sneeuw bedekt. Hooguit drie keer in mijn hele leven heb ik sneeuw aangeraakt.

Op het vliegveld is iedereen zenuwachtig vanwege de sneeuwstorm, maar mij bezorgt het uitstappen in al dat wit een gevoel van kinderlijke blijdschap, ook al is het ijzig koud en blijkt mijn jas, die goed is voor de mediterrane winters, in Zweden vrijwel nutteloos te zijn. Zodra ik in de academie arriveer, krijg ik allereerst de regels te horen: die zijn streng en je kunt er niet onderuit. Je moet een net pak aan en alles wat je doet moet overlegd worden. De academici worden voor het leven benoemd, achttien leden die ik me voorstel als ultieme hogepriesters die de toekomst der letteren voorspellen: vereerd, gehaat, tot mythen gemaakt, gekleineerd, uitgelachen vanwege hun macht, door de hele wereld in de ogen gekeken. Ik kan me geen voorstelling van ze maken. In de gereserveerde zaal ontmoet ik de eerste twee: een oudere man die zijn schoenen heeft uitgedaan en een mevrouw die hem probeert te helpen die weer aan te trekken. Met natuurlijke elegantie schudt hij mij de hand en zegt dan: 'Uw boek heeft mijn hart geraakt.' Ik begrijp al snel dat men in Zweden heel sterk let op wat er elders gebeurt; wellicht sterker dan de rest van de wereld eigent het land zich de tegenstrijdigheden van andere landen toe. Enkele academici stellen me vragen over Italië, maar op een manier die ik niet had verwacht. Werkelijk iedereen vraagt me naar Dario Fo, hoe hij het maakt en waar hij mee bezig is, en ten slotte drukken ze me op het hart hem hun groeten over te brengen, alsof ze ervan uitgaan dat we elkaar regelmatig zien.

En dan vragen ze me hoe er bij ons gedacht wordt over Giorgio La Pira, de legendarische burgemeester van Florence in de jaren vijftig, en ook over Danilo Dolci, Lelio Basso, Gaetano Salvemini en Ernesto Rossi. Een door de Italianen vergeten Italië, dat ze zich hier niet alleen herinneren maar zelfs beschouwen als het enige wat de moeite van het herinneren waard is. Een man komt dichterbij om me een microfoontje op te doen, hij praat Italiaans tegen me en ik reageer verbaasd: 'Waarom bent u verbaasd? U bent hier bij de Nobelprijzen, waar we alle talen van de wereld spreken.'

Salman Rushdie wacht al in het gereserveerde zaaltje. We omhelzen elkaar. Zijn welwillendheid jegens mij sinds onze eerste ontmoeting is kenmerkend voor iemand die niet vergeten is wat hij heeft doorgemaakt. Hij wil mij iets doorgeven van wat hij uit eigen ervaring heeft geleerd, hij wil misschien dat ik minder moeite hoef te doen om weer wat flarden van mijn vrijheid in handen te krijgen, maar voor mij is het al waardevol te beseffen dat ik niet alleen sta met deze ervaring. Het lijkt ongelooflijk. Toen hij zijn veroordeling ontving, was ik een kind, ik zat net op de basisschool. De fatwa tegen hem door Khomeini en mijn bedreigingen door de camorra hebben een totaal verschillende achtergrond, maar de consequenties voor onze levens, de weerslag op ons schrijversleven is uiteindelijk praktisch identiek. De last van het opgesloten zijn, die niemand helemaal kan bevatten, de voortdurende spanning, de eenzaamheid, het oplopen tegen wantrouwen dat kan ontaarden in laster en wat het meeste pijn doet omdat het zo onrechtvaardig is en je dat het minst verdraagt. Bij alles wat Rushdie in zijn toespraak zal zeggen over de moeilijkheden om een straat over te steken, een vliegtuig te nemen, een huis te vinden, en alles wat een leven als onderduiker onmogelijk maakt, denk ik: Het is waar, het is echt zo.

We bespreken hoe we de bijeenkomst zullen organiseren. Ook hierbij gelden strikte regels. Nadat ze me verzocht hebben naar voren te komen moet ik mijn toespraak houden, niet te lang blijven staan om eventueel applaus in ontvangst te nemen maar snel weer gaan zitten. Daarna is het Rushdies beurt en dan volgt er een discussie. Na afloop mogen we niemand de hand schudden en evenmin boeken signeren, we moeten door de zaal naar buiten gaan. Wanneer alles duidelijk is, gaan we de zaal van de academie binnen. Ik had me die totaal anders voorgesteld: een enorm, weelderig theater, een overweldigende zaal en podium. Zoals elke mythe blijkt het echter precies het tegenovergestelde te zijn. Een zinnenstrelende, elegante houten zaal, maar intiem, ingetogen. In het midden is er een soort omheining waar de gasten zitten, de uitgevers, de familieleden, de permanente secretaris van de academie, Horace Engdahl, plus enkele uitverkoren journalisten.

Tijdens de openingsrede van Engdahl voel ik me zo ongeveer als toen ik mijn doctoraalscriptie moest verdedigen. Alles wat je hebt voorbereid verdwijnt. Je merkt alleen maar dat je hoofd leeg is, je hart een lastige prop in je borst is, je keel droog aanvoelt. Ik houd me vast aan de toespraken van enkele schrijvers die de Nobelprijs hebben gekregen op ditzelfde podium dat ook ik nu gauw zal moeten betreden voor mijn toespraak. Wisława Szymborska vertelde in 1966 over de kracht van zowel de wetenschap als de poëzie om de grenzen van de wereld te verleggen. Isaac Newton zou nooit de wet van de zwaartekracht hebben ontdekt toen hij een appel uit een boom zag vallen, en Marie Curie zou een respectabele scheikundelerares zijn gebleven, als ze niet geobsedeerd waren geweest door een zinnetje van slechts een paar woorden: 'Ik weet het niet.'

Ook de dichter moet voortdurend bij zichzelf herhalen: 'Ik weet het niet,' zei Szymborska. 'Wat we ook van de wereld vinden, geschrokken als we zijn door zijn onmetelijkheid en door onze machteloosheid daarbij, en verbitterd door zijn onverschilligheid voor individueel lijden, wat we ook vinden van zijn door stralende sterren bevolkte heelal – hij is verbazingwekkend. Maar achter de definitie "verbazingwekkend" verbergt zich een soort logische hinderlaag. Wij zijn nu eenmaal verbaasd door wat afwijkt van onverschillig welke bekende en algemeen aanvaarde norm, van een zekere vanzelfsprekendheid waaraan we gewend zijn. Nou, zo'n vanzelfsprekende wereld bestaat helemaal niet.'

Ik denk aan het leven van deze tengere vrouw die de bezetting en de oorlog in Polen heeft doorgemaakt, die haar vaderland een satelliet heeft zien worden van het sovjetrijk en dat laatste vervolgens heeft zien ineenstorten. Ik denk aan haar woorden die in staat zijn om de sterrenruimte te verbinden met de taal van haar poëzie, 'waarin elk woord gewicht heeft, er niets gewoons en normaals meer is. Geen enkele steen en geen enkele wolk daarop. Geen enkele dag en geen enkele nacht die erop volgt. En bovenal geen enkel bestaan, van niemand in deze wereld'.

Ik voel dat haar woorden zich in die zaal hebben neergevleid, dat het hout doortrokken is van de toespraken van alle Nobelprijswinnaars, van Saramago, Kertész, Pamuk, Szymborska, Heaney, Márquez, Hemingway, Faulkner, Eliot, Montale, Quasimodo, Solzjenitsyn, Singer, Hamsun, Camus. Ik som in mijn hoofd degenen op die ik me herinner, degenen die ik het beste ken en van wie ik het meeste houd, het lijkt wel of mijn hoofd tolt, het duizelt me. Waar zal Pablo Neruda zijn handen gelaten hebben op dat podiumpje? Zal Pirandello zijn blik hebben gericht op zijn aantekeningen of zal hij de academici aangekeken hebben? Zal Samuel Beckett geglimlacht hebben of onverstoorbaar zijn gebleven? Wie dacht Elias Canetti toe te spreken, de wereld of alleen een zaal? Zal Thomas Mann, terwijl hij hier was, de tragedie hebben voorvoeld die een paar jaar later zijn eigen Duitsland zou doormaken?

Ik probeer diep in te ademen, enerzijds om te kalmeren, anderzijds om te doen wat je doet wanneer je als kind mee naar zee wordt genomen en je te horen krijgt dat de fikse hoeveelheid jodium die je op het strand inademt, je kan beschermen tegen griep en winterse slijmhoest. Zo probeer ik het sediment in te ademen van al degenen die in deze zaal zijn geweest, in de hoop dat ook zij mij zullen helpen bestand te zijn tegen de winter. Het is mijn beurt. Ik stap het zo gevreesde podium op. Ik zou heel veel willen zeggen, meer voorbeelden willen aan-voeren van mensen die vandaag amper vrijheid van meningsuiting hebben en van mensen die leven onder bedreigingen omdat de criminele machthebbers last van ze hebben: schrijvers en journalisten, van Mexico, waar de narco's Candelario Pérez Pérez hebben omgebracht, tot Bulgarije, waar de schrijver Georgi Stoev is vermoord.

Ze hebben me echter gezegd dat ik niet te veel hooi op mijn vork moet nemen, niet te lang aan het woord mag zijn, en dus concentreer ik me op wat voor mij de belangrijkste ervaring blijft. Literatuur en macht, het schrijven dat pas gevaarlijk wordt dankzij het gevaarlijkste dat er bestaat: de lezer. Ik leg uit hoe in democratieën niet de woorden op zich de machthebbers angst aanjagen, maar wel die woorden die in staat zijn een muur van stilte te slechten. Ik spreek mijn vertrouwen uit in de literatuur die eenieder kan meevoeren naar de plekken van de onvoorstelbaarste verschrikkingen, naar Auschwitz met Primo Levi, naar de goelags met Varlam Šalamov, en ik noem Anna Politkovskaja die haar vermogen om Tsjetsjenië een plek te geven in het hart en de geest van lezers over de hele wereld met de dood heeft moeten bekopen. Het verschil tussen Rushdie en mij is, dat hij is veroordeeld door een regime dat geen enkele uiting tolereert die strijdig is met zijn ideologie; terwijl waar er geen censuur bestaat, daarvoor in de plaats onachtzaamheid komt en onverschilligheid, de ruis van de langsstromende stortvloed aan informatie die niet het vermogen heeft invloed uit te oefenen.

Soms heb ik de indruk dat ze mij zien als iemand afkomstig uit een land dat te vaak en ten onrechte als abnormaal wordt beschouwd. Maar wat ik zeg heeft niet alleen met het door de maffia onderdrukte Zuid-Italië te maken, en evenmin met Italië an sich. Hoewel dit voor mij vanzelfsprekend is, vrees ik dat, zonder naar mijn toestand te verwijzen, het beeld voor velen niet even helder is. Terwijl ze het betreuren dat ze in de westerse maatschappij geen belangrijke rol meer spelen, blijven veel intellectuelen succes wantrouwen of minachten, alsof dat automatisch afbreuk doet aan de waarde van een werk, alsof dat alleen maar het resultaat kan zijn van de beïnvloedingsmechanismen van de markt en van de media, alsof het onmogelijk is te denken dat het publiek aan wie het succes te danken is, géén kritiekloze massa is. Vooral ten opzichte van dit laatste begaan ze een enorme fout, want net zo min als boeken allemaal gelijk zijn, zijn lezers dat. Of lezers zich willen vermaken of inzicht willen vergaren, of ze in de ban raken van de meest onbegrensde fantasie of van het verhaal van een bijzonder pijnlijke, moeilijke werkelijkheid, of ze zelfs op verschillende momenten dezelfde persoon zijn: ze zijn in staat om te kiezen en onderscheid te maken. En als een schrijver dit niet beseft, als hij niet meer gelooft dat het bericht dat hij op goed geluk de wereld instuurt belandt bij iemand die bereid is naar hem te luisteren, en hij het opgeeft, geeft hij niet het schrijven en publiceren op, maar gelooft hij niet meer dat zijn woorden een boodschap kunnen overbrengen en invloed kunnen hebben. Dan doet hij niet alleen zichzelf tekort, maar ook al degenen die hem zijn voorgegaan.

Wanneer Salman het woord neemt, herinnert hij ons eraan dat literatuur ontstaat uit iets wat overeenkomt met de menselijke natuur: uit de behoefte om verhalen te vertellen, want het is dankzij de vertelling dat mensen zich blootgeven tegenover zichzelf. Daarom is een mensheid alleen vrij als zij over zichzelf kan vertellen zoals zij wil. Rushdie heeft nooit iets anders willen zijn dan een wever van verhalen, een ongebonden romanschrijver. Wat hem het meest raakt, is niet het vonnis van een ideologie die hem niet kon tolereren, maar de kwaadsprekerij van wie, uitgerekend in de vrije wereld, wilde doen geloven dat zijn streven niet slechts daaruit bestond, maar dat hij gedreven werd door bijbedoelingen als geld, carrière, roem.

Ik krijg een brok in mijn keel. Ik denk aan de tien jaar waarin Rushdie heeft moeten onderduiken en aan hoe hij het klaargespeeld heeft om niet gek te worden. Ik denk dat alleen wie een heel beschut en rustig leven lijdt, zich een ruil kan voorstellen tussen de schaduw van de dood en de vrijheid. Maar Salman gaat door zonder een spier te vertrekken, hij beëindigt zijn toespraak en we gaan over tot het laatste gedeelte: de discussie.

Aan het eind, wanneer we opstaan en het applaus van het publiek en van de academici in ontvangst nemen, krijgen we bloemen overhandigd. Ik denk dat de jongens van de beveiliging mij ermee zullen plagen, omdat zoiets bij ons beschouwd wordt als een meidending. We dineren in een zaal waarin alle prijswinnaars zijn geweest. Ze vertellen ons dat we de kok van de koningin hebben, maar ik kan het eten desondanks amper door mijn keel krijgen, tot het moment dat er een overvloed aan kaneelijs met gekarameliseerde appels arriveert.

Het diner is afgelopen. Volgens de etiquette mag niemand eerder dan de voorzitter van tafel opstaan. We lopen weer door de zaal van de prijsuitreiking. De houten zaal is leeg. De lichten zijn sterk gedimd. Rushdie zegt me, nu zonder de ironie van zijn toespraak in het openbaar: 'Blijf vertrouwen hebben in het woord, hoe ver de veroordelingen en de beschuldigingen ook gaan. Ze zullen je er de schuld van geven dat je het hebt overleefd en niet bent doodgegaan zoals de bedoeling was. Trek het je niet aan. Leef en schrijf. De woorden overwinnen.' We klimmen op de podiumvloer en laten met onze mobieltjes foto's van ons maken. Lachend en elkaar omhelzend als jochies die tijdens een uitstapje over de omheining zijn geklommen en spelen dat ze Perikles in het Parthenon zijn. We worden geroepen, we moeten naar buiten, koffie gaan drinken, iedereen groeten en weggaan.

De lichten gaan uit en ik blijf daar staan, in het donker. En plotseling, als een snelle decompressie, wervelt alles razendsnel aan me voorbij. Alle dagen die ik doorbracht in een kamer, mijn knokkels tegen de wanden gedrukt, iedereen wantrouwend, het gevoel dat iedereen liegt en bedriegt. De beledigingen, de beschuldigingen: te veel voor het voetlicht, te weinig voor het voetlicht, alles is vals, alles is verzonnen, degenen die schaamteloos zeggen: je had je mond moeten houden, dat komt ervan, je bent uitgekookt, zeur niet, er zijn er zoveel die in dezelfde omstandigheden leven, het is je eigen schuld, je bent een vedette, je bent een eikel, je bent een schoft, je bent een na-aper. Leuzen op muren, gespuug op straat, en al die mensen die bij het eerste het beste probleem de benen hebben genomen, je vrienden die, terwijl ze met hun Playstation spelen, er als de kippen bij zijn om je afwezigheid te veroordelen, hun laksheid die ze rechtvaardigen met het feit dat ze geen vaste baan hebben. Maar dan denk ik aan alle meelevende woorden, aan alle uitnodigingen om te komen eten die ik niet heb kunnen aannemen, aan de oude vrouwtjes die kaarsjes opsteken bij Sint-Antonius om me te beschermen, de handtekeningen, de omhelzingen en de tranen, de lezingen op straat, de internationale pers, en de schrijvers uit de hele wereld die me hebben willen verdedigen, onder wie ook degenen die hier de Nobelprijs in ontvangst hebben genomen. En daar in het duister probeer ik met volle teugen die geur van vocht en hout in te ademen waarin de aanwezigheid lijkt te zijn opgeslagen van iedereen die in die zaal is bekroond.

'Persoonlijk kan ik niet leven zonder mijn kunst. Maar ik heb haar nooit boven alles gesteld. Integendeel, ik heb haar nodig om mij niet te vervreemden van mijn soortgenoten en daardoor kan ik leven zoals ik ben, op hetzelfde niveau als iedereen. In mijn ogen is kunst niet iets wat in eenzaamheid moet worden genoten. Het is een middel om zo veel mogelijk mensen wakker te schudden en hun een bevoorrecht beeld te bieden van gemeenschappelijk leed en vreugde. Zij dwingt dus de kunstenaar om zich niet af te zonderen. Zij maakt hem ondergeschikt aan de nederigste en meest universele waarheid. En wie voor een toekomst als kunstenaar heeft gekozen omdat hij zich anders voelde, zal vaak algauw leren dat hij zijn kunst en het feit dat hij anders is alleen kan voeden, als hij zijn gelijkenis met iedereen toegeeft. Niemand van ons is groot genoeg voor een dergelijke roeping. Maar een schrijver kan in alle omstandigheden van zijn eigen leven, of hij nu onbekend of tijdelijk beroemd is, gebonden door de boeien van tirannie of tijdelijk vrij om te spreken, het medeleven van een levende gemeenschap ervaren die hem zal verdedigen, met als enige voorwaarde dat hij zo veel mogelijk de twee opdrachten aanvaardt die de grootheid van zijn beroep vormen: ten dienste staan van de waarheid en van de vrijheid.'

Het lijkt alsof ik hem bijna kan aanraken, Albert Camus, die deze woorden uitsprak in 1957, drie jaar voordat hij omkwam bij een verkeersongeval. En ik wil hem graag bedanken, ik wil hem graag zeggen dat wat hij destijds zei nog steeds waar is. Dat woorden schokken en verenigen. Dat ze alles overwinnen. Dat ze blijven leven.

Toespraak voor de Zweedse Academie

Het is voor mij uiteraard spannend om hier te zijn en deze uitnodiging te hebben mogen ontvangen. Toen ik hoorde dat ik gevraagd was om samen met Salman Rushdie over onze situatie en ons schrijverschap te komen praten, realiseerde ik me dat dit de ware bescherming is voor mijn woorden.

Ik vraag me af of het hier in Zweden misschien moeilijker zal zijn om antwoord te geven op de vraag waarom een boek een criminele organisatie angst kan aanjagen. Waarom brengt literatuur een criminele organisatie in de problemen die kan beschikken over vele honderden mensen en over miljarden euro's?

Het antwoord is simpel: literatuur jaagt de criminaliteit angst aan als het mechanisme ervan wordt onthuld, maar op een andere manier dan in het nieuws gebeurt. Zij jaagt angst aan wanneer die onthulling de lezers in het hart, in de maag, in het hoofd raakt.

Totalitaire regimes zijn geneigd elk hun onwelgevallig werk inclusief de schrijver ervan te veroordelen en aan de kaak te stellen. Alleen al het schrijven van een boek, alleen al het schrijven van een gedicht, alleen al het schrijven van een artikel is voldoende reden om aangevallen te worden. Dat is niet zo in de westerse maatschappij, waar je kunt schrijven wat je wilt, waar je kunt schreeuwen, waar je kunt creëren wat je wilt. Het wordt pas een probleem wanneer je het stilzwijgen doorbreekt en daarmee velen bereikt. Op dat moment word je in de westerse maatschappij een doelwit.

Van *Is dit een mens,* het meesterwerk van Primo Levi, werd eens gezegd dat na dat boek niemand meer kon zeggen dat hij niet in Auschwitz was geweest: niet dat men Auschwitz niet kende, maar dat men er niet geweest was. Het boek nam iedereen er onmiddellijk mee naartoe, naar die plaatsen. Welnu, wat een criminele organisatie het meest vreest, wat machthebbers het meest vrezen is uitgerekend dit: dat alle lezers die macht als hun eigen probleem zien, dat ze de dynamiek van de macht zien als iets waar ze zelf bij betrokken zijn. Dat is gebeurd bij Anna Politkovskaja: velen hadden al over Tsjetsjenië verteld, maar zij maakte van Tsjetsjenië een internationaal probleem. Via haar geschriften maakte ze de hele wereld deelgenoot van een bijzonder probleem.

Wanneer je door de carabinieri gebeld wordt en ze je vertellen dat je leven voor altijd zal veranderen, of wanneer een spijtoptant je het exacte tijdstip van je executie, van je dood onthult, kan dat vreemd lijken, maar je hebt niet meteen het gevoel dat jou iets onrechtvaardigs, iets wat verkeerd is, wordt aangedaan. Je eerste vraag is: 'Wat heb ik gedaan?' Je begint je woorden te haten, je begint te haten wat je geschreven hebt, want wat je hebt geschreven zal dan misschien wel een grote reikwijdte hebben, maar het heeft je ook de vrijheid ontnomen om te lopen, te praten, te leven. Dit alles veroorzaakt een gevoel van vervreemding. Ergens voelt de schrijver – ik spreek uit eigen ervaring – dat zijn woorden niet meer de zijne zijn, maar dat ze de woorden van velen zijn geworden, en dat is het echte gevaar. Jij bent echter degene die ervoor moet boeten, jij alleen moet ervoor boeten.

De magie van literatuur, dat wat literatuur teweeg kan brengen, blijkt vaak in extreme situaties, zoals inderdaad, wanneer je je vrijheid verliest om wat je hebt geschreven.

Ik denk vaak aan Varlam Sjalamov. Varlam Sjalamov heeft een meesterwerk geschreven, *Verhalen uit Kolyma*, en dit boek is, hoe moet ik het zeggen, niet alleen een formidabel document over de goelags en de sovjetonderdrukking, maar ook over het hele mens-zijn. Paradoxaal genoeg, en ik bedoel dit niet ironisch, is het juist de literatuur, wanneer die niet uitsluitend de kale feiten over machthebbers vertelt, maar die feitelijke gebeurtenissen transformeert in een geschiedenis van het mens-zijn, die de machthebbers angst aanjaagt, die ook de criminele machthebbers angst aanjaagt. Er is geen Napels meer, er is geen Moskou meer, er is geen Tsjetsjenië meer: deze verhalen zijn echt en vertellen hoe het in de wereld toegaat, en dus kan de wereld de ogen er niet voor sluiten en ze niet tegenhouden. Je kunt deze beweging, deze informatiestroom niet meer tegenhouden: want je kunt wel de schrijver tegenhouden, maar deze heeft in de lezer een fundamentele bondgenoot. Zolang de lezer bestaat kunnen de woorden van de schrijver niets overkomen.

Wanneer iemand zich in een situatie als de mijne bevindt – vanaf hier bezien kan het vreemd lijken – is het niet zo dat de meeste beschuldigingen van criminele organisaties afkomstig zijn: die spreken een vonnis uit en dat is het dan. Veel beschuldigingen zijn juist afkomstig van de zogenaamde beschaafde maatschappij. Je wordt ervan beschuldigd een paljas te zijn, iemand die in de belangstelling wil staan, iemand die bewust een risico heeft genomen om maar succes te hebben, iemand die dit allemaal bewust heeft nagejaagd.

Het doet me ook pijn als ze me ervan beschuldigen dat ik mijn land zwartmaak door over de daar aanwezige tegenstrijdigheden te vertellen. Ik ben er echter vast van overtuigd dat vertellen weerstand bieden betekent; vertellen betekent eer betonen aan het gezonde deel van mijn land, het betekent de kans en de hoop op een oplossing. En ik ben ervan overtuigd dat wat iemand vertelt nooit de verantwoordelijkheid van de verteller is. Ik ben niet degene die voor de tegenstrijdigheden heeft gezorgd waarover ik vertel.

De maffiaorganisaties in Italië hebben een omzet van honderd miljard euro per jaar, ze vormen een van de grootste economische machten van Europa, ze investeren overal, ook in Scandinavië. Sinds mijn geboorte hebben ze ongeveer vierduizend mensen in mijn land vermoord, alleen al in mijn land. We hebben het hier over een organisatie die controle uitoefent over de cementbusiness tot aan het broodbakken en de brandstofdistributie toe. Samengesteld uit capi die vaak arts, aannemer of psychoanalyticus zijn, een middenklasse van ondernemers die via de handel in giftig afval Zuid-Italië voor altijd aan het verpesten zijn.

Op een keer waren er in mijn dorp tegen mij gerichte muurleuzen. Dat deed me geen pijn, want ik weet dat publieke figuren dit soort aanvallen hebben te verduren. Maar het is wel moeilijk te geloven dat er nooit leuzen zijn geweest tegen degenen die verantwoordelijk waren voor de toename van kanker in dat gebied, tegen degenen die dat gebied hadden vernield. Ik heb me dan ook vaak afgevraagd: het kan toch niet waar zijn dat een schrijver verantwoordelijk wordt geacht, dat hij schuld heeft omdat hij deze dingen verteld heeft, en dat degene die ze begaan heeft daarvoor niet verantwoordelijk wordt gesteld?

In dit opzicht heeft de schrijver een ontzaglijke verantwoordelijkheid: de verantwoordelijkheid om wat hij vertelt, de verhalen die hij kiest, niet te laten voelen als afstandelijke, verre verhalen. Natuurlijk heb ik het over een speciaal soort literatuur; doordat ik een soort *non-fiction novel* heb geschreven, zoals Truman Capote het noemde, ging het in mijn geval om het vertellen van de werkelijkheid. De taak van de schrijver is om ervoor te zorgen dat die personen, dat bloed, die onschuldige doden iets zijn wat hoort bij de Zweedse, Russische, Chinese lezer, als iets wat nu, op het moment dat hij die pagina's leest, aan het gebeuren is.

Vaak vraagt men mij waarom ik alleen door bloed, alleen door wreedheid word geobsedeerd. In feite is dat niet zo: ik geloof dat iedereen die diep in zijn hart een opvatting heeft over wat schoonheid is, over wat het inhoudt vrij te leven en te beminnen, de stank van het compromis, de corruptie, de verwoesting van zijn eigen land niet verdraagt.

Daarom haal ik graag de woorden van Albert Camus aan: 'Schoonheid bestaat en de hel bestaat, ik zou het liefst – zoveel ik kan – trouw blijven aan beide.'

Horace Engdahl (secretaris van de Academie)
Ik wil u allebei bedanken en ik denk dat we een prachtige inleiding tot ons thema hebben: zoals Salman Rushdie heeft opgemerkt, op twee niveaus – dat van de ideeën en dat van de praktische weerslag.

Ik weet niet bij welk van beide niveaus ik moet beginnen, maar laten we bovenaan beginnen, bij de eeuwige kwestie van de vrijheid van meningsuiting en de persvrijheid.

Geloven jullie – ik vraag het eerst aan Roberto Saviano en daarna aan Salman Rushdie – dat het idee van vrijheid van meningsuiting en onafhankelijkheid van de literatuur terrein aan het winnen is in de huidige wereld of juist terrein verliest?

Roberto Saviano

Ik geloof dat onze waarneming tegenwoordig gevoed wordt door enorm veel communicatiemogelijkheden: vooral via internet, via vrije televisiezenders, door het feit dat verslaggevers bij conflicten met elkaar in verbinding staan in elke uithoek van de wereld, en niet alleen dan. Maar tegenover enerzijds deze enorme mogelijkheden rijst anderzijds ook een probleem, namelijk: wanneer de hoeveelheid informatie zo overweldigend groot is, is het niet meer mogelijk om precies datgene te vinden waardoor je het begrijpt.

Ik geloof dat het grote gevaar vandaag de dag is dat er een enorme, oncontroleerbare massa informatie is en dat het een even groot probleem is hoe die wordt opgepikt. Daarom rust de verantwoordelijkheid en ook het gevaar bij degenen die deze enorme massa kunnen ontwarren en de meest cruciale punten ervan doorgeven.

Zo worden tegenwoordig zeer veel journalisten in Mexico vermoord vanwege hun strijd, met woorden, tegen de drugshandel. In een land waar het vaak heel gemakkelijk is om de politie om te kopen en al net zo gemakkelijk om de pers om te kopen, vormen degenen die vertellen hoe het er in de drugshandel aan toe gaat, de enige referentie om te begrijpen wat er werkelijk gebeurt, en daarmee worden ze heel kwetsbaar.

Ik vind dat intellectuelen in dit geval de verantwoordelijkheid hebben mensen te laten zien dat de grote overvloed van informatie die beschikbaar is – zoals mensen in het Westen vaak denken wanneer ze een krant lezen, een boekhandel binnengaan, een film bekijken – op zichzelf bedrieglijk is. Juist het bewijzen van het tegendeel zou de verantwoordelijkheid van de schrijver moeten zijn: dat veel dingen niet worden verteld, niet alleen omdat er geweld aan te pas komt, maar omdat het voor de mensen onmogelijk is toegang tot het verhaal te krijgen en dat op zich in te laten werken.

Jarenlang gold dat zo voor de maffia: neergezet als een stereotype in het verhaal *The Godfather* van Michael Corleone en in *Scarface*; afgeschilderd als iets glamoureus, iets wilds maar toch ook vreselijk fascinerend, en het publiek wilde het zo en niet anders. Soms wordt de vrijheid van de schrijver dus ook beperkt door zijn publiek.

Horace Engdahl

Ik wil u iets vragen. Ik vind dat u ons heel goed heeft beschreven waarom de literatuur op haar wijze gevaarlijker is dan de journalistiek: ze maakt de wereld die ze schildert en de slachtoffers die ze vertegenwoordigt namelijk zo onverdraaglijk reëel, ze brengt die dichtbij. Wanneer we er in de kranten over lezen of het op tv zien, lijkt het allemaal in een andere wereld, ver weg te gebeuren, bijna op een andere planeet. En het overkomt mensen die totaal niet op ons lijken, zodat we er ietwat geschokt kennis van kunnen nemen en ons er verder niet al te druk over hoeven maken. Maar wanneer dezelfde kwestie onder onze aandacht wordt gebracht door een beeldende schrijver, die het lijden van die slachtoffers voor onze ogen kan laten gebeuren, die ons een van hen laat worden, die ervoor zorgt dat we ons met hen identificeren, verandert alles. Zoals u heeft gezegd gaat het dan niet meer om Tsjetsjenië of Moskou of Napels, maar zijn we daar allemaal om het te zien.

En dat is volgens mij het effect van de getuigenisliteratuur zoals die van Primo Levi: we zijn allemaal samen met hem in het vernietigingskamp. En ik vind het fascinerend dat lieden die onder vuur komen te liggen door een boek als uw *Gomorra* of de *Satanische verzen*, dit kunnen aanvoelen, kunnen aanvoelen dat deze boeken veel gevaarlijker voor hen zijn dan de gewone presentatie van nieuwsfeiten. Ook al lijkt de journalistiek beter aan te sluiten bij de feiten zoals ze zijn, en lijkt ze deze personen met hun neus op de door hen begane misdrijven en acties te drukken, het wordt pas echt gevaarlijk voor hen wanneer een talentvolle schrijver zich belast met het onderwerp en dat verandert in iets wat nú gebeurt, terwijl we het lezen, precies op het moment dat we het boek openen en het voor ons gaat leven.

Denkt u dat de camorra u daarom haat? Omdat u zo goed schrijft?

Roberto Saviano

Het lijkt misschien tegenstrijdig, maar als ik een essay had geschreven, of als ik een roman had geschreven en niet besloten had om deze twee stromen in een enkele bedding te laten samenvloeien, zou ik vast en zeker genegeerd zijn door hun macht, door hun wraakzucht. Want mijn boek heeft de kenmerken van een essay wat betreft data, informatie, afluisteren en onderzoeken, terwijl het de kenmerken van een roman heeft waar het gaat om leesbaarheid, de neiging het hart van de lezer te raken, hem niet te laten ontsnappen maar juist te boeien. Blijkbaar is het literaire schrijven als zodanig gevaarlijk, juist omdat je daarbij, zoals gezegd, iedereen kunt meetrekken in het verhaal dat men aan het lezen is, zodat het ieders eigen verhaal wordt.

En ook op het vlak van de verbeelding denk ik dat literatuur meer invloed heeft.

Ik ga nu met een verhaal van Sjalamov besluiten.

Sjalamov zat in een goelag, en in zijn barak wordt er inspectie gehouden. De politie vraagt om allerlei zaken in te leveren die niet lichaamseigen zijn: kunstledematen, kunstgebitten, alle protheses. En dan halen sommige gevangenen hun kunstgebit uit de mond of verwijderen hun glazen oog of hun beenprothese. Maar Varlam Sjalamov is heel erg jong en gezond en dus vraagt de politie schertsend: 'Wat lever jíj bij ons in?' En hij antwoordt gedecideerd: 'Niets.' Dan zegt de politie: 'Jij levert je ziel bij ons in.'

Sjalamov antwoordt instinctief: 'Nee, mijn ziel lever ik niet in.' Waarop zij vervolgen: 'Een maand straf als je die niet bij ons inlevert.'

'Nee hoor, die lever ik niet in.'

'Twee maanden straf als je die niet bij ons inlevert.'

'Mijn ziel krijgen jullie niet.'

'Vier maanden straf,' wat in de goelags gelijkstaat aan een zekere dood.

'Mijn ziel krijgen jullie niet.'

Sjalamov overleeft de vier maanden straf en schrijft dan: 'Ik had mijn leven lang nooit geloofd dat ik een ziel had.'

De demon en het leven

Alsof je hem nog in zijn literaire hokje opgesloten ziet zitten, terwijl hij kritisch de pagina's met verhalen en demonen doorleest, met rationele structuren die ontwricht zijn door het onberekenbare detail van de onschuldigste vorm van leven. Isaac Bashevis Singer zou in juli 2004 honderd zijn geworden en leek zo op een van de stokoude personages uit het Oude Testament, op een van zijn favorieten, die ondanks een leven van eeuwen niet in staat waren om de zin van het leven te begrijpen en genoegen te nemen met de ultieme waarheid, hoe onvolledig of miniem ook. De laatste jaren echter leek het alsof Singer fysiek niet zozeer in een profeet, maar steeds meer in een van zijn kleine goedaardige en verschrikkelijke demonen veranderde. Puntige oren, satanische glimlach, kaal hoofd, olijke ronde oogjes.

Een van zijn medewerksters verklaarde in een interview zelfs dat ze nog nooit de schaduw van de schrijver had gezien en dat ze zeker wist dat hij een literaire demon was. Ondanks het krankzinnige karakter van die bewering kreeg Singer nooit een mooier compliment. Isaac Bashevis Singer heeft tijdens zijn leven een immens verhalend oeuvre opgebouwd, dat hij schreef in een verdwenen, of beter gezegd uitgeroeide taal, het Jiddisch. Een syntaxis die een mengelmoes is van Hebreeuws, Pools, Duits, met complexe klanken, hybridische betekenissen; de taal van de ballingschap, samengesteld uit fonemen van de diaspora. Theodor Herzl, de grondlegger van het zionisme, stelde zich een land Israëls voor waar alle talen konden worden gesproken, aangezien ze allemaal behoorden tot het Hebreeuwse erfgoed. Maar niet het Jiddisch, dat Herzl beschouwde als de taal van het getto, van de marginalisering, die geschapen werd om de buitengeslotenen te laten communiceren, kortom: een grammatica van de schaamte. Voor Singer en voor duizenden joden in ballingschap was het dat echter niet.

Nadat hij in 1935 naar de Verenigde Staten was gevlucht om te ontsnappen aan de nazivervolging, koos Singer niet voor het Engels, maar besloot hij te schrijven in het Jiddisch, waarbij hij de taal verkoos van de sjtetl, de Hebreeuwse dorpen in Oost-Europa. Bij hem is het geen liefde voor het verleden, hij kiest het Jiddisch niet omdat hij het met de moedermelk ingedronken heeft, en evenmin heeft hij een band met Polen, sterker nog, dat wil hij zijn hele leven niet meer zien. Uit betrokkenheid wil Singer deze code van een samenleving in eeuwige diaspora gebruiken, een taal die de hele bagage van de Talmoed en van de heilige geschriften in een alledaagse vorm weet te vertalen. Het is de taal van de zeer geleerde plebejers die Gods hulp inriepen, de rabbijnen van de Poolse, Roemeense, Hongaarse dorpjes. Via het Jiddisch heeft Singer toegang tot de ironische mythologie van de chassidische gemeenschappen en zelf creëert hij een nieuwe. Zijn bladzijden vormen een bloemlezing van beelden en verhalen ontleend aan de Hebreeuwse traditie. De Thora en de Zohar zijn niet simpelweg heilige teksten, religieuze verwijzingen, maar worden de symbolische labyrinten waarin het moeilijke leven van alledag wordt vertaald. Singer creëert een anarchistische theologie waar de relatie tot God en tot de Wet bepaald wordt door de overtreding, de fout, de ketterij, door een voortdurende bespiegeling die tot een onmogelijke oplossing zou kunnen leiden, een niet-bestaand fundament, een hoewel minieme, onmogelijke waarheid.

Meer dan een geloof is het jodendom, zoals de auteur zelf heeft verklaard, veeleer 'een compromis tussen God en de demonen', en van dit compromis is het meesterwerk *Satan in Goray* een uniek voorbeeld.

De roman gaat over een historische gebeurtenis uit het zeventiende-eeuwse Polen, toen de hele joodse gemeenschap van slag raakte door de opzwepende woorden van Sabbatai Zevi, die de komst van het Messiaanse tijdperk voorspelde. Na de vervolgingen, de ballingschap, de ellende, de pesterijen, de pogroms, kondigde Sabbatai Zevi het joodse volk eindelijk de komst van het absolute goede aan, de verlossende Messias: 'Allen maken zich onvoorwaardelijk klaar om hun Messias te volgen, door hun ballingschapsoorden te verlaten voor de utopie van het land Israëls.' Singer laat zijn verhaal spelen in het kleine, strenge dorpje Goray, en vertelt over de grootste en meest fascinerende ketterij ooit, waaraan miljoenen joden uit Oost-Europa en het Nabije Oosten meededen. Volgens Sabbatai Zevi was het noodzakelijk het slechtste in de mens te verankeren, grenzen te overschrijden, te spuwen op de heilige teksten, de regels van de Talmoed te verwerpen, elke autoriteit af te wijzen, gezinnen te ontbinden en kinderen te verstoten, te komen tot zoiets ernstigs als de verloochening van het joodse geloof en diep in de diepste goot terecht te komen, om vanuit de afgrond een nieuwe, verzoende, pure wereld te laten verrijzen. Vanuit minachting voor de wereld zou de absolute perfectie ontstaan. Sabbatai Zevi genereert de fase van de dwaling om de fase van de gerechtigheid en het totale geluk te versnellen. Algauw merkt men echter dat Sabbatai Zevi een valse Messias is, hij zal noch het Messiaanse tijdperk brengen noch de joden naar de bevrijding voeren. Hij zal zichzelf en zijn krankzinnige droom van verlossing niet waarmaken.

Singer is gefascineerd door deze valse Messias, en hoewel hij een intellectueel is die allergisch is voor radicale veranderingen, beseft hij heel goed dat de nuttigste en positiefste kracht die de wet kan genereren, uitgerekend de overtreding is. Een code bestaat opdat deze kan worden genegeerd en er via deze dialectiek een eeuwige mogelijkheid kan worden gecreëerd om werelden te doorgronden.

Satan in Goray werd geschreven toen Singer nog in Polen woonde, en het lijkt een verbeterd hoofdstuk uit de Bijbel te zijn, dat door de laatste bewaker van een schandelijke waarheid verborgen werd gehouden. Hoewel Sabbatai Zevi geen echte Messias was, zullen degenen die hem hebben gevolgd de droom van de verlossing blijven najagen, aangezien de schepping sterker is dan de schepper.

Zoals Singer in *Schimmen aan de Hudson* schrijft: 'God heeft het nodig dat de mens hem helpt het kosmische drama tot een goed einde te brengen.' De literatuur wordt daarmee een goddelijk instrumentarium dat werelden kan verzinnen binnen de enig mogelijke wereld, en zonder via Leibnitz te gaan, herkennen we die gemakkelijk als de onze waarin we moeten leven. Gimpl, legendarisch personage van *Simpele Gimpl*, erkent dat 'deze wereld volstrekt denkbeeldig is, akkoord, maar wel nauw verwant aan de echte,' en juist vanwege deze verwantschap valt er niets anders te doen dan de kracht van de fantasie te beschouwen als een van de fundamenten van de werkelijke wereld.

Het verhaal van Gimpl is heel eenvoudig. Als kind al wordt hij vanwege zijn goedgelovigheid door iedereen bedrogen, door schoolkameraden, dorpsgenoten, door groot en klein, en daarom krijgt hij, naast andere bijnamen, ook de bijnaam 'simpele'. Gimpl laat zich niet belazeren omdat hij simpel is, maar omdat hij ervan overtuigd is dat 'alles mogelijk is, zoals geschreven staat in de Spreuken der Vaderen'. Ook in zijn volwassen leven blijft men hem bedriegen: men haalt hem over de oneerlijkste vrouw van het dorp te trouwen, en die laat hem geloven dat ze van hem houdt, vervolgens wijst ze hem af en intussen brengt ze maar liefst zes kinderen ter wereld van andere mannen. Maar Gimpl koestert geen wraak in zijn hart, hij houdt van zijn vrouw, zijn onechte kinderen, de buren, hij helpt zelfs wie hem verraadt. De rabbijn had hem namelijk een keer de volgende raad gegeven: 'Er staat geschreven: beter je hele leven dom zijn, dan een uur lang slecht.'

De verzoeking sluipt echter ook zijn goede hart binnen. Gimpl, die bakker was, zou iedereen kunnen bedriegen en zich kunnen revancheren voor de streken die hij zijn leven lang had moeten verduren door de bloem in plaats van met water te kneden met zijn pis, die gedurende de dag in een emmer werd verzameld. Hij laat zich door de Geest van het Kwaad overtuigen, die hem bedriegt door hem te verzekeren dat er in de andere wereld geen God is, alleen maar een 'diepe modderpoel'. Het is maar een kort moment van zwakte, dan bedenkt hij zich onmiddellijk, begraaft het brood dat al gebakken is, laat alles achter zich en om dat moment van zwakte goed te maken wordt hij bedelaar en zwerft hij door de dorpen om verhalen te vertellen. Zo bereidt hij zich voor op de dood. 'Het lijdt geen twijfel dat de wereld volkomen denkbeeldig is, maar hij wordt slechts één keer uit de werkelijke wereld verwijderd... Wanneer het moment gekomen is, zal ik met vreugde gaan.' Gimpl zegt ja tegen het leven.

Met *Simpele Gimpl* lijkt Isaac Bashevis Singer een antwoord te geven op Melvilles Bartleby of op Michael K. van Coetzee, de neezeggers worden tegemoet getreden en verslagen door de simpele jazegger. De schlemiel (domkop in het Jiddisch) is degene die de sluwheid van het leven, het verkopen van de gedachte verwerpt en precies leeft zoals hij is. En van deze vrede, betaald met de prijs van de belediging, wordt Gimpl de voorvechter. In de bespiegelingen van Singer lijkt het nee daarentegen op een stilzwijgend verband met de echte wereld. En zwijgen is de slechtste manier om mens te zijn, het is een gevangenis die niet in staat is de sublieme en verdorven veelzijdigheid van het bestaan te vatten.

Singer volgt noch de stelling van Adorno, volgens wie er na Auschwitz geen plaats meer is voor poëzie, noch de zelfmoordduik van Paul Celan in de Seine, en ook gelooft hij niet zoals Primo Levi dat als Auschwitz bestaat er geen God kan bestaan. Hoewel hij zijn jongste broer en zijn moeder, die gedeporteerd waren, had verloren, koestert Singer nog steeds de stem als verzetsmiddel tegen de haat die, zoals hij net als Spinoza denkt, niets goeds kan voortbrengen, ook al ontstaat hij uit de juiste beweegredenen.

In Singers romans blijft de Jiddische wereld, die in de lange nacht van de Shoah werd weggevaagd, voortleven. Zijn hele leven lang zal de schrijver enorme moeite hebben om te verwijzen naar zijn eigen familietragedie, die hij binnenin zich koestert als een open zweer, zonder de hoop die te kunnen helen.

Het verhaal *Het manuscript* laat goed zien wat de betekenis van literatuur kan zijn bij wanhoop. Enkele joden die hebben overleefd in door bombardementen weggevaagde steden en die in afwachting zijn van deportatie, vragen aan Menashe om een lezing te geven over literaire onderwerpen, want 'zo zijn mensen: vlak voor de dood hebben ze nog steeds al diezelfde wensen als wie leeft.'

Het is overduidelijk dat de literatuur bij Singer steeds sterker op een levenskreet lijkt. De deportatie en de uitroeiing tonen hem niet de duistere kant van de mens, Singer weet hoe beestachtig een mens kan zijn, en de wijze waarop hij dit verbeeldt via de twee demonen Shiddà en Kuziba is aangrijpend, die met alles wat ze in zich hebben bidden om zich te verdedigen tegen het monster, de mens.

Juist de demonen zijn de literaire schepsels aan wie men het meest gehecht raakt bij het lezen van Singers pagina's, schrijft Giuseppe Pontiggia: 'Het spreekt voor zich dat wij niet in aardmannetjes geloven, maar we geloven wél in die van Singer. Wij geloven niet in demonen... maar we geloven in de *dybbuk* van Singer.' Aardmannetjes en demonen zijn de meerwaarde van de fantasie die de werkelijkheid produceert aangezien niets is wat het lijkt. Demonen zijn geen rationele rebellen en evenmin beoefenaars van gruweldaden. Ze zijn anders, allemaal afkomstig uit de Jiddische cultuur en altijd kwaadaardige raadgevers, die willen dat je wegen inslaat die lijnrecht ingaan tegen die van de wet. Soms beramen ze tragische grappen, zoals in het verhaal *De zwarte bruiloft*, waarin een onschuldige rabbijnsdochter het kind van een demon baart. Er was geen sprake van schuld, er was geen reden voor die geboorte. Er is geen reddend gebed of rechtvaardigend gebaar in een poging troost te bieden. Maar ook in dit geval zorgt het onwaarschijnlijke menselijke vermogen om ondanks alles lief te hebben ervoor, dat men er de zin van inziet en dat de tragedie verandert in een tedere verdraaiing van het bestaan. Via de demonen wordt er ook voortdurend naar kinderen verwezen: 'Het is nodig hen er af en toe aan te herinneren dat er op de wereld nog mysterieuze krachten aan het werk zijn,' zegt hij in *Het hof van mijn vader*. De demonen zijn het symbool van een wereld die in een bepaalde richting gedraaid kan worden, geen polen heeft en evenmin over rechts of averechts beschikt. Men moet leven in deze chaos, waar elke wet noodzakelijk en juist is, aangezien hij tegelijkertijd willekeurig en overbodig is. De chaotische cirkelbeweging staat gegrift in een spiegel die slechts ogenschijnlijk weerspiegelt wat ervoor staat en die voor demonen hun lievelingsmiddel is om zichtbaar te worden: 'Alles wat verscholen is, moet onthuld worden, alle geheimen snakken ernaar onthuld te worden, alle liefdes verlangen ernaar bedrogen te worden, alles wat heilig is, moet ontheiligd worden.'

Hoewel Singer zichzelf als een hartstochtelijke gelovige beschouwt, kan hij vaak de verleiding niet weerstaan om tegen de voorschriften in te gaan. Overigens is het de taak van een echte rabbijn, een loopbaan waarvoor Singer als kind studeerde, om elke wet in twijfel te trekken opdat deze werkelijk, zonder enige aarzeling, wordt nageleefd. In het verhaal *De slachter* is Yoine Meir door de gemeenschap aangesteld om de dieren die later zullen worden opgegeten, ritueel te slachten. De arme Meir is geobsedeerd door de ingewanden van de dieren, door de blikken van de kalveren, door de veren van de vogels en ook al zegt de spreuk in de Thora: 'Je kunt niet barmhartiger zijn dan God,' hij wil het wel zijn, hij beweert het te zijn. Hij wil niet trouw meer zijn aan een God die dieren laat lijden. Als liefde mogelijk is, is ook ketterij en zonde mogelijk. Singers personages maken deel uit van het al. Ze staan op hetzelfde niveau als de scheppende kracht en dus kunnen ze, wanneer ze niet ten prooi vallen aan angst en religieuze onderwerping, zich verheffen tot gesprekspartners van God in een dialoog zonder weifelingen.

Singer bestudeert ijverig Baruch Spinoza en diens *Ethica*. De oude schrijver houdt in het bijzonder van de Nederlandse filosoof omdat deze in staat was zowel elan als de mogelijkheid tot fouten maken in zijn werk toe te laten. Volgens Singer is de *Ethica* één lange uitnodiging om het leven aan te gaan als een avontuur met verstand en gevoel. Dat wordt gesymboliseerd door het sublieme verhaal *De Spinoza van Warschau*, waar Spinoza's *Ethica* de volledige levenswijze wordt van dokter Fischelson, die 'troost vond in de gedachte dat hij, hoewel slechts een mannetje van niets, een veranderlijke modus van de absolute, oneindige substantie, toch deel uitmaakte van de kosmos en gemaakt was van dezelfde materie als de hemellichamen; en aangezien hij deel uitmaakte van het goddelijke wist hij dat hij niet geheel kon verdwijnen'. Fischelson, die al eindeloos lang de *Ethica* bestudeert en deze als een soort medicijn voor sobere en rationele perfectie beschouwt, raakt op een warme nacht helemaal de kluts kwijt vanwege de knappe Zwarte Dobbe, en passie vervangt de strenge rationaliteit die hij zijn leven lang gecultiveerd heeft volledig. 'Vergeef me, goddelijke Spinoza. Ik ben een sukkel geworden,' is wat dokter Fischelson droevig tegen zichzelf zegt. Seksualiteit is een bijna obsessieve constante factor in de verhalen van Singer. Het is de overweldigende kracht die elk voornemen tenietdoet en elk rationeel plan om zeep brengt.

Seks is de begeerte die grote problemen veroorzaakt bij degenen die op hun levenspad de morele ratio in staat achten weerstand te bieden aan elk opspelen van de klieren, elke schaamteloze impuls, elk handelen zowel overdag als 's nachts. Dat is zo voor Yentl, student aan de jesjiva, de school voor voortgezet Talmoedonderwijs: plotseling verwijst alles wat hij ziet en hoort naar seksuele dubbelzinnigheid en hij krijgt enorme zin om zich te richten op het enige wat zijn rede niet begrepen had, de lichamelijke passie. Net als bij Yentl, lijden alle mannen en vrouwen die proberen hun gevoeligheid in toom te houden voor de magie van de seksuele aantrekkingskracht, waartegen geen enkele kracht zich kan verzetten, bij Singer een nederlaag. Claudio Magris heeft daarover geschreven: 'Met de onpartijdigheid van de epische dichter voert Singer het hele spectrum van liefdeservaringen op, van de echtelijke idylle tot de geblaseerde luiheid.' Maar seks en vleselijke hartstocht worden ook onbeheersbare krachten die garant staan voor de continuïteit van het leven, de rationaliteit en berouwvolle verwaandheid van het gekrenkte leven ten spijt. Zoals in het verhaal *De man die brieven schreef*, waarin de hoofdpersoon Herman zegt: 'Het idee om kinderen groot te brengen leek hem absurd: waartoe de menselijke tragedie voortzetten?' Isaac Bashevis Singer is het eens met zijn Herman en met Schopenhauer, die andere filosoof, die hem samen met Spinoza in zijn leven als schrijver, en misschien als mens, zal vergezellen.

Singer weet echter dat de ratio van het niet leven niets kan uitrichten tegen de uitzinnige strapatsen van de zinnelijkheid. Je kunt besluiten om niemand meer geboren te laten worden, om niemand meer toe te staan de helse aarde, de pijn, de angst en de misère te beleven, maar hartstocht en liefde gaan niet volgens een plan en Singers verhalen laten zien dat seksualiteit zich alleen maar wil voltrekken, ongeacht wat er zal komen en wat er allemaal is geweest. Zoals Charles Baudelaire schrijft: 'Het enige en opperste genot van de liefde bestaat in de zekerheid het slechte te doen. En man en vrouw weten vanaf de geboorte dat zich in het kwaad elk genot bevindt.' Het idee te bestaan en te zijn, de wil nog eens bij de levensbron te drinken in de kwellende zoektocht naar een niet-bestaande betekenis en een vergeten herkomst kenmerkt een mens in ballingschap.

Singer slaagt erin de diaspora het grootse element te laten zijn in de literaire en menselijke joodse zaak. Alleen vanuit het verdoemd zijn naar de marge kun je diep in het werkelijke leven binnendringen. Doordat de mogelijkheid van een eigen land niet gerealiseerd is, doordat het onmogelijk is een grondwet en vaderlandsliefde te hebben, doordat het recht ontbreekt, rijst de vraag of je er zelf mag zijn. Deze spanning in de dialoog met God maakt dat je liever het pad kiest dan de eindbestemming, aangezien de bestemming het slot van de eigen universaliteit vormt en het eind van de eigen gedachte, zoals een Job die niet meer hoeft te lijden. Als een droom die, wanneer hij uitkomt, niets anders is dan zijn eigen schaduw. Aldus schetsen de romans en de verhalen van Isaac Bashevis Singer het spoor van de menselijke diaspora, die doolt op zoek naar een uiteindelijke verzoening, naar een utopie van geluk die werkelijkheid wordt louter door ernaar te zoeken en zich er een voorstelling van te maken in de oneindige en concrete ruimte van het denken. En die de eikels voor zichzelf houdt en de paarlen voor de zwijnen laat.

Eindeloze vermoedens

Op een eilandje vlak bij de monding van de Theems, in zijn huis in Sherness-on-Sea, overlijdt in de nacht van 22 op 23 februari 1984 Uwe Johnson, terwijl hij een fles wijn wil opentrekken, aan een hartinfarct. Niemand die hem mist, niemand die interesse of zin heeft hem te zoeken, hem te spreken, te zien. Pas negentien dagen later wordt, bij toeval, zijn dode door de alcohol opgezwollen lichaam gevonden. Er wordt wel gezegd dat een mens sterft zoals hij geleefd heeft, maar de dood van deze schrijver is een ware ontkrachting van die theorie. Het hele privéleven van Johnson stond in het teken van verdenkingen; hij werd continu in de gaten gehouden door de Stasi (de geheime Oost-Duitse staatspolitie) en door de geheime diensten van de landen met een socialistisch bewind. Dat Uwe Johnson gevolgd werd was niet vanwege zijn revolutionaire of politieke activiteiten, maar eerder omdat het leek of zijn teksten iets te verbergen hadden, zijn chaotische precisie wekte bij de censoren een paranoïde nauwkeurigheid. Johnsons einde was een bizarre tragedie: een man die gedurende zijn hele leven bespioneerd en bestudeerd wordt, sterft zonder dat iemand het merkt.

Uwe Johnson werd in 1934 in Pomerania geboren. Hij volgde zijn opleiding in de DDR van Walter Ulbricht, aan de universiteit van Leipzig en werd de uitverkoren leerling van criticus Hans Mayer, die direct opmerkte hoe geniaal Johnson was en hem aanmoedigde boeken te gaan schrijven. Johnson onderschreef in eerste instantie de politieke ideeën van de DDR (net als Brecht en Ernst Bloch) en participeerde in de activiteiten van de Communistische Partij, omdat hij er een mogelijkheid in zag om de loop van de geschiedenis te veranderen, waardoor de mensen alsnog de geschiedenis zouden kunnen krijgen die de voorgeschiedenis van de burgerij hun had miskend. Maar algauw ziet hij dat de DDR een dictatuur is, die iedere beslissing van de regering beschouwt als de enige juiste en de 'beste' en die iedereen die twijfelt over de zwijgplicht en elke kritiek op gehoorzaamheid de kop in wil drukken.

In 1959 vluchtte hij naar West-Berlijn, nadat hij het verzoek van de partij om de opheffing te organiseren van de Junge Gemeinde, een Duitse religieuze vereniging, in de wind had geslagen. Direct na zijn vlucht verwierf Johnson bekendheid met de publicatie *Vermoedens omtrent Jacob*, een geniale tekst die een nieuw schrijfmodel introduceerde. Het boek is net als de andere werken uit Johnsons debuutperiode (*Het derde boek over Achim* uit 1961 en *Twee kanten* uit 1965) gebaseerd op een frame van vermoedens, dat wil zeggen: op hypotheses, onderzoeken, herinneringen, beschrijvingen, gedachtenis, die, elkaar, het verhaal en het tijdperk waarin het verhaal zich afspeelt doorweven, zonder dat er een lineaire verhaalstructuur gebruikt wordt.

Jakob, spoorwerker, wordt overreden door een trein en

sterft, terwijl hij op weg is naar zijn werk zoals iedere dag in de afgelopen zeven jaar. De openingszin van het boek: 'Maar Jakob heeft altijd spoorovergangen overgestoken,' laat meteen zien in welke vorm het verhaal gegoten is. De twijfels over zijn dood, de meest uiteenlopende aannames, waarvan er niet een stand houdt zonder weer andere aannames, zijn karakteristiek voor de esthetiek van de hele roman. Zelfmoord, moord, ongeval, alles kan waar of waarschijnlijk zijn in de oneindige hypotheses over het lot van Jakob; de enige stukjes die in elkaar gezet kunnen worden zijn stukjes geheugen, stukjes herinnering, gesproken en opgevangen woorden en wanneer die allemaal in elkaar gepast zijn, ontspint zich uiteindelijk een vermoeden over de moderne mens in het algemeen en over de tijdgeest.

De elementen die in de literatuur tot nu toe als fundamenteel werden gezien, zoals duidelijke dialogen, het vertelperspectief, de fysieke beschrijving van personages, ontbreken in Uwe Johnsons werk. Als een duveltje uit een doosje komt ineens de dialoog op de proppen en de zowaar nauwkeurige, obsessieve, gedetailleerde beschrijvingen lijken volledig misplaatst in het uitgeklede verhaal. Hans Magnus Enzensberger, een vriend van Johnson en vaak doelwit van kritiek, beschrijft diens proza als 'tegendraads', 'dat wat de lezer kan raden laat hij weg'. In het werk van Johnsons lijkt het ongezegde, het beroemde onuitsprekelijke, dat Wittgenstein zo treffend verwoordt met de zinspreuk: 'Als je er niet over kunt praten, kun je beter zwijgen,' een constante (misschien was het wel precies dát gevoel dat bij de geheim agentjes wantrouwen wekte!). Alsof het hele boek erop gericht was een manier te vinden om iets uit te leggen wat met een simpel schrijfsel niet gezegd kan worden, alsof het overkoepelende spectrum van de vrijheid het verborgen onderwerp was van de vermoedens over Jakob en de herinnering aan zijn leven. Vrijheid bestond inmiddels niet meer in de hoop en verwachtingen van Johnson; het Duitsland van Bonn, het democratische BRD stelde hem diep teleur; in zijn hoofd zou er nooit een verklaring zijn voor de tweedeling van Duitsland. Zoals blijkt in zijn boek *Twee kanten*, verafschuwde hij de geldwolverij van de West-Duitsers, dat ze snel een auto willen hebben, dat ze alsmaar meer willen, dat ze zich opsluiten in hun eigen kleine privéruimte.

In het *Derde boek over Achim* beschrijft hij het leven van de journalist Karsch, een West-Duitser, die door een vriendin in Oost-Berlijn is uitgenodigd om op bezoek te komen. Karsch is verbijsterd door de enorme verschillen tussen het socialistische Duitsland en West-Duitsland. Hij voelt geen enkele verbondenheid met de Oost-Duitsers. Als hem gevraagd wordt een boek te schrijven over een vriend van zijn vriendin, Achim, een oud-wielrenner en politicus in de DDR (sport en politiek zijn een graag gezien koppel in de socialistische dictaturen), wat dan het derde boek over deze man zou zijn, belandt Karsch in een hachelijke situatie. Hij vindt het niet interessant om de verhalen, herinneringen, vermoedens te verzamelen waarmee hij louter een herinnering aan een menselijke geschiedenis kan reconstrueren, en niet het leven van een individu, van Achim in dit geval. De journalist is niet tevreden met wat hij geschreven heeft, het is hem niet gelukt te praten over die andere wereld die hij niet kent, over een bijzondere situatie die niet te beschrijven valt in alleen een geschreven verhaal. Ten einde raad keert Karsch terug naar het westen, naar Hamburg.

Uwe Johnson verhuist op 1966 naar New York. Hij wil weg uit zijn land. Duitsland, dat zijn schuld uit het verleden, het nazisme, onmogelijk kan uitwissen, is verdeeld tussen socialisme en kapitalisme en is dus nog steeds besmet met onmenselijkheid. Het is verantwoordelijk voor systemen die mensenlevens vergruizen, waarin het individu tenietgaat in de touwen van de geschiedenis. Eerst in de vs en later in Engeland weet de schrijver drijvende te blijven in een niemandsland, in landen met een rijpere democratie waar hij zijn eigen tegenstrijdigheden beter kan verbergen.

In New York begint Uwe Johnson aan zijn magnus opus *Jahrestage*. Het kolossale werk bestaat uit vier delen die in Duitsland achtereenvolgens uitkwamen in 1970, 1972, 1973 en 1983. *Jahrestage* in woorden vatten is echt onmogelijk.

Het is een van de absolute meesterwerken van de literatuur die van alle tijden is, iedere negatieve kritiek of analyse gaat eraan voorbij. *Jahrestage* vertelt dag voor dag het leven van Gesine Cresspahl en haar dochter Marie in een vlechtwerk van een familiegeschiedenis, die aan de hedendaagse geschiedenis hangt en aan werkelijke historische feiten en berichtgeving van de afgelopen eeuw. Hans Mayer raadt de lezers van *Jahrestage* aan zich compleet aan de tekst 'over te geven' alsof je *Recherche* van Marcel Proust binnentreedt, waar je als lezer helemaal niets van begrijpt als je niet bereid bent je totaal ontbloot van intenties of verwachtingen onder te dompelen in de tijdstroom van de vertelling.

Het heeft totaal geen zin *Jahrestage* rechtlijnig te lezen, zoals je normaal doet bij het lezen van een bladzijde tekst. Johnsons schrijfstijl bestaat uit een aaneenschakeling van minutieuze obsessieve detailbeschrijvingen van vormeloze en raadselachtige situaties. Alleen als je je kunt verliezen in het met de precisie van een kartuizer inlegwerk geconstrueerd labyrint, beland je van de ene dag van Gesine Cresspahl in de volgende, van het ene hoofdstuk in het andere, dwalend langs dialogen, rijmpjes, gedachten, interacties met andere en variabele personages.

In Italië heeft Feltrinelli inmiddels het meer dan nobele plan opgevat de eerste band van *Jahrestage* te herpubliceren in een (sublieme!) vertaling van Nicola Pasqualetti en Delia Angiolini met een waardevolle introductie van Michele Ranchetti. Het eerste deel beschrijft de dagen van het leven van Gesine Cresspahl van augustus 1967 tot december 1967. Gesine die al eerder ten tonele was gevoerd in *Mutmassungen über Jakob* (*Vermoedens omtrent Jakob*) – ze kreeg haar dochter Marie zelfs van Jakob – woont nu niet meer in Duitsland, maar in New York, waar zij als bankemployee werkt.

De roman heeft een vezelige gelaagde structuur, die grofweg in drie lagen verdeeld kan worden: Gesine, haar dochter Marie en de *New York Times*. Inderdaad. De *Times* vormt de tegenmelodie in het leven van Gesine, ieder moment in het verhaal is verweven met nieuwsberichten uit de krant: 'Sinds 1961 zijn er in Vietnam ongeveer 13.365 Amerikaanse staatsburgers tijdens militaire acties gevallen – wat een lief kindje, van harte gefeliciteerd hoor…'

De krantenberichten over de oorlog in Vietnam, de aankomst van Svetlana Stalin – dochter van de dictator – in Amerika, Che Guevara herkend op een foto in het regenwoud, de rellen in Harlem en duizenden andere nieuwsfeiten die het leven van de personages in het boek omlijsten. Een levende context die voortdurend in beweging is. De *New York Times* is de stem van het geweten in het heden, een metronoom die de gebeurtenissen van alledag wegtikt van de wereld waarin het leven van Gesine zich afspeelt. De *Times* wordt 'tante Times' genoemd, en in de loop van het boek krijgt ze inderdaad steeds meer weg van een persoon, welgemanierd, beleefd, een beetje drammerig, zoals een oude tante die 'geen schuldige zegt tegen een beschuldigde', 'de president niet bij zijn voornaam noemt', 'ook degenen van wie ze geen hoge pet op heeft het woord geeft'. Johnson vond de *Times* trouwens echt een van de beste kranten ter wereld, vanwege de gehanteerde onderzoeksmethoden en de kwaliteiten van de schrijvers.

Het literaire werk van Johnson blijkt een eenzaam gebouw, dat leeft van een autistisch proza, dat alles eromheen nauwgezet verslindt door het schuimspoor van herinneringen dat het trekt met krantenberichten, treintijden, weekbladen, dialogen van kantoorpersoneel. Hij is een archeoloog van het heden en van het geheugen, die geen fragmenten catalogiseert om terug te gaan tot de oorsprong van een beschaving, maar die lotgevallen, momenten, sensaties, gesprekken verzamelt om het gevoel van eigenheid dat door de onrechtvaardigheid van de geschiedenis in verdrukking is gekomen, en de leegte, die geen sporen van de dagelijkse realiteit bevat, terug te halen.

Alles wat Gesine voelt en zich herinnert, de dingen die ze denkt en zegt, alles wordt op een hoop gegooid en uit de chaotische levensstroom gevist, de chaos van het leven van een Duitse immigrante. Een gedachte van Theodoor Adorno aanhalend zou je kunnen zeggen dat Johnson het leven van zijn personages kanaliseert binnen de stroom van de 'krachten die vrijkomen in de decadentie'.

Gesine besluit haar familiehistorie op geluidscassette op te nemen voor haar dochter Marie. Deze beslissing in het eerste deel van *Jahrestage* schept het onderwerp van het tweede deel, dat zich afspeelt tegen de achtergrond van haar verleden in Mecklenburg. Gesine, geboren in 1933 tijdens de eerste honderd dagen van het kanselierschap van Hitler, vertelt aan haar dochter over haar familiegeschiedenis, het nazisme, de misère, de tijd van verwaarlozing en de gelukkige tijden. Een herinnering die steeds verder wegzakt en uit steeds kleinere deeltjes bestaat om uiteindelijk te veranderen in een manier van zijn, een cultuur, een gebaar, een dialoog.

Johnson geeft geen verklaring voor het verleden an sich, zijn roman is geen historische roman en je mag dus niet verwachten dat de gebeurtenissen in een vaststaande volgorde of weloverwogen ten tonele worden gevoerd. Bedoelingen en herinneringen migreren voortdurend, lotgevallen en commentaren interpoleren. De continue uitwisseling van stemmen is een manier om een plattegrond te tekenen van wat geweest is en wat zou kunnen zijn, tussen weerstand en verwarring, in een poging het hoofd boven water te houden in de verschillende getijden van de geschiedenis, die zich in een dagelijkse cadans neer laten vallen. Als je even later terugbladert en een aantal pagina's, of stukjes tekst, herleest, dan is het net of je iets heel nieuws leest, iets wat je nog niet eerder hebt gezien, hoewel je ogen er een minuut geleden nog overheen gingen. Critici zagen in dit deel van het boek de invloed van *De Buddenbrooks* van Thomas Mann, maar ik geloof dat het dichter in de buurt komt van Faulkner, gezien hoe Johnson uit diens romans de kwaliteit overneemt om reëel, maar niet realistisch, te schrijven, altijd bereid om een realiteit te verzinnen, zonder echter de geschiedenis geweld aan te doen. Johnson staakte het schrijven van *Jahrestage* na band drie.

Terwijl Johnson op zijn blocnote der literatuur opschreef hoe de wereld van Gesine Cresspahl gestalte kreeg, werd hij bespioneerd, niet van buitenaf, niet met een verrekijker of doordat zijn telefoongesprekken werden afgeluisterd, maar in zijn eigen huis, in de intimiteit van zijn meest pure emoties, zijn intiemste relatie. Zijn vrouw Elisabeth bekende in 1975 dat zij een minnaar had, die bovendien een agent van de Tsjecho-Slowaakse geheime dienst bleek te zijn, aan wie zij al jarenlang gedetailleerde vertrouwelijke rapporten stuurde over de activiteiten van haar man. Uwe Johnson had met zijn vrouw samengewerkt bij de totstandkoming van *Jahrestage* en het hele werk opgedragen aan hun dochter Katharina, die in het boek door Marie wordt voorgesteld, de dochter van Gesine Cresspahl en Jakob. Voor een schrijver die zojuist de laatste punt in zijn roman heeft gezet is het een beetje alsof de personages die hij geschapen heeft en over wie hij heeft geschreven aan zijn deur kloppen en hij bij het opendoen een monsterlijke, onverwachte verschijning voor zich ziet.

Johnson was dermate getraumatiseerd door het hele voorval dat hij tien jaar lang zijn pen niet meer oppakte, hij kreeg twee hartinfarcten en raakte aan de drank. Het verraad van zijn vrouw was er steeds geweest, stil, zoals de dagelijkse sleur je leven binnendringt. Tien jaar nadat in 1983 het derde deel was gepubliceerd, en vlak voor Johnons dood, zag het vierde en laatste deel het levenslicht. Aan het einde komt Gesine in Praag de pantserwagens van de Sovjets tegen die in 1968 het 'rebellerende' Tsjecho-Slowakije binnenvielen. Het leven hoort niet vervangen te worden door een boek. Johnson is er absoluut van overtuigd dat een boek vanuit esthetisch oogpunt reëel moet zijn maar niet realistisch, dat het zin en gerechtigheid moet geven aan een warrige en onrechtvaardige realiteit, maar dat het nooit een alternatief zal kunnen zijn voor het leven zelf.

En dus slaat Michele Ranchetti, een van de grootste Italiaanse intellectuelen, de spijker op zijn kop wanneer hij stelt dat de boeken van deze uitzonderlijke Duitser niet tot de vertelkunst horen. De hedendaagse literatuur laat zich niet meer in de hokjes duwen van essay of roman, het is de tijd niet voor nieuwe bovenzinnelijke of intuïtieve concepten. Johnson wilde iets schrijven dat iedere dimensie oversteeg, dat in zich een veelvoud van vormen kon vatten om dat absoluut onoverwinnelijke van het leven van een individu te bewaren en te begrijpen.

Het onderzoekswerk van Walter Benjamin was doorspekt van de hoopvolle verwachting dat hij vroeg of laat een toegangspoort tot een andere wereld zou vinden, anders dan deze wereld waarin wij gedwongen zijn te leven. Maar als je Johnson leest, dan wordt je duidelijk dat als er al een poort te vinden is, die niet opengaat, dat je de sleutel niet eens zou kunnen vinden. Je vindt hoogstens vermoedens, geen verklaringen, misschien zelfs niet eens vooruitzichten. We kunnen slechts vermoedens hebben over de dood van Jakob, proberen ons zijn leven voor de geest te halen en erover speculeren, luisteren naar de stem van 'tante Times' om te weten wat er gebeurde toen we rozen plantten in onze tuin, aan Marie vertellen over wat geweest is, in een oneindige zoektocht langs mogelijke wegen, in een eindeloos dwalen langs de zin van ons bestaan dat ritmisch en noodgedwongen wegtikt, dag na dag, jaar na jaar.

Nooit meer in een wereld apart

Een wereld apart van Gustaw Herling, dat in een goedkope editie opnieuw uitkomt bij Feltrinelli, zou je in één enkele bitterwrange teug moeten leegdrinken. Lees het in één ruk, krijg een stomp in je maag, een dreun vol op je gezicht, en voel je waardigheid als mens aan flarden gaan, voel de angst vroeg of laat in dezelfde helse hellecirkel te storten als in die pagina's wordt beschreven. Een waardevolle en verschrikkelijke tekst, een getuigenis van de concentratiekampen van de Sovjets, van de barbaarsheden die door het stalinistische regime van de USSR tegen miljoenen mensen zijn begaan.

Gustaw Herling was twintig toen hij in 1939, na de Duitse invasie van Polen, besloot de Russisch-Litouwse grens over te steken in de hoop dat hij in Rusland een verzetsbeweging tegen de nazi's zou kunnen organiseren. Hij werd echter vanwege dit plan door de sovjetpolitie gearresteerd. Dat voorval kan vreemd lijken maar is in feite een tragische paradox. De USSR en Duitsland hadden in 1939 een pact gesloten, het beroemde Molotov-Ribbentrop-pact, dat een niet-aanvalsverdrag tussen beide landen bekrachtigde. Door uit Polen te vluchten om tegen Duitsland te vechten, had Herling volgens de geheime sovjetpolitie indirect samengespannen tegen de USSR.

En dus werd de jonge Gustaw gedeporteerd naar Yertsevo, een werkkamp dat deel uitmaakte van het concentratiekampendistrict Kargopol aan de Baltische Zee. Een werkkamp dat bedoeld was als verzamelplaats van hout voor bouwwerken, een heus industriecentrum met spoorlijnen en een dorp voor het vrije personeel, alles gebouwd en draaiend gehouden door de geïnterneerde arbeidskrachten. De toestand in het kamp overschreed alle grenzen van wat een mens kan verdragen: veertig graden onder nul, onophoudelijk en moordend werk, langdurige werktijden, driehonderd gram brood plus een lepel soep.

Met de vaardigheid van een historicus beschrijft Herling de organisatiestructuur van het kamp, de hiërarchie, de gezagsverhoudingen. In de kampen had je gevangenen in diverse gradaties: de *bytovik*, oftewel de gewone criminelen met korte straffen, dan had je de hardnekkige, zware criminelen, de *urka*, echte kampbazen, en het grootst in aantal waren ten slotte de *belorucki*, de politieke gevangenen. De belorucki waren de gevangenen met de minste hoop op overleven, die het meest werden mishandeld en het zwaarste werk moesten doen. De urka konden met de andere gevangenen doen wat ze wilden, zij moesten toezicht houden op de arbeidsmoraal en de politieke correctheid van de gevangenen. Herling beschrijft hen op een verschrikkelijke manier: voor dergelijke mannen is de gedachte aan vrijheid even weerzinwekkend als het idee van een werkkamp is voor een normaal mens.

De meeste politieke gevangenen waren bolsjewieken, communisten, mensen die voor de socialistische zaak hadden gestreden. Het stalinistische mechanisme was een soort slang die zich al kronkelend een weg baande door allerlei instellingen en via verschillende generaties, en oude communistische revolutionairen, functionarissen, bestuurders die te veel macht kregen wegzuiverde, deporteerde, gevangenzette, maar ook gewone mensen, willekeurige personen die zonder het in de gaten te hebben niet recht in de stalinistische leer waren. Verklikken werd een vanzelfsprekende leefregel in de sovjetmaatschappij en werd vaak gebruikt als middel om de eigen buurman, collega, of familieleden onder druk te zetten. Verraad plegen om iemands carrière te ruïneren, om diens plek in te nemen of simpelweg om je leven te redden, was iets gewoons geworden in het Rusland van Stalin.

In de sovjetgevangenkampen was werk onderdrukkingsmiddel en martelwerktuig, het werd gebruikt als vernietigingsmethode. Door de zwaarte ervan werden lichamen geknakt, kregen gevangenen koorts, ze werden blind als gevolg van vitaminegebrek. De enige manier om te overleven was om je te laten opnemen. De ziekenhuizen leken wel kerken die bescherming boden tegen een oppermachtige inquisitie. Zelfverminking werd daardoor gemeengoed om het werk te kunnen onderbreken. Zoals tijdens de Eerste Wereldoorlog de soldaten in de loopgraven zich in hun handen of benen schoten om van het strijdtoneel weggestuurd te worden, zo amputeerden de sovjetgevangenen met bijlen hun vingers, hun handen, ze hakten hun benen af om maar een onderbreking van hun straf te krijgen. Na talrijke gevallen van zelfverminking kwamen de sovjetautoriteiten erachter en om dit tegen te gaan besloten ze om alle – onbedoelde of opzettelijke – gewonden te straffen door ze te laten doorwerken: 'Ik zag een jonge gevangene [...] die vanuit het bos de afrastering werd binnengebracht met een geamputeerde voet.'

In *Een wereld apart* is sprake van een gevangene, Kostylev, die zichzelf verminkt en misschien wel het meest aangrijpende personage van het verhaal is. Het verhaal over Kostylev is niet alleen waardevol als getuigenis, maar heeft ook een literaire diepgang die de gebeurtenis in een ander licht stelt en er een universele betekenis aan geeft. Kostylev had zijn leven gewijd aan de bolsjewistische zaak. Hij bewonderde de Europese communisten alsof het lekenheiligen waren en idealiseerde hen als vrijheidsstrijders op een continent dat door de bourgeoisie onderdrukt werd. Hij leerde zelfs Frans om de redevoeringen te kunnen begrijpen van Thorez, de secretaris van de Franse communistische partij. Hij begon Balzac, Stendhal, Constant te lezen en hij vond in die teksten 'een andere sfeer, ik voelde me als een man die, zonder het te weten, zijn leven lang verstikt was geweest'. Na deze leeservaring veranderde Kostylevs mening over het Westen en over het bolsjewisme. Hij gaf het werk voor de partij eraan, wijdde al zijn tijd aan lezen, ernaar verlangend de waarheden te leren kennen die men voor hem verborgen had gehouden. De buitenlandse boeken die hij heimelijk aanschafte, waren de aanleiding voor zijn arrestatie. De geheime politie beschuldigde hem ervan dat hij een spion was en door martelingen dwongen ze hem deze leugenachtige beschuldiging te bekennen. Nadat Herling had ontdekt dat Kostylev zijn arm vrijwillig verbrandde door die in het vuur te houden, ontstond tussen hen een samenzweerderige vriendschap. Liever dan voor zijn cipiers te werken had hij een gewonde en gezwollen arm.

In de barak waar Kostylev, vrijgesteld van werk, zijn dagen doorbracht, liet hij geen moment onbenut om boeken te lezen. Herling begreep nooit hoe hij eraan kwam, maar hij voelde nooit afgunst voor hem, eerder diepe bewondering.

Het lezen, dat zijn bestaan had veranderd en hem naar de werkkampen had gevoerd, bleef in die hellecirkel de opperste uitdrukking van zijn menselijke waardigheid. Je waardigheid als mens behouden, behoeden en beschermen was niet alleen onmogelijk maar zelfs dodelijk in een werkkamp. Een gewonde kameraad helpen, hem eten toeschuiven, was niet alleen gevaarlijk omdat je de kans liep je eigen zwakke lichaam schade toe te brengen wanneer je je het weinige ontzegde dat je kreeg, maar ook omdat elk greintje menselijkheid in die omstandigheden je totaal van de kaart kon brengen, het vroegere leven naar boven kon brengen. Het is dodelijk om je in onmenselijke omstandigheden te herinneren dat je een mens bent. Het leven in een gevangenkamp valt alleen te verdragen wanneer elk ijkpunt, elk vergelijkingspunt dat betrekking heeft op de vrijheid compleet gewist is uit de geest en het geheugen van de gevangene. De boodschap van deze tekst en ook van het hele oeuvre van Herling, ligt besloten in het opnieuw coderen van het beoordelingsvermogen. Het is onmogelijk om te oordelen over een menselijk wezen in onmenselijke omstandigheden. Verraad, verklikking, uitputting, prostitutie die voortkomen uit honger, dwang en ziekte, kunnen, hoewel door mensen begaan, niet beschouwd worden als menselijk gedrag.

Ik ben tot de overtuiging gekomen dat de mens alleen menselijk kan zijn in menselijke omstandigheden, en ik vind het absurd om streng over iemand te oordelen op grond van dingen die hij in onmenselijke omstandigheden doet, net zoals het absurd zou zijn om water met vuur te beoordelen.

Het onderdrukkingssysteem van de Sovjets was een voorbeeld van de meest stompzinnige bureaucratie op aarde. Elke arrestatie diende gemotiveerd en officieel geformaliseerd te worden. Duizenden mensen werden het slachtoffer van de meest stupide en vuige beschuldigingen: sabotage van de sovjetindustrie, spionage, samenzwering tegen het vaderland, verraad, contrarevolutie. Via deze veroordelingen kon het sovjetsysteem een rechtvaardiging voorwenden van elke crisis, van elke vertraging in de economische planning. Duizenden onschuldigen, vaak ongevaarlijke mensen en geenszins politieke vijanden, werden uit de weg geruimd, slachtoffers van een meedogenloze en onlogische interne oorlog.

In het kamp van Yertsevo ontmoet Herling een gevangene die verlinkt was bij de NKVD (de verschrikkelijke geheime politie die later KGB gaat heten) omdat hij in dronkenschap een schot had gelost op een foto van Stalin en zijn oog had geraakt. Daarvoor werd hij veroordeeld tot tien jaar gevangenschap! Anders dan het Duitse concentratiekampsysteem, waar de mensen vergast werden, afgeslacht en gearresteerd zonder een schijnproces, maar alleen omdat ze jood, communist, Jehova's getuige, homoseksueel enzovoort waren, dwong het sovjetsysteem bekentenissen af, verzon het sabotageplannen, dwong het mensen om absurde bewijzen te overleggen. Elke schijnvertoning werd geformaliseerd: 'Een kogel door iemands kop jagen is niet genoeg, hij moet er zelf tijdens het proces beleefd om vragen.'

Gustaw Herling kon het werkkamp overleven omdat hij als Pool naar de troepen onder het commando van generaal Anders werd gestuurd. Na omzwervingen via Bagdad, Mosul, Jeruzalem, het Egytische Alexandrië, belandt hij in Italië. Hij krijgt tyfus en verblijft tijdens zijn ziekte in Sorrento, waar hij de familie Croce ontmoet. Een beslissende ontmoeting, want jaren later zal Lidia Croce zijn vrouw worden en hem twee kinderen schenken, Benedetto en Marta. Herling zal een groot deel van zijn leven in Napels doorbrengen. Hij wijdt zich aan het schrijven van zijn oeuvre en tot het eind van zijn leven blijft hij schrijven aan het monumentale *Dagboek 's nachts geschreven*. Dat is een kolossale vertelling in meer dan twaalf delen, waarvan in Italië slechts het eerste deel is gepubliceerd, dat het werk bevat van 1970 tot 1987. Deze intellectuele onderneming is een opeenstapeling van herinneringen, filosofische overpeinzingen, momenten van uiterst diepzinnige wijsheden, scheldpartijen, momenten waarin hij toegeeft aan inertie. In *Dagboek 's nachts geschreven* ontleed je Herlings gedachten in talrijke lagen, als ware het een geologische ontdekkingstocht.

In het labyrintische *Dagboek* vinden we een verontrustende episode waarin Thomas Mann en Ignazio Silone in Zwitserland bespreken welke maatstaf ze moeten aanleggen om de verschillende politieke systemen aan af te meten. Voor Silone 'lijdt het geen twijfel dat je alleen maar hoeft vast te stellen welke ruimte er gereserveerd is voor de oppositie'. Mann ziet dat anders: 'Nee, de ultieme toetsing is de plaats die gereserveerd is voor de kunst en de kunstenaars.' Herling, die zijn grondige ergernis aan het esthetiserende proza van Mann niet verbergt, is zeer kritisch over de Duitse meester, die welwillend bleek te staan tegenover het sovjetsysteem, en zich daarbij uitsluitend baseerde op de massale verkoop van Goethes boeken in de USSR.

Voor Herling dient de intellectueel eerst en vooral te participeren in het menselijk leed, te waken over de vrijheid van de mens, hij mag de eigen opdracht tot bescherming van de menselijke waardigheid nooit aan een ander overdragen. En door de prioriteit te leggen bij kunst ontkende Mann dit allemaal, ondanks zijn literaire grootheid.

Maar in het *Dagboek* zijn er ook zeer veel uiterst roerende fragmenten met persoonlijke herinneringen: het verhaal van een hondje dat tijdens de oorlog in de Iraakse woestijn was gevonden en dat door Herling liefdevol werd verzorgd, of de pagina uit 1980 over de aardbeving die Napels trof. Prachtig beschreven worden de aardbevingsslachtoffers, allemaal eender, of ze nu uit Irpinia, Basilicata of Napoli komen: de stemmen, het vluchten, het samenscholen, de volstrekte onmogelijkheid om iemand de schuld te geven. En toch lijkt deze dagboekvertelling niet geschreven te zijn vanuit een persoonlijke ervaring. Het werk werd in de nachtelijke uren geschreven en de titel signaleert meteen de in zekere zin postume rol van de gedachte, bijna als Hegels uil die laat arriveert, wanneer de dag voorbij is: met het *Dagboek* geeft de schrijver niet de som van wat er met hemzelf is gebeurd, maar van wat via hemzelf is gebeurd. Een ik dat vertrekpunt wordt maar geen eindpunt, dat om een duidelijke reden vertrekt maar vanzelfsprekend niet weet waar het terechtkomt. Een notie van de beweegreden die hem inspireerde tot deze intellectuele inspanning die een heel bestaan duurde, is te vinden in het fragment uit de tekst *Kort verhaal van mijzelf*, bezorgd door zijn dochter Marta: 'Ik schrijf omdat ik een innerlijke behoefte voel om bepaalde problemen aan te pakken. Als je leeft, zolang je iets hebt vanwaaruit je kunt leven, volbreng je je eigen missie. [...] Ik heb altijd iets na willen laten, maar in feite heb ik uitsluitend voor mezelf geschreven. Ik schrijf omdat ik het fijn vind.'

Ook de teksten die als volledig op zichzelf staand werk zijn gepubliceerd maken deel uit van het bindweefsel van het *Dagboek*. De twee verhalen *Requiem voor een klokkenluider* en *Het eiland* zijn als opgestuwd land verrezen in de uitgestrekte woordenoceaan van Herlings werk. Het zijn verhalen waarin overduidelijke sporen van Napels aanwezig zijn, minstens zo bepalend als in *Don Hildebrand*, dat samen met *Venetiaans portret* de belangrijkste verhalen bevat die zich in Napels afspelen. In *Don Hildebrand* probeert Herling het Italiaanse landschap te schilderen, waarbij hij als balling afstand houdt maar zijn betrokkenheid als adoptief inwoner van Italië niet verbergt. In dit boek wordt Napels beschreven als chaotisch en stralend, een stad gekenmerkt door een duizelingwekkende kracht die haar van de bedelaars en hun ellende naar de weelderige barok van de Spaanse overheersing heen en weer slingert en die het waagt om facetten van volks bijgeloof te vermengen met de hoogste toppen van het menselijk denken. En zo wordt in het verhaal *Ex voto* Napels' hart, inborst, lichaam beschreven, het Napels dat Herling het dierbaarst is, waar zijn schoonvader Benedetto Croce woonde, waar zich de kerk van San Domenico Maggiore verheft waar Thomas van Aquino gevormd en beroemd werd. Een Napels dat zich aan Herling eerder op spirituele wijze openbaart dan via geografische of historische beschrijvingen. Het proza in Herlings verhalen is elegant, respectvol, duidelijk en bezit een gepassioneerde rationaliteit die zich niets lijkt aan te trekken van wat in de literatuur als talent, fantasievolle inval of gevoel voor zinsopbouw beschouwd wordt. Het werk van Herling is een continue stroom, eerder alert op registreren en communiceren dan op het uiten van eigen gevoelens; zoals de dichteres Cristina Campo schreef: 'grote ceremoniële woorden van afschuw en medelijden doorkruisen zijn verhaal net zo natuurlijk als de herfstwind die tussen de bomen suizelt en de regen die op de ruiten drupt.'

Herling heeft zijn basale verteltalent verweven met de plot

van de getuigenissen. In het werk van Gustaw Herling komen enorm veel personages voor, sporen van een orkest van verdoemenis dat uitstijgt boven de details van de sovjetwerkkampen, de aardbeving, de nazivervolging, zijn oorlogservaringen, het stinkende Napels, en het wordt representatief voor het mens-zijn in de twintigste eeuw. Misschien is het wel zo dat alle verhalen afkomstig uit de diepste herinneringen van politieke vluchtelingen, van degenen die gered zijn, op elkaar lijken. De verhalen van Levi, Sjalamov, Herling en Wiesel hebben een overeenkomstig genetisch erfgoed dat niet alleen bepaald wordt door de barbaarsheid die ze allemaal hebben ondergaan, maar eerder door de vergevingsgezindheid die ze gemeen hebben. In hun slotwoorden, in hun nauwelijks uitgesproken oordelen, in de erkenning van hun verdriet, hebben deze schrijvers geschreven om het menselijk ras de kans te geven anders te leven, maar niet te vergeten, juist om anders te kunnen zijn. We komen niet te weten of deze auteurs hun cipiers, hun banale tirannen hebben vergeven, en eigenlijk is dat ook niet belangrijk. Het is echter wel noodzakelijk te begrijpen of ze de belangrijkste uitvoerder van barbaarsheden: de mens, vergeven hebben. Een herinnering achterlaten, schrijven, is op de een of andere manier een bewijs van vertrouwen in de mens, in de nieuwe generaties. De verschrikkelijke herinnering, kortom, als belofte van of hoop op een nieuwe weg die de mens kan gaan.

Wie schrijft sterft

Anna kwam op 17 oktober 2006 thuis van het boodschappen doen. Een vermoeid uitziende vrouw, die van de supermarkt aan de Frunzenskaja kwam, de straat langs de Moskva. Ze is op de terugweg van het ziekenhuis waar haar moeder ligt met kanker. Haar vader, die veel van zijn vrouw hield, kreeg, zodra hij van de ziekte op de hoogte was gebracht een hartinfarct waaraan hij overleed. Het noodlot leek die dagen keihard toe te slaan.

Anna, die is gescheiden, heeft twee inmiddels volwassen kinderen die ze weinig ziet. Thuis wacht Van Gogh, een grote hond, die ze als puppy kreeg, getekend door mishandeling. Over hem schrijft ze: 'Het is alweer avond. Ik draai mijn sleutel om in het slot en Van Gogh vliegt op me af, altijd en ondanks alles. Ook als hij pijn in zijn buik heeft van iets wat hij heeft gegeten, ook als hij diep in slaap was. Hij is een eindeloze bron van warmte. Iedereen beklaagt je, iedereen wordt moe van je: je hond houdt nooit op met van je te houden.'

Ze heeft drie tassen vol met boodschappen in de auto die voor de deur van haar flatgebouw op nummer 8 van Lesnaja

Ultsa staat. Het is makkelijk om er te parkeren. Het is een gegoede middenstandswijk, redelijk beschermd en smaakvol. Er wonen ondernemers uit het nieuwe Rusland. Je kunt de flats alleen binnenkomen met een toegangscode. Anna gaat naar boven en zet de eerste twee boodschappentassen, vol met levensmiddelen en spullen voor het huishouden neer. Dan gaat ze weer naar beneden om de derde tas te pakken, vol met sanitaire benodigdheden voor haar moeder, die in het ziekenhuis ontbreken. Ze gaat met de lift naar de eerste verdieping. Zodra de deuren opengaan, stuit ze, terwijl ze nog in de lift staat, op een man en een vrouw. Hij is mager, jong, draagt een petje met een klep om zijn ogen te bedekken – zullen de getuigen zeggen – en naast hem staat een vrouw.

Hij richt een Izh-pistool met demper op haar borst. Hij schiet drie keer. Twee schoten in haar hart dat in drie stukken uiteenspat, een derde schot treft haar in de schouder. Om er zeker van te zijn dat hij zijn werk goed heeft gedaan, schiet hij het lichaam op de grond ook nog een keer in de nek. Ze hadden Anna gevolgd vanaf de supermarkt, ze kennen de code om de flat in te komen en hebben haar opgewacht in het trapportaal. Na de executie laten ze het pistool met het weggeschuurde registratienummer achter in de plas bloed en gaan weg. Kort daarna drukt een dame op de liftknop, wanneer de lift de begane grond bereikt en de deuren opengaan, slaakt ze een kreet en begint meteen daarna te bidden.

Zij vindt het lijk van Anna.

Het was de vierenvijftigste verjaardag van president Vladimir Poetin en Anna's dood leek een cadeau te zijn. Anna Stepanovna Politkovskaja, geboren in New York met de achternaam Mazepa, achtenveertig jaar, wordt begraven op 10 oktober 2006 op het kerkhof Trojekurovo in Moskou. Direct achter de baar haar twee kinderen, Ilja van 28 en Vera van 26, haar zus, haar ex-echtgenoot en haar hond. Haar woorden konden niet anders worden tegengehouden dan zo. Alleen op deze manier was het gelukt: met kogels. Drie jaar later zijn de verdachten van de moord op Anna allemaal vrijgesproken. Sergei Khadzikurbanov, ex-functionaris van de minister van Binnenlandse Zaken, vrijgesproken; twee Tsjetsjeense broers Dzhabrail en Ibragim Makhmudov, vrijgesproken; de derde broer Rustam, die er ook bij betrokken was, is naar het buitenland gevlucht en nooit gearresteerd en ook de kolonel van de veiligheidspolitie Pavel Rjaguzov is vrijgesproken. De mensen die volgens de aanklacht ervan worden beschuldigd Anna te hebben gevolgd en vervolgens vermoord zijn door Evgenij Zubov, de voorzitter van het militaire gerechtshof, vrijgesproken en vrijgelaten. Tot op de dag van vandaag zijn er voor de moord geen schuldigen of opdrachtgevers veroordeeld. Maar Anna's woorden blijven doornen die vastzitten onder de nagels en in de hoofden van de Russische machthebbers.

Tsjetsjenië is een gevaarlijk boek. Anna Politkovskaja heeft het geschreven omdat ze de etterende open wond wilde beschrijven die niet alleen over een achterlijk gat ergens in een kloof van de Kaukasus gaat. Het is haar gelukt om de geschiedenis van de oorlog in Tsjetsjenië tot een dagelijkse realiteit voor iedereen te maken. En dat is haar dood geworden. Haar vermogen om Tsjetsjenië tot onderwerp van debat te maken in Londen en Rome, en feiten aan te dragen in Madrid en Parijs, in Washington en Stockholm. Overal zijn haar woorden nitroglycerine geworden voor de regering van Poetin, tot op het punt dat dit boek gevaarlijker is geworden dan een televisie-uitzending, dan de getuigenverklaring, dan een proces in het internationale gerechtshof. Want *Tsjetsjenië* bevat alles wat

Anna heeft gezien in een van de smerigste oorlogen die de menselijke soort ooit heeft voortgebracht, een oorlog waarin verkrachte vrouwen en gemartelde soldaten in een proces-verbaal moesten verklaren, dat zij de echte schuldigen waren aan de gewelddadigheden die ze hadden ondergaan. Haar poëtiek is samen te vatten in een aforisme van Marina Cvetaeva die daarop is afgestudeerd: 'Mijn hele schrijven is het oor lenen.'

Anna Politkovskaja werkte onder zeer moeilijke omstandigheden. Ze kreeg dertig euro per dienstreis, ze verdiende er niets aan. Haar werk werd niet financieel ondersteund. Geen cent voor haar reizen en het grootste deel van haar journalistensalaris ging op aan de verdediging tegen ruzies en aanklachten, iedere keer als er een artikel van haar hand verscheen. De bedoeling was om haar af te matten en haar met een niet-aflatende lastercampagne te ontmoedigen. Het was in eerste instantie niet de bedoeling geweest om haar te vermoorden, maar om haar imago kapot te maken. Om de mensen die van haar hielden – en dat waren er veel – te laten geloven dat ze een gestoorde carrièrejager was.

Ik zal nooit vergeten wat Aleksandr Politkovskij, de ex van Anna, de dag na haar dood zei: 'In 1994 was de strijd tussen de oligarchen Vladimir Potanin en Vladimir Gusinskij in volle gang over de overname van Norilsk Nickel, de grootste wereldproducent van nikkel, die geprivatiseerd zou worden. Potanin kwam als winnaar uit de bus maar op een zeker moment riep Gusinskij Anna bij zich en liet haar een dossier zien dat vol laster stond dat hij over onze familie had verzameld. Anna was erg geschrokken, ik kwam haar ophalen en we hebben er in de auto lang over gesproken. Daar besloot ze dat ze sowieso door zou gaan, hoewel ze het in diskrediet gebracht worden nog erger vreesde dan de dood.' Beter te sterven dan te worden zwartgemaakt. En uiteindelijk was dit een werkelijke troost. Verschrikkelijk, tragisch, ongelooflijk maar waar.

Met haar dood zijn ze tenminste opgehouden om haar in diskrediet proberen te brengen. Haar in diskrediet brengen was de manier om haar te vernietigen. Ze besmeurden het gezin en zochten of ze onderhandse overeenkomsten, corruptie en misdrijven aan konden tonen. Ze gingen naar de familieleden van de slachtoffers waarover Anna het had gehad en oefenden druk uit door te zeggen dat ze alles had verzonnen, dat alles heel anders was gebeurd. Ze verspreidden lasterpraat: ze is een leugenaar, mythomaan, gek, dwaas, carrièrejager. Er waren uiteindelijk honderden verslaggevers in Rusland die haar haatten omdat haar man al carrière had gemaakt tijdens de perestrojka. Hij werd een kritisch geluid ja, maar van een van de tv-kanalen van de USSR. Verder schreef Anna voor een krant dat gedeeltelijk direct onder Gorbatsjov en de oligarch Lebedev viel.

De laster die werd verspreid was, dat zij net deed alsof ze revolutionair was maar dan wel binnen de ruimte die de oude communistische bazen haar gaven. Het was niet moeilijk voor de politieke macht dergelijke uitvluchten te vinden om haar imago te besmeuren. Net zo makkelijk als er nu honderden van haar collega's overal ter wereld Anna verdedigen en onderzoeken wat er is gebeurd.

Maar haar echtgenoot vervolgt zijn uitleg waarom Anna het diskrediet meer vreesde dan al het andere: 'Zij schreef haar artikelen om dingen te veranderen. Ieder stuk moest iemand helpen of een onrecht verhinderen. Ze moest iets laten zien, ook al was het weinig, maar iets. Als ze haar geloofwaardigheid zou verliezen dan zou dat onmogelijk worden. Hetzelfde overkwam haar jaren later met Ramzan Kadyrov, de pro-Russische gouverneur van Tsjetsjenië, die dreigde haar een sauna in te slepen en haar te laten fotograferen in obscene poses met naakte mannen.' Ze zouden haar verdoven, kidnappen en fotograferen in porno-poses met mannen, in een soort van orgie, een gangbang met bodybuilders glimmend van de olie en in het midden zij, de gevaarlijkste journaliste. Als om te zeggen, kijk eens wat voor een leven ze leidt, de vrouw die rondbazuint dat haar land een hel is. Wie zou geloven dat ze gedwongen was en verdoofd? Iedereen zou die smerige foto's accepteren, en zouden tekeergaan tegen de zonde, de orgie, het genot van dat nieuwe sletje van wie men had gedacht dat ze een strijdster was. Nadat de foto's op de voorpagina's van vele kranten en op roddelsites over de hele wereld zouden zijn uitgebracht, zou geen enkele ontkenning, geen enkele aanklacht of het aantonen van geweld de modder van haar gezicht kunnen halen. Modder die ertoe zou leiden dat iedere reportage, ieder onderzoek, ieder woord in twijfel zou worden getrokken. Dat is het eerste gevaar.

Voorafgaande aan de kogels of als hun plan niet met kogels verwezenlijkt kan worden, wordt de geloofwaardigheid aangetast, het gezag ondermijnd door woorden van hun betekenis te ontdoen, niet door van de woorden zelf uit te gaan, maar door het creëren van een mechanisme dat die woorden van iedere betekenis berooft, ze tot loze hulzen maakt. Anna besloot de rol van journalist op te geven en actief deel te gaan nemen aan wat ze zag en vertelde toen ze zich in oktober 2002 in de onderhandelingsgesprekken mengde met de terroristen die de toeschouwers van de musical *Nord Ost* in de schouwburg Dubrovka in Moskou in gijzeling hielden. Ze nam haar besluit toen ze water naar de gegijzelden bracht. In september 2004, gedurende het beleg van de school in Beslan, wilde ze proberen te bemiddelen. Dat zou haar ook zijn gelukt want ze werd door beide partijen gerespecteerd, maar Anna verklaarde dat ze vergiftigd was aan boord van het vliegtuig dat haar naar Ossetië bracht. Dat vergif was bedoeld om haar te doden en verhinderen dat ze aan haar verzoek om de crisis op te lossen gehoor zouden moeten geven. Ze probeerden haar te elimineren op een eenvoudige, luchtige manier: met een kopje thee. Nadat ze het had opgedronken begon haar hoofd te draaien en trok haar maag samen in krampen. Ze verloor haar bewustzijn, maar had nog net de tijd gehad om hulp aan een stewardess te vragen. Ze werd naar het ziekenhuis van Rostov gebracht. Toen ze weer wakker werd, fluisterde een verpleegster in haar oor: 'Lieverd, ze hebben je vergiftigd, maar alle bloedtests zijn op bevel van hogerhand vernietigd.' Ik herinner me nog uitstekend dat Italiaanse journalisten enkele dagen na het nieuws zich laatdunkend over haar uitlieten: 'Ze heeft te veel 007-films gezien, onze Anna. Als iemand werkelijk in gevaar is, loopt ze er heus niet bij iedere persconferentie mee te koop, maar probeert ze zich in stilte te verdedigen.' Dat was de teneur van de commentaren nadat ze een niet te bewijzen vergiftiging had overleefd.

Maar Anna wist dat stilte een enorm cadeau zou zijn voor de mensen die haar de mond wilden snoeren en onrecht wilden aandoen. Ze had heel veel bedreigingen ontvangen en een tijdlang kreeg ze beveiliging, die bekostigd werd door haar krant *Novaja Gazeta*.

Op 9 september 2004 schreef ze een artikel in *The Guardian*, 'Vergiftigd door Poetin' en veel, te veel mensen geloofden haar niet. De zichtbaarheid en de kracht van haar woorden, maakte van Anna met haar pen en haar gezicht het symbool van de strijd voor de mensenrechten in Tsjetsjenië. Door vreemde mechanismen, werd de afgunst van collega's op deze kwaliteiten van Anna de belangrijkste bondgenoot van de officiële berichten van de regering die het hadden over een vrouw die door zichzelf en door haar mythomanie in beslag wordt genomen. Dit alles zorgde ervoor dat ze volledig geïsoleerd raakte. In het artikel van 9 september 2004 schreef ze: 'Het is absurd, maar was het soms niet hetzelfde onder het communisme, toen iedereen wist dat de autoriteiten onzin kletsten maar net deed alsof de keizer wel kleren aanhad? We vallen terug in de sovjetkloof, in de afgrond van de informatie die door onze eigen onwetendheid dood creëert... voor de rest, als je journalist wilt blijven, moet je absolute trouw aan Poetin zweren. Anders kan het de dood, de kogel, vergif, het gerecht of een of andere oplossing van de geheime dienst betekenen, de waakhonden van Poetin, wat ze maar het meest geschikt vinden.

Alleen haar boeken en haar artikelen konden haar verdedigen.

In *Herinneringen van een revolutionair* stelt Victor Serge: 'Ik wil het liever zeggen dan schrijven, anderen kunnen veel beter dan ik de woorden met de feiten samen laten gaan. Ik heb nu geen tijd, ik moet het onder de aandacht brengen en verder niets.' Voor Anna schijnt hetzelfde te gelden. Haar boeken zijn direct, snel, ze hebben de macht van de ontdekking, van nieuws, van onbekende informatie en het onthullen ervan. En dat heeft ervoor gezorgd dat ze in de schijnwerpers kwam te staan.

'Wie me in het Westen ziet als de belangrijkste activiste tegen Poetin kan ik zeggen dat ik niet een activiste ben, ik ben alleen maar een journaliste. Alleen dat. Het is de taak van de journalist om te informeren. Wat Poetin betreft, hij heeft van alles uitgehaald en ik moet erover schrijven,' zei ze en ze verklaarde zonder problemen, dat haar taak niet politiek was, maar dat het de noodzaak tot schrijven vervulde. Ze had er een hekel aan om columns te schrijven: 'Het is niet belangrijk te weten wat ik denk, maar wat ik zie,' en ze ging door met haar kritische verhalen.

Anna Politkovskaja wist dat alleen haar lezers haar zouden verdedigen. Ze nam deel aan vele internationale congressen, ze wist dat de mensen, hun ogen, hun interesse haar woorden zouden verdedigen. En alleen zij waren haar beveiliging. Haar instrumenten waren de reportage en het interview en wanneer ze zich tot een gezagsdrager richtte, als de politicus of de bureaucraat ontwijkend was of leugenachtig, dan deed Politkovskaja aangifte. Er zijn een heleboel processen waaraan de schrijfster deelnam, ook alleen als getuige. In een interview in het Engelse dagblad *The Guardian* op 5 oktober 2002 vertelde ze: 'Ik ben buiten mijn journalistenrol getreden. Ik heb die rol opzijgezet en heb veel dingen geleerd die ik nooit te weten zou zijn gekomen als ik een gewone journalist was gebleven, die stil blijft staan in de menigte zoals alle anderen.' Misschien was dit wel wat haar in 1999 naar Tsjetsjenië bracht. Sindsdien begon dat boek artikel na artikel te groeien, en momenteel is het een van de meest relevante literaire documenten van onze tijd om de structuur van ieder conflict te leren begrijpen, meedogenloos, verborgen, walgelijk, vreselijk modern.

Anna Politkovskaja is het kind van de traditie van dissidenten in de Sovjet-Unie, die vanaf de jaren zeventig een vreedzame en niet-gewelddadige strategie hebben gekozen om het regime aan te klagen. Ze besloot de leugens van haar land te ontmaskeren via dezelfde kanalen die dezelfde Russische staat had gecreëerd en daarom eindigde haar plan niet met het artikel, maar ging ze verder dan dat met het doen van aangifte. Ze liet het niet alleen bij journalistieke activiteiten. Ze wilde per se de verantwoordelijken in de ogen kijken. Ze had de martelingen en de verkrachte meisjes van nabij gevolgd en ze had de processen bijgewoond. Het lukte Anna om de beulen te laten straffen en ze introduceerde nieuwe bewijslast in de voortgang van de processen en verkreeg zo genoegdoening voor de slachtoffers.

In dit boek wordt een ding duidelijk: de kracht van het woord. Hoeveel gewicht legt het woord in de weegschaal en welke maatstaven gebruik je en op welke weegschalen weeg je het af. Vragen die als een tropische koorts iedere vezel van de schrijver of de literaire lezer kwellen. Majakovskij schrijft dat de literatuur een atleet is, en het beeld van woorden die alles blootleggen, die obstakels overwinnen en bestrijden, spreekt me erg aan. Het specifieke gewicht van het literaire woord wordt bepaald door het feit dat er geschreven wordt over de essentie van de wereld of voor sommigen juist doordat daarover juist niet geschreven wordt. Primo Levi was in polemiek met Giorgio Manganelli, die er prat op ging om onduidelijk te schrijven en beweerde dat vaag schrijven immoreel is. Het literaire schrijven is labyrintisch, veelvormig, ik geloof niet dat er eenduidige wegen zijn, maar de wegen waarop ik mijn voeten moet plaatsen die herken ik. Als Philip Roth zegt dat na het boek *Is dit een mens* niemand meer kan zeggen dat hij niet in Auschwitz is geweest, niet dat hij niet op de hoogte was van het bestaan van Auschwitz, maar dat je niet in de rij hebt gestaan voor een gaskamer. Zo sterk is de kracht van die bladzijden van Levi's boek. Een boek dat geen getuigenis is of een reportage, geen demonstratie. Maar het voert de lezer hun eigen wereld binnen, en laat hem daar lijfelijk aanwezig zijn. Op de een of andere manier is dat het echte verschil tussen een verslag en literatuur. Het is niet het onderwerp, ook niet de stijl, maar die mogelijkheid om woorden te vinden die niet mededelen maar die uitdrukken, die in staat zijn te fluisteren of te schreeuwen, die de lezer zo dicht op zijn huid zitten dat wat hij aan het lezen is, hem aangaat. Het is niet Tsjetsjenië, het is niet Saigon, het is niet Dachau, maar het is je eigen plek, die verhalen zijn de echte verhalen.

Truman Capote schreef kort voordat hij stierf: 'De roman en de waarheid zijn gescheiden door een steeds kleiner wordend eiland, en staan op het punt samen te komen. De twee rivieren stromen voor eens en altijd samen.' Het risico voor de schrijver is nooit dat hij het geheim heeft onthuld, of welke verborgen waarheid hij heeft ontdekt, maar dat hij het heeft gezegd, dat hij het goed heeft gezegd. Dit maakt de schrijver gevaarlijk, gevreesd. Hij kan via een woord dat niet alleen informatie overbrengt, die verborgen, stilgehouden, lasterlijk of ontkennend kan zijn, iets overbrengen wat alleen de ogen van de lezer kunnen ontkennen of bevestigen. Deze macht kun je niet tegenhouden, als je de hand die het schrijft niet tegenhoudt. De kracht van de literatuur kan zich onmogelijk beperken tot één dimensie, slechts één ding zijn, of nieuws, informatie of sensatie, lust of emotie. Deze kracht stelt haar in staat om over iedere grens heen te gaan, over de grenzen van wetenschappelijke gemeenschap, die van specialisten, en terecht te komen in het dagelijkse bestaan van eenieder en een onbestuurbaar instrument te worden die in staat is iedere weerstand te versterken. Dezelfde macht die de sovjetregering meer vrees aanjoeg dan de contraspionage-aanvallen van de CIA waren Boris Pasternàk met *Dokter Zjivago* en *Verhalen van Kolyma* van Šalamov.

De vitale kracht van het schrift blijft een noodzakelijke voorwaarde om een boek dat de moeite waard is om te lezen te onderscheiden van een boek dat de moeite waard is om gesloten te blijven. Het universum van de concentratiekampen lijkt onvoorstelbare levensdruppels uit de literatuur te persen. Ik ben niet geïnteresseerd in literatuur als slechte gewoonte, ik ben niet geïnteresseerd in literatuur als een zwakke gedachte, ik heb niets te maken met mooie verhaaltjes die niet hun handen durven vuil te maken aan het bloed van mijn tijd, en die niet de politieke verdorvenheid en de muffe zakenlucht aan de kaak durven stellen. Er bestaat een andere literatuur, die van hoge kwaliteit kan zijn en die veel instemming krijgt, maar ik heb er niets mee te maken. Ik heb de zin van Graham Green in mijn gedachte: 'Ik weet niet wat ik ga schrijven, maar voor mij is het alleen belangrijk dat ik schrijf over dingen die er toe doen.' Proberen om de mechanismen te begrijpen. De instrumenten van de macht, van onze tijd, de schroefbouten van de metafysica van de heersende zeden. Alles is gezang en materie, met verschillende registers. Zonder de angst om buiten de literaire parameters te schrijven, buiten voorgeselecteerde feiten, richtingen, percentages en instrumentarium, die ieder ding besmet. De stijl is fundamenteel, ik denk echter dat Ernest Hemingway het bij het rechte eind had: 'Stijl is bekoorlijkheid onder druk.' De bekoorlijkheid van het schrijven, de uitgestrektheid van de tijd, de diepe reflectie moeten in gijzeling worden gehouden door de situatie, door de gebiedende wijs van de woorden 'doen' en 'onthullen'. Een waarheid, de literaire waarheid, zit in het woord, niet in de mens. De waarheid van de woorden in onze tijd betaal je met de dood. Men verwacht het. Je traint je geest om het te accepteren. Ik ben er steeds meer van overtuigd. Een intense waarheid overleven is een manier om wantrouwen te veroorzaken, een manier om de waarheid te onttrekken aan je eigen woorden. Maar de waarheid van het woord en van analyses hebben geen ander antwoord dan de dood. De waarheid van het woord overleven betekent de waarheid bagatelliseren. De waarheid van het woord levert als het effectief is, altijd een antwoord op van de macht. 'Macht' is een algemeen en hoerig woord. Institutionele, militaire, criminele, culturele, ondernemersmacht.

Dit antwoord heeft zijn doel niet bereikt als het woord van de nieuwe waarheid niet komt. Het heeft geen indruk gemaakt. Het doorslaggevende bewijs dat je de macht rechtstreeks in het hart hebt getroffen is dat je zelf in het hart wordt getroffen. Eenzelfde en tegenovergestelde reactie. Meedogenloos. Of je brengt een gedeelde waarheid, alles bij elkaar aannemelijk. Of je brengt de waarheid van de beelden, van de televisiecamera's of van foto's. Esthetische waarheid, morele waarheid gestaafd met bewijzen. Die waarheden hebben weinig individuele keuze tot gevolg maar veel voor het oog. Alsof de mens van zijn ledematen wordt ontdaan en ieder orgaan wordt geïsoleerd. En dat de intellectueel wordt veroordeeld tot dezelfde scheiding als in de apoloog van Menesius Agrippa. De reporter is het oog, de schrijver de hand en een beetje de geest, de journalist het oog en een beetje de hand, de dichter het hart, de verteller de maag. Maar misschien is de tijd aangebroken om een monster met meer handen en meer ogen te genereren, een tijd waarin de schrijver mag binnendringen, betrokken mag zijn, gebruik mag maken van ieder instrument. Dat is de taak van de schrijver die zich bezighoudt met de werkelijkheid en daarover schrijft. De woorden blijven fundamenteel, maar de eenzaamheid van de schrijver en het gevaar van het woord zijn enorm.

Stanislav Markelov was de advocaat van Anna Politkovskaja

en hij was de advocaat die streed tegen de vervroegde vrijlating van kolonel Juri Budanov, een officier van de hoogste rang, die voor oorlogsmisdaden was veroordeeld door een Russisch gerechtshof. Ze doodden Markelov barbaars door hem op 19 januari 2009 in zijn hoofd te schieten. In het proces tegen kolonel Budanov, vertegenwoordigde Markelov de familie van Elza Kungaeva, de achttienjarige Tsjetsjeense die in Chankala verkracht en vermoord was door een groep Russische soldaten. De vader van Elza Kungaeva, die al jaren in Noorwegen woont, ontvangt voortdurend doodsbedreigingen. Kolonel Budanov is onaantastbaar. De afgelopen jaren is de moord op Elza het symbool geworden van het misbruik dat de Russische troepen gepleegd hebben in Tsjetsjenië. De episode wordt uitgebreid beschreven in het boek van Anna Politkovskaja *Het Rusland van Poetin*. Ook komt het proces tegen Budanov erin voor, die waarschijnlijk zonder de aandacht van de media voor het boek niet zou zijn veroordeeld. Budanov werd in 2000 gearresteerd, beschuldigd en in 2003 tot tien jaar veroordeeld. Recentelijk is hij echter in vrijheid gesteld, ondanks de campagne geleid door de advocaat Markelov tegen de vrijlating.

Advocaat Markelov is op straat koud gemaakt, samen met Anastasija Baburova, een journaliste van de *Novaja Gazeta* die de plaats van Anna had ingenomen en zich bezighield met de onderzoeken naar Tsjetsjenië.

Wie schrijft sterft. Anastasija wordt in haar hoofd geschoten terwijl ze de huurmoordenaar probeerde tegen te houden die advocaat Markelov, met wie ze samenwerkte, had vermoord. Voor de moordenaars was het absurd dat een vrouw reageerde en niet wegvluchtte en dat had hen van hun stuk gebracht. Anastasija is gestorven omdat ze zich verzette tegen de moordenaars. Ze was vijfentwintig jaar. Nu de laster Anna niet heeft kunnen vernietigen, nu haar woorden haar hebben overleefd, ligt alles op de lippen, in de ogen, in de herinnering van de lezers.

Ik zou niet willen dat deze woorden als een introductie worden gedefinieerd. Deze woorden zijn een gebed, uitgesproken met alle mogelijke liturgische zinnen aan de lezer die besloten heeft om zijn tijd te spenderen om het te lezen.

Een gebed omdat het verslag uitbrengen aan iedereen die je tegenkomt over wat je leest in *Tsjetsjenië* doorgaat en dat je de opoffering van de vrouw die besloten heeft om het te vertellen niet vergeet. Een gebed dat je ieder uur van Anna Politkovskaja's leven voelt en diep tot je door laat dringen, een leven dat ze meestal doorbracht in de wetenschap dat ze een deadline heeft, maar met de zekerheid dat die deadline alleen haar lichaam betreft en dat haar verhalen verspreid zijn als sterrenconstellaties, en die verhalen achterlaat in iedere lezer die ze heeft leren kennen.

Nawoord bij de artikelen

Op de eerste paar bladzijden (van *Het gevaar als je leest* en van *Botten van kristal*, dat vooralsnog niet is gepubliceerd) na, is elk hoofdstuk in dit boek herzien en bewerkt voor uitgave in dit verzamelwerk. De oorspronkelijke versies zijn in drukvorm of bij bepaalde gelegenheden verschenen, zoals hieronder vermeld:

'Brief aan mijn geboortestreek' ('Lettera alla mia terra'), in
    la Repubblica, 22 september 2008.
'Miriam Makeba: in woede verbonden' ('Miriam Makeba:
    la rabbia della fratellanza'), in *la Repubblica*, 11 november
    2008.
'Van Scampia tot Cannes' ('Da Scampia a Cannes'), in
    L'espresso, 18 juli 2008.
'Het kwaad bestrijden met kunst' ('Combattere il male con
    l'arte'), in *la Repubblica*, 31 oktober 2008.
'De waarheid bestaat toch' ('La verità, nonostante tutto,
    esiste'), introductie in het theaterboekje bij het toneelstuk
    dat van *Gomorra* is gemaakt, als verkorte versie van

'Come sta la verità nel paese di Gomorra' ('Hoe staat
het met de waarheid in het land van Gomorra'), in
la Repubblica, 27 juli 2007.

'Als de aarde dreunt, doodt het beton' ('Quando la terra
trema, il cemento uccide'), in *la Repubblica*, 14 april 2009.

'Alles op het spel zetten' ('Giocarsi tutto'), in *la Repubblica*,
15 februari 2008.

'Tatanka Skatenato', in *L'espresso*, 31 juli 2008.

'De man die Donnie Brasco was' ('L'uomo che era Donnie
Brasco'), in *L'espresso*, 4 februari 2008.

'Siani, een echte verslaggever' ('Siani, cronista vero'), in
il manifesto, 11 juni 2004.

'De vuurtorenwachter' ('Il guardiano del faro'), in *L'espresso*,
9 november 2007.

'In naam van de wet en de dochter' ('In nome della legge e
della figlia'), is ontstaan uit een aantal interviews verschenen in *El País* (11 februari 2009, met de titel 'Pidan
perdón a Beppino Englaro') en in *la Repubblica* (12
februari 2009, met de titel 'Chiedete scusa a Beppino
Englaro', en 23 januari 2009, met de titel 'La rivoluzione
di un padre').

'Felicia' ('Felicia'), op Nazione Indiana (www.nazioneindia-
na.com), 8 december 2004.

'Gouden handel' ('La magnifica merce'), in *L'espresso*, 8 maart
2007.

'Bouwen is veroveren' ('Costruire, Conquistare'), in
la Repubblica, 6 juli 2007.

'De pest en het goud' ('La peste e l'oro'), in *la Repubblica*,
5 januari 2008.

'Het Vollmann-syndroom' ('Sindrome Vollmann'), in
L'espresso, 14 november 2007.

'Apocalyps Vietnam', in *L'espresso*, 31 mei 2008.

'Deze dag behoort voor altijd aan jullie toe' ('Questo giorno sarà vostro per sempre'), in *L'espresso*, 26 maart 2007.

'De geesten van de Nobelprijswinnaars' ('I fantasmi dei Nobel'), in *la Repubblica*, 14 december 2008.

'Toespraak voor de Zweedse Academie' ('Discorso all'Accademia di Svezia') uit het discours bij de soiree die de Zweedse Academie wijdde aan Salman Rushdie en Roberto Saviano op 25 november 2008.

'De demon en het leven' ('Il demone e la vita'), in *Pulp*, nummer 58, november/december 2005.

'Eindeloze vermoedens' ('L'infinita congettura'), op Nazione Indiana (www.nazioneindiana.com), 27 februari 2004.

'Nooit meer in een wereld apart' ('Mai più in un mondo a parte'), in *Pulp*, nummer 48, maart/april 2004, en op Nazione Indiana (www.nazioneindiana.com), 3 juni 2004.

'Wie schrijft sterft' ('Chi scrive, muore'), introductie bij *Cecenia. Il disonore russo*, van Anna Politkovskaja, Fandango Libri.

Dit boek is ook bedoeld als hommage aan hen die de afgelopen jaren in mij zijn blijven geloven. Aan hen die mij, ieder op hun eigen manier, nabij zijn geweest en met me hebben meegeleefd. Te beginnen bij al degenen die me vertrouwen gaven en van goede raad voorzagen, waardoor ik een houvast vond om te blijven schrijven.

Aan degenen die naar mij luisterden, zoals Vincenzo Consolo, toen ik als klein jongetje bij hem en zijn vrouw Caterina over de vloer kwam, wat voelde als een warm bad en waar ik leerde over de verantwoordelijkheid van literatuur en over de moed van het woord.

Aan Goffredo Fofi, die de eerste was die me aanspoorde om mijn blik naar buiten te richten en die me onderwees over de vele mensen die zowel met hun woorden als met hun dagelijkse doen en laten in een bepaald gebied het verschil konden en wilden maken.

Aan Giuseppe Montesano, die me zowat heeft geadopteerd, doordat hij de deur tot de literatuur voor me opende via onze oneindige discussies over de oneindige werelden die de literatuur kan genereren.

Aan Corrado Stajano, zonder wiens boek ik mijn weg nooit gevonden zou hebben, en van wie ik heb geleerd de moeilijkste beslissingen te durven nemen.

Aan de herinnering aan Enzo Siciliano, die in mijn talent geloofde, me altijd de ruimte gaf en naar me luisterde.

Aan Helena Janeczek, die er was vóór alles, en die er desondanks nog steeds is.

Aan Tiziano Scarpa, die me bij Nazione Indiana heeft geïntroduceerd, en mij zo de gelegenheid bood contact te leggen met mijn allereerste lezers en met een gemeenschap van vrienden-schrijvers die me nooit in de steek hebben gelaten.

Aan Francesco Pinto, die me, jaren geleden, dwong het medium televisie niet te vrezen.

Aan de mensen die met mij en voor mijn woorden werken bij Mondadori, en die me, door vanaf het *Gomorra*-project in me te geloven, ook op de moeilijkste momenten steunden, al hadden ze het nog zo druk met werk of persoonlijke verplichtingen. En aan mijn buitenlandse uitgevers, voor de passie en intelligentie waarmee ze zich voor mij hebben ingezet.

Aan de directie en de redactie van *L'espresso* die vanaf het begin hun nek voor mij hebben uitgestoken en op mijn onderzoeken hebben ingezoomd.

Aan de directeur en de redactie van *la Repubblica,* die me hun meest gelezen pagina's gunden en me steeds terzijde hebben gestaan.

Aan alle andere Italiaanse kranten die me hebben verdedigd. En aan de buitenlandse kranten die me de gelegenheid gaven aan de wereld kond te doen van wat ik op mijn hart heb.

Aan de vele mediamensen, van de televisie en de radio, die bereidwillig en genereus zendtijd vrijmaakten voor mij en mijn verhaal, er programma's aan wijdden, en reportages en interviews, dat zij de aandacht op mijn verhaal hebben gevestigd en de publieke opinie hebben wakker geschud.

Dank aan Michail Gorbatsjov en Elie Wiesel, die bij de eersten hoorden die hun handtekening zetten onder de solidariteitspetitie voor mij, aan Lech Walesa en aartsbisschop Desmond Tutu. Dank aan Shirin Ebadi, Betty Williams en Pérez Esquivel: deze nobelprijswinnaars volgen mijn strijd vol aandacht en ik weet dat hun aandacht oprecht is; dank aan Rita Levi Montalcini, Renato Dulbecco en Dario Fo, die hun reputatie hebben aangewend om mij te verdedigen op het moment dat de lucht om me heen steeds drukkender werd.

Aan Orhan Pamuk, die in Duitsland naar me wilde luisteren en tegen me zei: 'Dit is mijn wens voor jou, ik vraag je er gehoor aan te geven. Leef!' Aan Wisława Szymborska en Günter Grass die in Polen en Duitsland voor me opkwamen. Aan John Coetzee die me met zijn handtekening heeft willen steunen, net als Elfriede Jelinek en José Saramago. Dank aan Salman Rushdie, die hetzelfde heeft meegemaakt als ik en die me advies gaf over hoe ik de dagelijkse problemen het hoofd kon bieden en hoe ik het vol moest houden om constant onder vuur te liggen.

Dank aan Joe Pistone alias Donnie Brasco die me over zijn

ervaringen heeft verteld en die me zijn vriendschap bood door me te vertellen hoe ik de vaak verstikkende eenzaamheid kon doorstaan.

Aan Claudio Abbado, die me de eer bewees zijn concert in het San Carlo-theater in Napels aan mij op te dragen.

Aan Martin Scorsese, die me verdedigde tegen de veelvuldig geuite beschuldiging dat ik mijn land zwartmaak.

Aan Fandango, die toen het boek net uit was besloot *Gomorra* te verfilmen, en die er zo'n mooie film van heeft gemaakt dat het de Grand Prix in Cannes won en de David van de Donatello-filmprijs.

Aan Mario Gelardi, Ivan Castiglione en alle andere acteurs die mijn boek hebben omgevormd tot een theaterstuk dat in alle Italiaanse theaters heeft gespeeld, en die ervoor gezorgd hebben dat het een van de best bezochte toneelstukken van de laatste jaren werd.

En aan al die andere collega's en persoonlijkheden uit de wereld van de kunsten die zich mijn verhaal en mijn woorden eigen hebben gemaakt en me op wat voor manier dan ook hun steun hebben geboden: Martin Amis, Paul Auster, Ingrid Betancourt, Junot Díaz, Umberto Eco, Nathan Englander, Hans Magnus Enzensberger, Jonathan Safran Foer, Jonathan Franzen, David Grossman, Siri Hustvedt, Tahar Ben Jelloun, Jonathan Lethem, Caro Llewelyn, Mario Vargas Llosa, Claudio Magris, Javier Marías, Colum McCann, Ian McEwan, Patrick McGrath, Suketu Mehta, Adam Michnik, Taslima Nasreen, Chuck Palahniuk, Francesco Rosi, Cathleen Schine, Peter Schneider en de gebroeders Taviani.

Aan de muzikanten die hun songteksten aan mij hebben gewijd of mij bij hun projecten betrokken: Massive Attack, Subsonica, Fabri Fibra, Lucariello e 'A67.

Aan de Italiaanse staat die me heeft beschermd en in het bijzonder aan onze president Giorgio Napolitano, die me bij meerdere gelegenheden heeft bewezen dat zijn bezorgdheid en zijn steun gemeend zijn.

Aan de carabinieri die mij beschermen, aan de scherpe en ervaren intelligentie van generaal Gaetano Maruccia, die voor mij een zeer kostbaar referentiepunt is geworden, aan de support en de vriendschap van kolonel Ciro La Volla.

Aan Nando, Leo, Aristide, Francesco, Marco, Michele en Sebastiano, die elke dag opnieuw vol moed, professionaliteit en sympathie aan mijn zijde stonden, hoewel ze daar vaak persoonlijke offers voor moesten brengen, maar waar ze mij nooit op aan hebben gekeken.

Aan alle verenigingen die voor me in de bres zijn gesprongen, aan al die mensen die spontaan initiatieven ter verdediging van mij in het leven hebben geroepen.

Aan Alex Pecoraro en alle anderen die via internet een informatie- en solidariteitsnetwerk hebben opgezet. Aan wie zijn sociale netwerk van Facebook en MySpace heeft aangewend om een web van aandacht en steun om mij heen te weven.

Aan de vele Italiaanse steden die mij tot ereburger van hun stad wilden maken – Rome, Turijn, Bologna, Florence, Venetië, Ancona, L'Aquila, Mantova, Montebelluna, Orvieto, Pisa, Reggio Emilia, Viterbo, en de andere die ik hier helaas niet allemaal bij name kan noemen – en me zo lieten zien dat mijn probleem het hele land aangaat, wat maakt dat ik me nog steeds thuis kan voelen in Italië.

Dank aan alle landen die me onderdak boden: Spanje, waar ik vele maanden te gast was, Zweden waar ik asiel kreeg, Duitsland dat me meerdere keren medeleven en verbondenheid toonde, president Shimon Peres die me een schuilplaats in Israël aanbood en Frankrijk dat me tot officieel inwoner van de hoofdstad maakte. Ik weet dat mijn eigen land en van de rest van de wereld mij veel gegeven hebben.

En dank, als laatste, aan mijn familie, in de hoop dat ze me heeft vergeven voor alles wat ze door mijn toedoen moet doorstaan.

R.S.